流通産業革命

近代商業百年に学ぶ

佐藤肇著

有斐閣選書

流通産業革命

▨ 近代商業百年に学ぶ

まえがき

わが国は、いま世界第三の経済大国を実現している。思えば、わが国は明治維新以来一〇〇年、ただひたすら西ヨーロッパ諸国に一日も早く追いつくために努力に努力をかさねてきた。そしていまや、この目標は一応達成されたといってもよい。わが国の経済は、敗戦後の壊滅状態から、わずか二〇年で「生産」と「消費」の課題を、そう困難な問題としないほどに高度成長をとげたのである。

しかし、この生産と消費を媒介する《流通》の問題は、依然として、とりのこされたままになっている。そこには近代化され合理化されなければならない多くの困難な課題が山積し、高度成長の結果、生産コストは大幅に引下げが可能となっているにもかかわらず、高すぎる流通コストによって、その効果は減殺されてしまっている。わが国経済の高度成長政策は物価問題、公害問題などいたるところに大きな破綻をもたらしつつあるが、流通問題もまた六〇年代に解決されることができなかったし、七〇年代においても、必ずしも解決できる見通しをもっているとはいいがたいのである。

流通問題は、その意味でドラッカーがいみじくもいったように、「経済の暗黒大陸」であり、同時に、研究の暗黒大陸でもある。それだけに、それはすぐれて現代的な課題であり、その解決のために、さまざまな角度からの探険がおこなわれている。

それらのなかで一九六〇年代のわが国に登場したいわゆる〈流通革命論〉は、ひとつの根強い社会的通念を定着させてしまっている。それによると、わが国の流通機構の構造的特質は、膨大な数にのぼる零細な小売店舗がきわめて複雑で紆余曲折した流通経路を形成しながら存立しているところにある。したがって、この流通経路を、太く(小売店舗の大型化=スーパー化)、短く(流通経路の短縮化=中間マージンの排除)することこそが、流通機構の近代化・合理化のカギであり、流通革命の中心でなければならないというのである。

しかし、流通機構の近代化・合理化のためには、むしろ、小売商業の産業化(インダストリアライゼーション)がおこなわれなければならない。真の流通革命の中心には、なによりも、流通産業革命がなければならない。このことを明らかにしようとしたのが、本書である。そのために本書は、「経済の暗黒大陸」といわれる問題領域のなかでも、とりわけ辺境に位すると考えられる小売商業に視点を据えて、まず、この領域に探検のメスをいれる方法=基礎視角を設定し(第1章 流通問題をどう学ぶか)、ついで小売商業の発達過程が、世界史的にみて、もっとも典型的なかたちで展開されたと思われるアメリカの場合について、その近代化・合理化=産業化の過程を、歴史的かつ理論的に把握することによって、ひとつの基準=座標軸を築きあげようとした(第2章―第9章 近代小売商業一〇〇年の歩み)。そして、この基準によって、アメリカとわが国を対比し、国際比較=分析することによって、わが国の流通機構が直面しつつある現代的な課題をつきとめ、その問題の所在と解決の方向を基本的に明らかにしようとしたのである（第10章　流通産業革命への道）。

このように本書は、なによりも、アメリカ近代小売商業一〇〇年の歩みを跡づけることによって、小売商業の産業化とは何か、流通産業革命とは何かということを歴史的かつ理論的に明らかにしようとしたのであるが、その結果、本書はおのずから、わが国のいわゆる〈流通革命論〉が定着させてしまった抜きがたい社会的通念にたいして、ひとつの理論的批判を企図したものともなっている。

そして本書は、ただたんに、こうした理論的な問題だけでなく、近代小売商業に変化と革新をもたらし、流通産業革命を推進していった人物たちの姿を、多少でも、浮彫りにしようとした。流通産業革命の問題は、たしかに理論的に明らかにされなければならない問題であるが、それは同時に、小売商業の産業化を推進していったすぐれた商人たちの人間の物語でもあるからである。

本書は、なによりも、わが国流通業界の第一線ではたらく実務家と流通問題を基本的に学ぼうとする研究者にたいし、ビジネスの実務にたずさわりながら問題を考えつづけてきたものとして、真の流通革命の中心には何がなければならないかを共に考えてみたいという念願から生まれることになったものであるが、出版の直接の契機となったものは、あの大学闘争のあとの一九六九年晩秋から翌春にかけて、東京大学経済学部において『流通産業論』というテーマで研究と講義をおこなう機会が、たまたま筆者に与えられたということであった。したがって、これは同大学における講義のために、ビジネスの実務のかたわら文字通り busy = ness に忙殺されながら、あわただしく準備したノートやメモを急ぎとりまとめたものにすぎず、もとより、ひとつの試論の域を出ないものである。

流通問題がわが国経済において緊急に解決をせまられていることを思い、ひとつの試論をあえて試論のままに世にだす本書が、わが国の直面する流通問題と真剣に取り組んでいる多くの実務家と研究者にとって、問題を基本的に考えるためのひとつの素材となり、問題解決のためにいささかでも役立つことができるならば、また、将来いっそう精緻な理論と分析を築きあげるためのひとつの捨石となることができるならば、筆者にとって、これにすぎる喜びはない。

最後に、本書の出版にあたって　商学博士　一橋大学名誉教授　流通問題研究協会会長　深見義一先生から厚志あふれる推薦のことばをいただいた。まったく過分のことと深く感謝申しあげなければならない。

なお、本書の出版については、有斐閣編集部沢部英一、松本雅子両氏の労をわずらわし、ノートの浄書にはじまり、編集、植字、校正、イラスト、印刷、製本、そして営業活動の第一線の業務にいたるじつに多くの実務にたずさわる方々のお世話になった。ひとりひとり、その名を記することもできないこれらの方々にたいする心からの謝意を付記させていただきたい。

一九七一年夏

著　者

目次

第5章　スーパーマーケット ■ 食料品の分野における流通産業の確立

第9章 ショッピング・センター ▩ 現代都市と商業立地革命

イラスト　辻　まこと

第1章

流通問題をどう学ぶか

わが国の経済は、一九五〇年代後半以降の高度成長の過程をへて、一九六〇年代には世界第三位の経済大国となり、一九七〇年代にはいり、いっそう成熟した高度産業社会の段階を迎えるにいたった。この高度産業社会における「生産」と「消費」を媒介する《流通》の役割は、わが国経済の均衡のとれた発展にとって、ますます重要なものとなってくるであろう。

しかし、わが国の場合、流通問題に強い関心が払われるようになったのは、一九六〇年代になってからのことであった。この期に、わが国の流通界に、はじめて大きな変化と革新があらわれてきたからである。

わが国の流通界におこった大きな変化のひとつは、まず、高度成長によってビッグ・ビジネスにまで成長したメーカーが、激烈な企業間競争に打ち勝つために、現代マーケティングの手法を駆使し、製品差別化と大量広告をおこない、そしてなによりも最終小売商業段階までの系列化などの政策を総動員して流通支配力の強化をはかることを最高の経営戦略として強く打ちだしてきたという事実である。

いまひとつの大きな変化は、流通経路の最末端の段階である小売商業界そのものに、いわゆるスーパーが登場するや、きわめて短期間のうちに、わが国の小売商業界の一角を確実に占める地歩を築きあげてしまうほどの急速成長をとげたという事実である。

そして、このようなわが国の流通界におこった現実の大きな変化と革新を背景として、わが国の流通機構の構造的変化の方向を理論的に見定めようとする論議が、いわゆる〈流通革命論〉として、一九六〇年代のわが国の論壇に、にわかに、にぎやかに展開されることとなったのである。

1　流通問題と〈流通革命論〉

一八兆円の巨大市場をつくる一八〇万の小売店舗

わが国の流通界、わけても小売商業界は、現在、いまだかつて知らなかった大きくはげしい変化と革新を経験しつつあり、その意味で、まさに《流通革命》の嵐のなかに立っている。

現在、この変化と革新の嵐が吹き荒れているわが国の小売商業界には、およそ一八〇万の小売店舗がある（一九六八年『商業統計』。本書二四〇頁表2参照）。その店頭から、われわれ一億の消費者がいとなむ現代生活をささえるありとあらゆる商品とサービスの大部分が送りだされている。ひとつひとつは、ごく小額の多種多様な商品とサービスであるが、その堆積は約一八兆円という巨額に達するこの小売市場を通じて、現代の経済機構全体が生産するあらゆる製品が購買され、それを消費することによって、一億の消費者の毎日毎日の生活のいとなみがつづけられ、われわれの日本的生活様式がつくられていっているのである。

小売商業は、なによりも、経済機構全体のなかで「生産」と「消費」を媒介することによって、基本的には、メーカーにとっては、かれらが生産する製品をメーカーに代わって販売するための代理機能を果たし、同時に、消費者にとっては、かれらが消費する商品を消費者に代わって購買する（仕入れる）ための代理機能を果たしている。

いうまでもなく、小売商業は、一方では、生産力と生産方法がいっそう高度に発達し、他方では、消費慣習と所得水準がますます多様に変化していくのに対応して、さまざまな形態や規模をとりながら複雑な展開をとげている。ひとくちに小売商業といっても、すべての消費者にもっとも親しまれている小売店舗における店頭販売から、訪問販売や通信販売、自動販売機による販売にいたるまで、そこにはさまざまな形態のちがいがある。また、小さく粗末な屋台から、デラックスなサロン風の高級専門店、あらゆる階層の消費者を広くカバーしようとする大規模な百貨店にいたるまで、規模においても、さまざまなちがいがある。しかし、すべての小売商業は、ひとつの共通した経済活動をおこなっているのである。

小売商業は、最終消費者のために商品の選択をおこない、それを仕入れて、販売するという経済活動をおこなっている。すなわち、小売商業は、最終消費者に販売するために、まず、あらかじめ販売しようとする商品の種類・品質・価格および販売数量を予測しなければならない。そして、これを仕入れて、在庫しなければならない。さらに、この多かれ少なかれ大口の仕入ロットを、最終消費者が購買しようとする小口の販売ロットにわけなければならない（小売商業という言葉は、小売商業の経済活動のなかで、とくにこの局面に焦点をあわせたものにすぎない）。そして最後に、小売商業は、なんらかのかたちで最終消費者に商品を展示して、これを販売しなければならない。

いずれにせよ、小売商業は、最小限、このような経済活動をおこないながら、最終消費者にもっとも密着した位置をみずから占めることによって、経済機構全体のなかで、きわめて重要な役割を演じているのである。

六〇年代のわが国小売商業界の変化と革新

一九六〇年代のはじめ、わが国の小売商業の規模は、現在にくらべると約三分の一の規模にとどまり、当時の消費支出は八兆七〇〇〇億円、小売販売総額（ただし飲食店および自動車ディーラーとガソリン・ステーションを除く）は四兆六〇〇〇億円であった。

そのなかで、近代的小売商業といえるものは百貨店だけであった。もっとも、戦後におけるわが国小売商業界の変化と革新の最初の黎明を告げるセルフ・サービス方式による食料品スーパーマーケット第一号の紀ノ国屋（東京・青山）は、すでに一九五三（昭和二八）年一二月に開店していたし、現在わが国のスーパー・チェーンを代表するダイエー、西友ストア両社も、すでに創業を開始していた。けれども、それはまことにとるにたりない勢力で、百貨店は文字通り王者の貫禄をもって、わが国小売商業界に君臨し、これを支配していたのである。わずか一五〇あまりの巨大な百貨店が小売販売総額の約一〇％のシェアを占め、残りの九〇％を膨大な数にのぼる零細な独立自営商が占めるという極端な二重構造、そして、このような二重構造が明治末葉に成立して以来、六〇年代のはじめにいたるまで、長期にわたって一貫して存立しつづけてきていたのである。

それが、わずか五年後の一九六五（昭和四〇）年には、消費支出一七兆五〇〇〇億円、小売販売総額九兆三〇〇〇億円となり、そのうち百貨店売上高が九二九四億円を占めたのにたいし、スーパー・チェーン売上高は四八一八億円に達し、百貨店売上高の約二分の一、小売販売総額の約五%のシェアへと急速な成長をとげたのである。

さらに一九六八（昭和四三）年には、消費支出二六兆六〇〇〇億円、小売販売総額一三兆九〇〇〇億円となり、そのうち百貨店売上高が一兆三九七八億円を占めたのにたいし、スーパー・チェーン売上高は約一兆二〇〇〇億円（推定）に達し、いまやそれは百貨店に追いつき、優に肩をならべ、これを追いこす勢力となった。

このような六〇年代におけるスーパー・チェーンの急速な成長は、当然、百貨店にも独立自営商にも、大きな衝撃を与えずにはおかなかった。なによりもチェーン・ストア経営の方法による成功の教えたものが大きく、全国の都市百貨店も六〇年代の終わりには、急遽、チェーン・ストア経営を志向して多店舗展開をはかりだし、独立自営商の間にも、通産省の指導のもとにボランタリー・チェーンの結成へとすすむも

百貨店とスーパー・チェーンの売上高

	小売販売総額（億円）	百貨店売上高（億円）	スーパー・チェーン売上高（億円）
昭和35年	46,662	4,397（9.4%）	—
36	56,646	5,433（9.6 ）	—
37	64,362	6,346（9.9 ）	—
38	75,916	7,416（9.8 ）	—
39	86,315	8,440（9.8 ）	—
40	93,232	9,294（10.0 ）	4,818（5.2%）
41	96,678	10,427（10.8 ）	6,116（6.3 ）
42	118,510	11,981（10.1 ）	8,513（7.2 ）
43	139,009	13,978（10.1 ）	12,000（8.6 ）

（資料） 小売販売総額は，通産省『商業動態季報』。百貨店売上高は，通産省『百貨店販売統計年報』。スーパー・チェーン売上高は，通産省『レギュラー・チェーン調査報告書』。ただし，昭和43年スーパー・チェーン売上高およびシェアは推定。

のがあらわれだした。さらに家庭電気製品の分野ではディスカウント・チェーン、また衣料、家具、靴などの分野では専門店チェーンの形成がすすみだしてきたのである。

これは、わが国の小売商業界が、いまだかつて知らなかったはげしい変化と革新の時代を迎え、大きな構造的変化をおこしてきているということを、もっとも雄弁に物語るものにほかならない。

〈流通革命論〉の登場

このような一九六〇年代における小売商業界の構造的変化は、これからはじまろうとしている一九七〇年代におこりうる変化と革新にくらべて、まだまだ、ゆるやかなものであったが、それはまさに《流通革命》の前夜とよばれてもさしつかえないものであった。

そして、このような小売商業界における構造的変化が現実的な背景となって、一九六〇年代のわが国の論壇において、いわゆる〈流通革命論〉というにぎやかな論議が展開されていった。つまり、一九六〇年代にわが国の小売商業界におこった変化と革新が背景となって、こうした現実の動向を理論化し、わが国の流通機構の構造的変化の方向を見定めようとする論議が、いわゆる〈流通革命論〉としてにぎやかに登場してきたのである。

そうしたなかで、もっとも大胆なビジョンを展開したのが、一九六二（昭和三七）年秋に出版された林周二教授の『流通革命』であった。これを契機として、わが国の流通問題にたいする関心は、まず小売商業の問題を中心として、にわかに高まったのである。

わが国において展開されたいわゆる〈流通革命論〉のものの考え方を、ごく大づかみに簡潔に整理すると、それはまず第一に、わが国小売商業の構造的特質は、零細な小売店舗が多数存在するところにあり、スーパーの発展がおこなわれれば、小売店舗の大型化が推進され、零細な独立自営商の比重は急速に低下していくであろうという考えであった。第二に、わが国小売商業の構造的特質は、複雑な流通経路が長い迂路を形成しているところにあり、一方で大量生産の進展、他方で流通経路の最末端の小売商業段階においてスーパーによる大量販売の進展がおこなわれれば、中間段階にある卸商・問屋の排除が推進され、流通経路の短縮化が急速にはかられるであろうという考えであった。そして、なによりも、わが国の経済は、一方では技術の進歩と革新によって大量生産がおこなわれるようになり、他方では所得の上昇と平準化によって大衆による大量消費が実現されるにいたったので、この大量生産と大量消費をつなぐ大量流通＝大量販売が順調におこなわれるような、近代的で合理的なあたらしい生産＝流通のシステムが緊急に必要となってきており、その意味で、《流通革命》がおこなわれなければならなくなっているという問題を提起したのであった。

このような問題提起は、わが国の小売商業界におこりつつあった変化と革新の特質を、きわめてはっきりと割り切って説明し、わが国の流通機構の構造的変化の方向を大胆に解明するものとして、一九六二年という時点で、一種のブームに近い流通革命論議をまきおこしたのである。

しかし、このいわゆる〈流通革命論〉は、わが国における小売商業の展開過程にはたらく運動法則を、事実に即して正確に把握し、これを論理的に展開したものでは必ずしもなかったので、単純にスーパー優位論や問屋無用論と誤解されたりして、そのするどい問題提起にもかかわらず、ただいたずらに業界に大きな衝撃のみをあたえ、流通革命論議そのものの望ましい発展を、十分には保証しなかったのである。

しかしいずれにせよ、わが国の流通問題をめぐる論議が、こうした流通革命論議というかたちではじまったということは、流通機構の近代化・合理化とは、要するに、小売店舗の大型化と流通経路の短縮化をはかることであり、あたらしい太く短い生産＝流通のシステムを築きあげることであるという単純な理解を、広くゆきわたらせてしまうことになってしまったのである。それは後々にいたるまで長く尾をひいて、流通問題に関する抜きがたい社会的通念を根強く定着させてしまうような大きな影響をあたえる原因となったものとして、まず最初に、記憶されていなければならないことであろう。

戦後のアメリカ小売商業界の変化と革新

一九六二年は、わが国において流通革命論議がはじまった年であっただけでなく、海の彼方のアメリカにおいても、第二次世界大戦後の小売商業界におこった大きな変化と革新が、にわかに脚光を浴びた年でもあった。

いうまでもなく、戦後のアメリカにおける小売商業界の変化と革新の第一の担い手は、ディスカウント・ストア(discount store)であった。そして、その先頭をきっていたE・J・コーベット(E. J. Korvette)のニューヨーク五番街への進出がおこなわれたのが、この同じ一九六二年春のことであった。これを契機として、『ビジネス・ウィーク』、『タイム』、『フォーチュン』などの各誌が一斉に、大々的に、戦後のアメリカ小売商業界における変化と革新について、活発な論議を展開したのであった。そして、このコーベット五番街進出のもたらした大きな衝撃が、ニューヨークの繁華街の中心である五番街から地方都市のメイン・ストリートの隅々まで、アメリカ全土のありとあらゆる形態と規模の小売商業界のすべてを、恐怖と興奮のルツボに投げこみ、ただ小売商業界のみでなく、メーカーから小売商業にいたるまでの経済機構全体を大きく震撼させ、さらには海をこえて、西ヨーロッパにも嵐のような激動を与え、東洋のわが国にも、はげしい変化と革新の嵐を巻きおこすこととなったのである。

わが国で、一九六二年という時点で、にわかに、いわゆる〈流通革命論〉がおこなわれるようになった背景には、こうした世界的な関連があったということも十分に記憶されていなければならないことであろう。

わが国におけるスーパー展開の特質

こうして、一九六〇年代になってわが国の小売商業界は、アメリカでは三〇年前の一九三〇年代に食料品小売商業界をおそったスーパー旋風と、戦後一九五〇年代の後半以降わけても六〇年代になってすべての小売商業界が経験したディスカウント旋風、このふたつの大きな変化と革新の嵐を、まともに一度に、同時集中的にうけとめることになったのである。その結果、わが国では食料品を中心とするスーパーマーケットと、衣料品を中心とするディスカウント・ストアのふたつの系列が、同時に導入され、同時に発展することになり、このふたつをあわせて、ひとくちにスーパーと称するようになったのである。当然、流通問題をめぐる論議が、わが国においては、性急で焦燥にかられた流通革命論議として展開することになったわけである。アメリカ第二の規模を誇る食料品スーパーマーケット・チェーンのセーフウェイ（Safeway Stores, Inc.）がわが国に進出するという計画が、わが国小売商業界をあげてのはげしい反対運動を呼びおこしたのも、一九六二年冬から翌春にかけてのことであった。一九六〇年代のわが国小売商業界には、こうした二重の変化と革新が、一度に同時集中的におしよせてきたのであった。

しかも、わが国のスーパー展開の特質は、これと同時に、チェーン・ストア経営の原理と方法をあわせ導入したことにある。後にやや立ち入って詳細に明らかにされるが、アメリカにおいては一九一〇年代から二〇年にかけてチェーン・ストアが発達し、一九三〇年代に食料品スーパーマーケットが誕生したときには、たとえば食料品チェーン・ストアのA＆Pは、すでに一万五〇〇〇店舗におよぶチェーン・ストアのネットワークを全国的規模で張りめぐらし、一〇億ドル（三六〇〇億円）の売上高をあげる大規模小売企業であった。そして、このA＆Pが一九三六年に、経営戦略の一大転換をおこなって、食料品スーパーマーケット・チェーンに旋回するのであるが、これにたいしてわが国では、昭和初期にチェーン・ストア経営の萌芽がないではなかったが、その健全な成長と発展は戦争によってとめられ、スーパーの誕生まで、チェーン・ストアという経営形態は、ほとんど皆無の状態にとどまっていた。したがって、スーパーの誕生は、ただたんにアメリカにおける一九三〇年代の食料品スーパーマーケットと一九五〇年代後半以降のディスカウント・ストアがもたらした販売革新——営業活動の革新だけではなく、いまひとつ、一九一〇年代から一貫して展開されてきたチェーン・ストア経営がもたらした経営革新——経営管理の革新、このふたつの革新を、ほとんど一度に、なんの順序も段階的な発展もなしに、同時集中的に展開させることとなったのである。流通問題をめぐる論議が、わが国においては、とくに性急で焦燥にかられた流通革命論議として展開されるようになったのも、けっして故ないことではなかったのである。

2　流通問題の視角と方法

七〇年代に残された最大の課題

一九六〇年代に登場したいわゆる〈流通革命論〉は、それまで必ずしも正当な関心を寄せられていたとはいえなかった小売商業の問題を、「生産」と「消費」を媒介する《流通》という概念で把握し、とりわけ、大量生産と大量消費をつなぐ大量流通＝大量販売の担い手としてのスーパーの進展に着目し、近代的で合理的なあたらしい生産＝流通のシステムの必要を指摘することによって、きわめて重要な問題提起をおこない、流通問題の中心に、小売商業の変化と革新の問題を据えたといってもよい。

戦後、わが国の経済が、生産の問題を解決するために払った努力はめざましいものがあった。いうまでもなく、一国の国民経済を全体として表現するものは国民総生産であるが、わが国の国民総生産は、周知のように、六〇年代の終わりには、自由世界でアメリカについで第二位、ソ連を加えても世界全体で第三位を占めるにいたったのである。

もちろん、人口一人当たりの国民所得をみると、わが国は世界全体で第二〇位前後にとどまっている。第三位と第二〇位というのは、いずれもわが国経済の現実の姿であり、全体の規模では第三位だが、一人当たりの所得水準では第二〇位前後にとどまるにすぎないと、よくいわれる通りである。そして、このギャップを深刻に考え、わが国経済の矛盾であると多くのひとが非難しているが、そのこと自体はたんなる算術の問題にすぎない。全体の経済規模が大きくとも、人口が多ければ一人当たりの水準が低くなるのは当然のことだからである。しかし、発展の速度が圧倒的に高いわが国経済は、あとほんの数年で、優に西ヨーロッパ諸国を上回る所得水準に到達することも、また、まちがいのないところである。

こうして明治維新以来一〇〇年、わけても戦後二〇年、ひたすら西ヨーロッパ諸国に追いつくことを目標に努力に努力をかさねてきたわが国は、一九六〇年代に一応その目標を達成したといってもよい。そこで発揮された力が経済の面だけにかぎられていることに、世界の軽侮をまねいてはいるが、わずかの歳月で、世界一流の経済大国を実現したわが国経済の高度成長は世界の驚異でさえある。つまり、一九五〇年代の後半から一九六〇年代にかけて、わが国の経済は、「生産」と「消費」の課題を、そう困難な問題としないまでに高度成長をとげたのである。

しかし、この生産と消費を媒介する《流通》の問題は、依然として、とりのこされたままになっている。わが国の経済は、流通問題を六〇年代に解決しえなかったし、七〇年代においても、必ずしも解決しうる見通しをもっているとはいいがたいのである。

国際競争に直面するわが国流通界

流通問題は、わが国経済のいたるところで困難な問題を投げかけている。たとえば、こうである。

一九六〇年代の後半にはじまった貿易自由化は、戦後のわが国経済の国際復帰への第一段階であったが、その最終段階ともいうべき資本自由化が、いよいよ具体的な日程にのぼり、一九七〇年代には全面自由化が避けられない情勢となってきている。それは、わが国の産業と企業がアメリカおよび西ヨーロッパ諸国とまったく同じ条件で国際競争をしなければならないという意味で、まさに画期的なことといわなければならない。

なるほど、一九六〇年代を通じて、急速にビッグ・ビジネスにまで成長したわが国のメーカーは、すでに現代マーケティングの手法を導入し、流通支配力を強化するための経営戦略をたて、おおかたの実験を完了しているといってもよい。しかし、わが国の清涼飲料水業界やインスタント・コーヒー業界が、またたく間に外国企業によって席捲されてしまったことは、よく知られている通りの事実であり、そこには国際マーケティングを縦横に駆使する実力の相違が明瞭にうかがえるのである。

これまで貿易・資本の取引に障壁を設けることによって、わが国の産業と企業は、圧倒的に強力な国際マーケティングの実力をもつ外国企業から隔離され保護育成されてきた。一九七〇年代の資本自由化は、国内企業間だけでなく、国際企業間において本格的なマーケティングの国際競争時代が到来したことを意味するにほかならない。この競争はまさに《流通》の領域においておこなわれるのである。

また、資本自由化は小売商業界においても避けられない情勢となってきている。このことは、昭和にはいってから二次にわたる百貨店法によって、政府の保護政策のもとにあったわが国小売商業に、国内競争はもとより、国際競争をも覚悟せざるをえなくさせることとなったのである。これまで中小商業を保護育成することにのみ専念してきたわが国商業行政は、はじめて、小売商業における国際競争の問題を考えざるをえないというあたらしい事態に直面することとなったのである。

物価問題と流通問題

また、流通問題は物価問題と関連しても、きわめて重要な問題を投げかけている。

わが国経済の急激な高度成長は、社会資本の不足、公害など、いたるところで破綻をもたらしつつあるが、その最たるもののひとつは、いうまでもなく物価問題であろう。この高度成長の落し子ともいうべき物価問題は、一九六〇年代の後半から大きな政治問題となり、ことに物価上昇が生鮮食料品の値上りを主要な原因としているところから、流通機構の近代化・合理化の要請が、物価問題と関連して、政府の重要な政策課題のなかに強く織りこまれるようになっていった。通産省のボランタリー・チェーン育成構想も、科学技術庁のコールド・チェーン育成構想も、その政策意図は物価問題を《流通》の領域において解決しようとするものであった。

あるいはまた、これも急激な高度成長のもたらした破綻のひとつである社会資本の不足の問題と関連して、従来あまり聞きなれなかった物的流通という言葉が誕生し、あらためて輸送・荷役・保管・包装などの諸機能が、あたらしい観点から見直されなければならなくなってきたのも、一九六〇年代の後半になってからのことであった。

このように、《流通》をめぐる問題は、さまざまな角度から解決をせまられているが、一九六二（昭和三七）年の『流通革命』から、六八（昭和四三）年の通産省産業構造審議会中間答申『流通近代化の展望と課題』をへて、最近のいわゆる〈流通システム論〉にいたるまで、現実の事態の進行とともに論点も移動し、複雑で多様な展開をみせている。なによりもそれは、問題領域がいっそう拡大し、ますます総合的な視点から見直される必要が強くなってきていることの反映であるといってよいであろう。

しかし、流通問題は、きわめて最近になって、ここ一〇年位の間に多様な関心をにわかにあつめて登場してきた問題であるだけに、案外、個々ばらばらの現象を追うにとどまって、その統一的な把握がなされていないうらみが強い。したがって、当面の問題はもとより重要であるが、それと同時に、とかく見落とされがちな、しかし基本的に重要な問題と取り組み、統一的な、体系的な把握をはかることが、ますます必要となってきているのである。

「経済の暗黒大陸」の比喩と含蓄

さて、高度の社会的分業と大量生産方法の発達によって特徴づけられる近代資本主義経済は、いうまでもなく、生産コストの大幅な引下げを可能としてきた。しかし、その成果は、相対的に高い流通コストによって、大幅に減殺されてしまっているのである。

この問題にたいし、はじめて体系的な調査をおこない、するどい経済分析のメスをいれたのはアメリカの二〇世紀財団であった。同財団の流通問題委員会は一九二九年当時のアメリカの流通機構全体を一〇年がかりで調査し、その報告書『流通コストは高すぎるか』を第二次世界大戦のはじまった一九三九年に発表している。この報告は、商品はそれが生産されてから最終消費者の手にわたるまでの過程を分析してみると、生産コストより流通コストの方が高いということを、はっきりとした事実によって示した。しかも、その流通コストの大部分は、じつに、小売商業の段階で発生しているのである。

同じ事実を、ニューヨーク大学の著名な教授であるドラッカー（Peter F. Drucker）は、戦後、一九六二年四月の『フォーチュン』に寄稿した論文『経済の暗黒大陸』において、きわめて的確につぎのように述べている。

「アメリカの消費者が、ある商品にたいして一ドル支出した場合、そのうちの五〇セントは、その商品が生産されてしまったあとで発生する経済活動のために費されている。この活動が流通とよばれるものであって、アメリカのビジネスのなかで、もっともおろそかにされながらも、将来もっとも望み多い分野である。」

さらにドラッカーは、この論文で巧みな比喩を用いて、つぎのように述べている。

「今日われわれは、ナポレオンと同時代の人々がアフリカ大陸の問題について知っていた程度にしか、流通機構について知らない。流通機構が存在すること、それが巨大なものであることは知っている。

だが、それだけである。」

ふつう、流通機構がもっとも近代的で合理的なかたちで実現されている国は、アメリカであると理解されている。それにもかかわらず、アメリカの経済と社会を見つめる眼の確かさでそれなりの定評のあるドラッカーが、ナポレオン時代のアフリカ大陸に関する知識と同じ程度にしか、現代のアメリカは流通問題について知っていないと指摘しているのである。事実、アメリカにおいても、流通問題に関する研究と理論は立ちおくれている。

ドラッカーは、この点を衝いて、こう述べている。

「アメリカ経済における流通の役割と機構を本当に理解するためには、われわれは経済理論と経済分析のあたらしい概念を必要としている。現在の概念の多くは、商品の流れとその経済的特質よりも、生産もしくは貨幣と信用の流れに焦点をあわせている……」

ドラッカーが、《流通》の問題領域を経済の暗黒大陸であるといったとき、ナポレオン時代のアフリカ大陸という比喩を用いたことは、きわめて深い含蓄をもっていると指摘したのは高宮晋教授である。周知の通り、この時代のアフリカ大陸は、文字通り暗黒未開の大陸であり、それはヨーロッパ列強の政治的・経済的矛盾が解決される場として、列強の角逐にさらされ、やがて植民地に分割され、その後の世界経済の均衡のとれた発展にとって大きな制約的条件となった——その歴史が、この《流通》という大陸に再現する懸念がないではないという含蓄まで汲みとるならば、教授の指摘するように、その巧みな比喩は、いっそう意味深く考えなければならないと思われるのである。

流通問題をどう統一的にとらえるか

わが国の《流通》という問題領域も、わが国経済におけるひとつの大きな暗黒大陸であるといえよう。そこでは、いま、流通機構のあらゆる担い手が、あたらしい座標軸を求めて、はげしく流動し、角逐し、変貌しつつあり、その意味で、まさに流通革命の嵐の吹きすさぶ大陸であるといってもよい。そして、それが果たしてわが国経済の均衡のとれた発展にとって、促進的条件となるか、あるいは制約的条件となるか、現在は、まさに、その命運が問われているときといえよう。

流通問題、それはドラッカーがいみじくもいったように、まさに経済の暗黒大陸であり、同時に研究の暗黒大陸でもある。わが国においては、とりわけそうである。

そして、経済理論と経済分析のメスが、まだ十分整っているとは思われないまさにそのときに、わが国においては一九六〇年代になって、にわかに、この流通問題が現実のもっともさしせまって解決をせまられている重要な現代の経済問題のひとつとして登場してきたということは、まことに皮肉なことであったといわなければならない。

現代は《流通》に関する重要な時代の問題をするどく提起しているにもかかわらず、その研究は状況にいちじるしく立ちおくれてしまっている。したがって、問題を正しく解決するためには、時代の提起している今日的課題と四つに取り組み、これを客観的に観察し、統一的に説明することができるよう、まず《流通》とよばれる問題領域を正しく把握し、それが独自の研究に価する対象であることを見定め、それにふさわしい研究と分析の方法をうちたてなければならない。

世界史的立場で歴史的アプローチを

そこで、われわれは、ドラッカーがいうように、従来経済理論と経済分析のメスのもっともおよばなかった《流通》という問題領域、この経済の暗黒大陸のなかでも、とりわけ辺境に位すると思われる小売商業に視点を据えて、近代小売商業の発達過程を、それがもっとも典型的なかたちで展開されたと思われるアメリカの場合について、まず、歴史的に明らかにし、その一応の見取図をえがきだしてみたいと思う。

それによって、わが国の流通機構が直面しつつある問題の現代的な課題、その問題の所在と解決の方向を、世界史的な立場において、明らかにするための歴史的な基準＝座標軸を設定することが可能となるからである。

その際、近代小売商業の発達過程をもっとも基本的に把握するための基礎視角は、近代小売商業の発達過程を、たんに小売商業における「営利」のためのあれやこれやの手法や技術が、どのように展開していったかという問題としてではなく、資本主義経済における「生産力」の発達に対応して、「市場」ないし「販路」拡大の方法が、流通経路の最末端の小売商業段階において、どのように展開していったかという問題として把握することによって、うちたてられなければならない。

◇資本主義経済と流通

▼そもそも、近代資本主義社会の社会的新陳代謝の過程において、「生産」が産業資本を基軸としておこなわれていることは周知の通りであるが、じつは「消費」もまた、この産業資本を基軸としておこなわれている。

なぜなら、生産された商品が消費者の手にわたり、現実に消費されるためには、それが有効に需要され、購買されることが必要である。換言すれば、「生産力」は、必ずそれに対応する「市場」ないし「販路」を必要とする。しかし、そうした有効需要が、そもそもどこから生じてくるかというと、もとより、それは複雑な過程をへるわけだが、究極のところ、それは利潤の一部か、賃銀のいずれかに帰着するのである。つまり、近代資本主義社会においては、「生産」も「消費」も、ともに産業資本の運動に媒介されて、はじめて現実に可能となりうるのである。

▼生産は消費に移行し、消費は生産に移行する。

そうした「生産」と「消費」の統一を、経済理論は再生産過程というのであるが、まさに、この産業資本こそが、人間生活の特定の発展段階である近代資本主義社会における再生産過程の運動形態であり、このような産業資本の運動を基軸として、近代資本主義社会の経済機構は、構築されているのである。

▼近代資本主義社会の経済機構全体は、商品生産をおこなうこのような産業資本をいわば個々の結節点（結び目）として、それを「生産」と「消費」を結ぶ《流通》という無数の糸でつなぎあわせた一枚のネットワーク（網）にもたとえることができよう。

◇流通と商業

▼このように、近代資本主義社会の経済機構全体は商品生産＝流通の組立てによって構築されているのだが、「商業」とは、商品生産から相対的に独立したかぎりにおける流通をさしていうのである。換言すると、商品生産それ自体に直接的に随伴する流通、つまりメーカーみずからがおこなう原材料

の購入や製品の販売は、流通にはちがいないが、商業とはいわない。商業はそういう商品生産から相対的に独立したかぎりにおける流通、すなわち商品流通それ自体を媒介するいとなみをいうのである。「流通」という全体を包括する概念と「商業」という部分を規定する概念とは、まずこのように厳密に区別され、正しい相互関連において把握される必要がある（「商業」のうち、とくに最終消費者にもっとも密着し、最終消費者のために商品の選択をおこない、これを仕入れて、販売する経済活動をおこなうのが小売商業であることはいうまでもない）。

▼資本主義経済における流通と商業の基本的な機能は、なによりもこのように「生産」と「消費」（有効需要、あるいは購買力）を媒介する機能を果たしているのであるから、したがって、資本主義経済のもとにおける小売商業の運動法則を、もっとも基本的に把握するための基礎視角は、なによりも、「生産力」の発達に対応する「販路」拡大の方法の展開の問題ということでなければならない。つまり、それはたんに「営利」の拡充や進展の方法が、どのように展開していったかという問題などとしてではなく、「生産力」の発達に対応して、「販路」拡大の方法が、どのように展開していったかという問題として、うちたてられなくてはならないのである。

国民経済的立場で理論的アプローチを

さて、そのような基礎視角に立ってみると、近代小売商業の発達過程そのもののなかに、理論的に明らかにしておかなければならないいくつかの問題が浮かびあがってくる。

たとえば、近代小売商業の発達過程は、アメリカの場合にみられるような典型的なかたちでは、前世紀の末葉、まず、都市における百貨店と農村における通信販売というあたらしい経営形態が登場し、それから、一九一〇年代から二〇年代にかけて、チェーン・ストアという経営形態があらわれた。そして、一九二九年の世界大恐慌、ひきつづく一九三〇年代の慢性的不況期に、食料品スーパーマーケットという経営形態が生まれ、さらに第二次大戦後、とくに一九五〇年代の後半以降に、あらたにディスカウント・ストアあるいはショッピング・センターというあたらしい経営形態が出現してきた。すなわち、近代小売商業の発達過程は、このような歴史的事実によくあらわれているように、近代小売商業の経営形態が、つぎつぎに形態転化をとげていくというかたちで段階的にあらわれてくる。つまり、近代小売商業の発達過程は、必ず、営業活動と経営管理の革新がつぎつぎに推進され、小売商業の近代化・合理化＝産業化の過程が展開されていくことによって、それぞれの時代の主導的な経営形態がさまざまに変化していくという段階的な発達過程をとってあらわれてくるのであるが、それは一体なぜか。

そして、こういう経営形態の形態転化という変化をともないながら近代小売商業の発達過程が展開されていくなかで、一九一〇年代から二〇年代にかけて、営業活動と経営管理の革新を強力に推進して、しっかりとした経営的基礎をかためた主要な小売企業が大規模小売企業となり、それ以降、それらの企業がほぼ一貫して――もちろん、追いつ追われつのはげしい競争を相互に展開しながら、その後も現在にいたるまで、近代小売商業の革新は、ひきつづき推進されていっている――、つねに、主導的な地位を占めつづけるのであるが、それは一体なぜか。

総じて、近代小売商業の発達過程のなかに展開される変化と革新の特質とは何か。小売商業の近代化・合理化＝産業化とは何か。その展開過程は資本主義経済において必然であろうか。必然であるとすれば、それは一体なぜか。

このように、近代小売商業の発達過程そのもののなかに、理論的に明らかにしておかなければならないいくつかの問題がある。それらの問題を明らかにしていくなかで、第二次大戦後の急ピッチな生産力の発達に対応して、大規模メーカーのおこなう直接的な市場拡大の方法として登場した現代マーケティングと、現代小売商業とは、相互にいかなる関連にあるのかというもっとも現代的な問題も、また、理論的に明らかにされなければならない。

そして、こうした問題点を明らかにすることによって、わが国の流通機構が直面しつつある問題の現代的課題、その問題の所在と解決の方向を、国民経済的な立場において、明らかにするための理論的な基準＝座標軸を設定することが可能となるのである。

歴史と理論の統一を求めて

こうして近代から現代への小売商業の発達過程を、歴史的かつ理論的に統一して――つまり世界史的立場において、同時に国民経済的立場において統一的に――もっとも基本的に明らかにすることができるならば、わが国の流通機構が直面しつつある問題の所在と解決の方向を客観的に把握し、統一的に説明するためのひとつの明確な基準＝座標軸を、われわれは設定することが可能となるのである。つまり、われわれは、流通問題を資本主義経済の展開と関連づけつつ、もっとも基本的に明らかにすることによって、わが国の経済が現実に直面している流通問題の今日的課題にこたえるための、ひとつの明確な基準＝座標軸をうちたてることができるようになるのである。

そして、こうした基準をうちたてることができるならば、われわれは、近代小売商業の発達過程がもっとも典型的なかたちでおこなわれたと思われるアメリカとわが国を対比し、国際比較＝分析することによって、問題の焦点をいっそう明確にとらえることができるようになるのである。

ところで、すでに述べたように、資本主義経済は生産コストの劇的な引下げを可能としたにもかかわらず、高い流通コストによって、その効果を減殺されてしまっており、しかも、その流通コストの大部分は、じつに小売商業の段階で発生しているのであった。

そしてこの小売商業における高コストを引き下げ、低コスト経営を実現するために、近代小売商業が登場し、営業活動と経営管理の革新を強力に推進することによって、低価格販売と大量販売を可能ならしめていく過程は、世界史的には、いまからわずか一〇〇年ほど前に、ようやくはじまったにすぎないのである。そこで、われわれは、アメリカ近代小売商業一〇〇年の歩みを跡づけるなかで、その近代化・合理化＝産業化の過程を、歴史的かつ理論的に追究していってみよう。

そうすることによって、われわれは、わが国経済の暗黒大陸に一条の光を投ずることができるであろうと思われるからである。

◇流通産業という概念について

▼流通産業という言葉は、一九六〇年代の最後の年まで、わが国ではまったく聞かれないものであった。だが、いまでは、この言葉はジャーナリズムや業界で、ごく自然に、大いに使われるようになっている。

しかし、それにもかかわらず、それは必ずしも十分に定着した言葉ではない。わけても、アカデミズムにおいては、けっして正当な市民権を与えられている言葉とはなっていない。現在、ジャーナリズムや業界が、流通産業という場合も、それはせいぜい生産あるいは工業がひとつの産業であるのと同じように、流通あるいは商業もひとつの産業として把握する必要があるという程度の認識にとどまっている。そして、そのかぎりにおいてなら、それはただたんなる言葉の修辞上の問題にしかすぎない。

▼われわれが、ここで流通産業というのは、小売商業の産業化(industrialization)を考えようという立場に立って、小売商業の産業化が実現されたかたちを、たんなる近代小売商業と区別して、近代小売産業あるいは流通産業ということができるのではないか、また、そうした概念上の用具を使用することによって、かえって近代小売商業の特質を明らかにし、流通革命の本質を基本的に把握することができるようになるのではないかというひとつの明確な問題意識を内包しているのである。

▼したがって、ここでは、小売商業の近代化・合理化＝産業化とは何か、その展開過程は資本主義経済において必然であろうか、必然であるとすれば、それはなぜか、――要するに流通産業革命とは一体何かという問題を基本的に考えようとしているのである。つまりわれわれは、この必ずしも正当な市民権を与えられているとは思われないあたらしい概念を、分析のためのひとつの用具として使用することによって、流通革命の中心には小売商業の産業化がなければならない、要するに《流通産業革命》がなければならないという考えを、いっそう掘り下げて追究しようとしているのである。

第2章

百　貨　店

▨ 流通革新の最初の担い手

「生産力」の急ピッチな発展は、必然的に、「市場」ないし「販路」の急ピッチな拡大を予定し、それによってのみ、順調に、均衡のとれた進展をすることができるわけであるが、資本主義経済の発展の初期の段階においては、販路の拡大は、ときおり循環的な恐慌に見舞われることによって中断されることはあっても、趨勢的には、おおむね順調に進展することができた。わけてもアメリカのように、広大な国土に、ゆたかな国内市場をもつ国では、市場ないし販路の拡大は、いっそう容易に可能であった。

西部劇の映画にみるように、幌馬車が走り、また蒸気をはきながら鉄道が延びていくにつれて、市場は拡大していったのである。

やがて都市が生まれ、それが徐々に成熟して、近代的大都市になっていった。そして近代的百貨店が、近代小売商業における最初の革新の担い手として、その近代的大都市の都心の繁華街に生まれることとなったのである。

1 都市と百貨店

近代的都市の成立と近代百貨店の登場

人類の生んだ文化と文明の花ともいうべき近代的都市がアメリカで発展するようになったのは、一九世紀も後半以降のことであった。人口が都市に集中し、交通・通信の諸制度や商工業を中心として諸産業が発達し、都市機能が成熟し充実してくるにつれて、都市は、しだいに近代的な大都市へと成長していったのである。

一八五〇年以降、アメリカの都市人口が全国人口に占める比率をみると、一八五〇年一五・三％から、一八七〇年二五・七％、一八九〇年三五・一％、一九一〇年四五・七％へ、二〇年ごとに、約一〇％ずつ増加していっている。

一八七〇年に、アメリカでは、人口二〇万以上の都市は全国で七市、全国人口に占める比率は九％弱にすぎなかったが、一九〇〇年には一九市となり、全国人口に占める比率は一五・五％になっている。

このように、近代的都市が生まれ、人口が農村から都市へ、しだいに集中していって、近代的な大都市が成立し、やがてアメリカの産業そのものが、この大都市を中心として形成されるようになっていったのである。

当時の産業の発達を、ごく大づかみにみてみると、一八五〇年から一九〇〇年にかけての五〇年間に、アメリカの農業生産は約三倍になったのに対比して、工業生産は約一一倍になっており、アメリカ経済のなかで、工業は急ピッチで発展していっている。

都市人口の増加・農村人口の減少

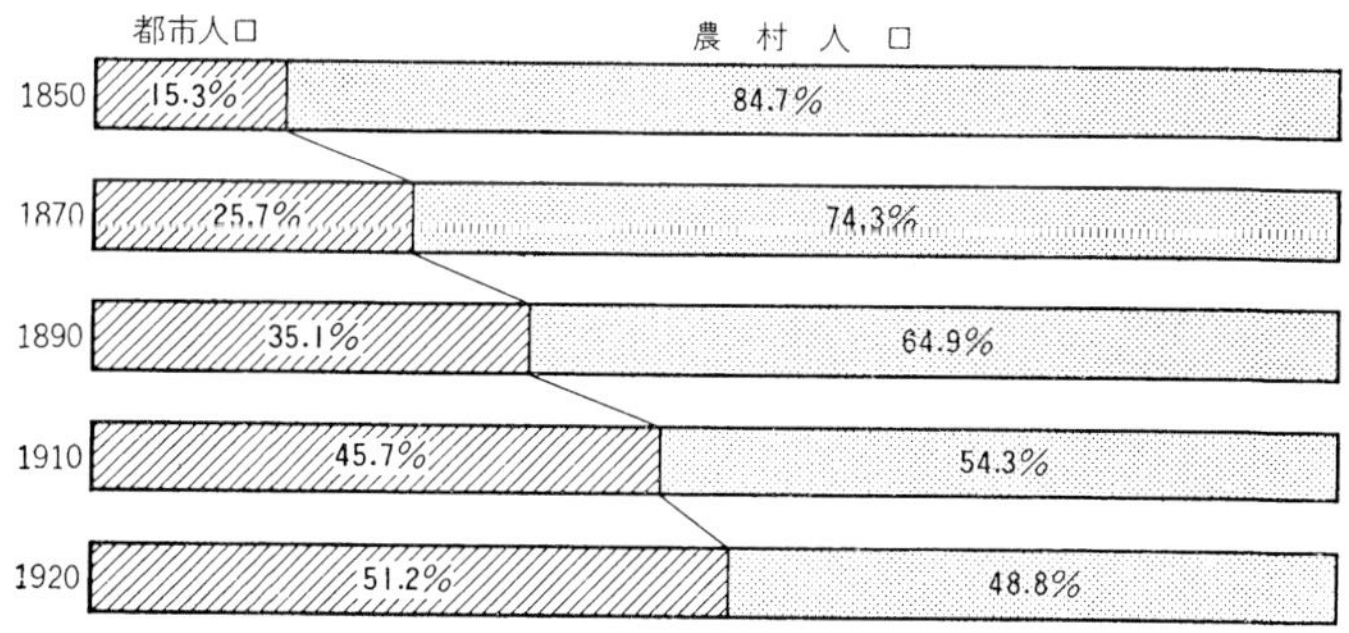

（資料）Faulkner, H.U., *American Economic History*, 1959.

そして世紀の変わり目の一九〇〇年には、アメリカの工業生産高は、イギリスに比べて約二倍、全ヨーロッパの約二分の一をあげるようになり、アメリカは名実ともに、世界第一の工業国となっていたのである。

さらに、その当時の物的流通の発達を、いくつかの指標でとらえてみると、一八七〇年代には道路が舗装されるようになり、電信・電話が普及しだしていっている。一八八〇年代には、それまでの主要な交通機関であった馬車に代わって電車が走りはじめ、一八九〇年代には高層建築にエレベーターが設置されるようになっていった。

そして、このように近代的な大都市が成立していく過程のなかで、近代小売商業における最初の革新の担い手として、近代的な百貨店が、その大都市の都心に誕生することになったのである。近代都市と近代百貨店とは、「同じ揺りかごのなかに育てられた双生児」といわれるのも、このためである。

ドラッカーは『断絶の時代』(一九六九年)のなかで、つぎのように述べている。

「大都市は、一九世紀におけるもっとも重要な成長市場であった。それは大きな発明への刺激となり、この発明にもとづいて発展する産業にたいして、大きな市場を提供することとなった。

これらの発明のなかには、ガス灯から電灯に変わった照明や、地下鉄・電車・高架鉄道のような電化された交通機関、電話や電信、ローマ時代以来はじめての建築資材の変革ともいえる高層鉄筋ビルの建設、新聞、それに百貨店等々、多くのものがふくまれているのである。」

ショッピングのたのしさと繁華街

そして、近代的な大都市のシンボルともなった百貨店を中心に、その周囲には、紳士服飾、婦人服飾、洋品、雑貨、家具、家庭用品などの専門店群、レストラン、スナック、コーヒーショップ、バー、クラブなどの飲食店群、美容、理髪、クリーニング、写真などのサービス施設群、それに映画館、劇場、ダンスホールなどの娯楽施設群などが、自然発生的に軒をならべるようになって、多様でにぎやかな、魅力にあふれ活気にみちた、刺激的で色彩ゆたかな都心の繁華街が都市生活の主要な機能を担うようになったのである。

繁華街は、女性にとっては、昼、ありとあらゆる商品を、それぞれの店舗で、比較選択しながらショッピングをたのしむ場所となり、男性にとっては、昼はビジネスの場所であると同時に、夜にはエンターテイメントのかっこうの場所ともなった。そして、ここから多くの文学、音楽、絵画が生まれ、近代文化は、この近代的な大都市を背景として花と咲いたのであった。

百貨店は、いうまでもなく、それ自体、大規模なショッピングの殿堂であるが、それはなによりも、こうした大都市の都心に形成される繁華街のなかに、その中心の核のひとつとして成立することによって、たんに〈ひとつ屋根のもとに〉ありとあらゆる商品を比較選択することができるというワン・ストップ・ショッピング（one-stop-shopping）の便宜を提供しただけではなく、まさに、軒をならべた各種の店舗そのものをも比較選択することができるというコンパリゾン・ショッピング（comparison shopping）のたのしみをもあたえることになった。

このようにして近代的百貨店は、近代的都市と運命をともにして、その都心の繁華街に成立し、大都市に居住する市民を中心とした消費者の集中した需要に効果的に対応しようとする最初の大規模な近代小売商業の経営形態として、一九世紀後半、わけても一八七〇年代から、飛躍的な発展をとげていくこととなったのである。

2 百貨店と革新
——近代的営業活動と部門別管理——

ボン・マルシェの創業

近代的百貨店は、世界史的には、一九世紀の後半以降に誕生し、一八七〇年代から、とりわけ一九世紀の末葉から二〇世紀のはじめにかけて、その時代のもっとも主導的な革新の担い手として登場し、その全盛期を迎えた近代小売商業の経営形態である。したがって、それはすでに一〇〇年の歴史と伝統をもっているわけだが、この近代的百貨店は、たとえば、その後一九三〇年代にスーパーマーケット

◇各国における百貨店の誕生

アメリカにおいては、初期の代表的な百貨店として、一八五八年ニューヨークにメーシー (R. H. Macy)、一八六一年フィラデルフィアにジョン・ワナメーカー (John Wanamaker)、一八八一年シカゴにマーシャル・フィールド (Marshall Field) などが、あいついで創業し、それぞれの大都市のシンボルとして、発展していった。

西ヨーロッパにおいては、フランスで、一八五二年ボン・マルシェ、イギリスで、一八六三年ウイリアム・ホワイトレー (William Whiteley)、ドイツで、一八七〇年ウェルトハイム (A. Wertheim)、そしてわが国においては、一九〇四(明治三七)年株式会社三越呉服店となっている。

が、あるいはまた一九五〇年代後半以降にディスカウント・ストアが、それぞれの時代の主導的な革新の担い手として登場してきたのとまったく同じ意味で、一九世紀の末葉から二〇世紀のはじめにかけての時代に、その時代のもっとも代表的な革新の担い手として登場してきたのであった。

その最初の担い手となり、推進者となったのは、一八五二年、パリにボン・マルシェ（Bon Marché）を創業した衣料品商人アリスティド・ブーシコー（Aristide Boucicaut）であった。さきがけたのは、アメリカ人ではなく、フランス人であったのである。

衣料品の大量生産と流通

衣料品、それは一九世紀のもっとも代表的な消費財であった。〈世界の工場〉＝イギリスのランカシャーで綿織物が大量生産されるようになり、西ヨーロッパ諸国にも機械制大工業による衣料品生産が拡大していくにつれて、それまでの手工業的な生産に対応していた小売商業も、当然、大きく変わらざるをえなかった。

A．ブーシコー
（ボン・マルシェ提供）

毛織物、綿織物、絹織物などの衣料品が手工業的に生産されていた時代は、それを問屋が買いあつめて、小売商に卸し、小売商はひとをみて、ひとによって価格を操作していた。すなわち、消費者は商品の品定めをしては値切ろうとし、小売商は顧客の品定めをしては掛け引きをし、それによって価格が決定されるということになっていた。掛け値と値切りの掛け引き——それがあたりまえで、むしろ、それこそが商売＝商業の面白さであり、うまみであるとされていた。

しかし、大量生産される品質の一定した衣料品は、大量に販売されなければならない。そのときに、それまでのように顧客の顔を見て、ひとりひとりと個々に価格の掛け引きをすることは、もはや時代の要請にこたえる方法ではなくなってきていた。あたらしい販路拡大の方法が、どうしても必要であった。近代小売商業における最初の革新の狼煙が、まず、衣料品の営業活動のなかからあげられることとなったのも、けっして偶然のことではなかったのである。

現金、掛け値なし定価で低価格販売

そこで、ボン・マルシェという衣料品店を創業したブーシコーは、不特定多数の消費者に、およそ平等に一定した価格を、定価で示すこととしたのである。商品に定価を付し、値札をつけて陳列し、掛け値なしに現金で販売するという営業活動は、今日では、少しも珍しくない至極あたりまえの方法である。しかし当時は、ながい間つづいてきた慣習をうちやぶるまったく画期的な行動であった。そして、それまでの商業の常識では、良質の商品は価格が高く、価格の安い商品は、当然、品質が悪いときまっていたのにたいして、ブーシコーは一定の品質の商品を、おもいきった低価格で大胆に販売した。

かれの創造したダイナミックな革新的な販売方法は、近代的な薄利多売すなわち低マージン・高回転によって、低価格販売と大量販売を徹底的に追究するものであった。およそ、一般の小売商は五〇％ないし六〇％のマージン（荒利益）をとるのがふつうであった時代に、かれはわずか一四％弱の低マージンで、それを高回転で補って、低価格で大量の販売を実現しようとしたのである。

こうして値札に表示された定価を顧客が気にいらない場合は、ブーシコーは売らないだけであり、顧客は求める以上、その定価通りの価格で買わなければならないこととなった。買いたいのだが、どの程度までまけさせるか、また、まけるのだが、どの程度まで掛け値をしておくかという個人的な価格の掛け引きは、こうして一切排除された。また、ブーシコーは信用による掛け売りをおこなわず、すべて現金取引ということにした。

近代百貨店の成立

そのためにブーシコーは、顧客が別に買っても買わなくても、およそ自由に店に出入りすることができるようにし、陳列にも趣好をこらし、さっぱりとしたなかにも優雅なムードを保つことにつとめ、気楽に商品を比較選択しながら、店内をひやかして歩ける店舗をつくりあげた。そしてボン・マルシェでは、今日のひやかしの顧客も、明日には実際に商品を買う顧客となり、いちど品質の保証された商品を安く買った顧客は、またひきつづいて買いにくる顧客となったのである。

ボン・マルシェ（1887年）

（ボン・マルシェ提供）

こうしてボン・マルシェの売上高は、一八五二(嘉永五)年の四五万フランから、一八六三(文久三)年の七〇〇万フラン、一八六九(明治二)年の二一〇〇万フラン、一八七七(明治一〇)年の六七〇〇万フランへと飛躍的な増加を示し、取扱商品も生地・織物から服飾品、帽子、洋品、雑貨、靴へと、その幅をひろげ、売場もふえ、しだいに文字通り百貨店化していった。

一八七六(明治九)年、ボン・マルシェは名実ともに衣料品店から脱皮した近代的百貨店として、あらゆる機能を配慮した設計をたて、近代建築術の粋をつくした新店舗を建設した。そして、それはエッフェル塔(一八九一年)とならんで、一九世紀末葉のパリの名所のひとつとなったのである。

エミール・ゾラは、このボン・マルシェを背景とした小説『女性の幸福』(一八八三年)のなかで、世紀末の〈ラ・ベル・エポーク〉(よき時代)のパリの象徴であった当時の百貨店を、つぎのように描いている。

「百貨店の力は、ひとつの店舗のなかに積みあげられた、ありとあらゆる商品の堆積が、相互に力をつけあい、相互にひきたてあうことによって、一〇倍もの偉力を発揮している。」

百貨店経営の基本―部門別管理

百貨店という呼び名は、フランス語ではグラン・マガザン (grand magasin) = 大きな店といい、英語ではデパートメント・ストア (department store) といっている。デパートメントとは部門を意味し、そのかぎりにおいて英語の表現は、まさに部門別管理を基礎とする百貨店経営の特質を的確にとらえているといえよう。元来、百貨店は〈ひとつ屋根のもとに〉、ひとつの資本の意思のもとに、買回品 (shopping goods) を中心とするありとあらゆる商品を、商品部門別に品揃えし、なによりも部門別組織によって、商品を仕入れ、管理し、販売するという経営管理の方法を確立することによって、まさに当代のもっとも革新的な近代小売商業の経営形態を実現したものだからである。

したがって、商品別＝売場別のそれぞれの部門別組織の規模は、それほどの大きさのものではなくとも、それが〈ひとつ屋根のもとに〉あつめられているために、相乗効果をあげ、結局、総和として、総売上高を大きくすることができたのである。

近代的百貨店は、すでに述べたような営業活動とならんで、このような経営管理の革新を武器として、人口の都市へのいっそうの集中によってつくりだされた需要の増大にたいして、効果的に対応することができたのである。

換言すれば、人類はようやく一九世紀の後半になって、近代的な大都市の繁華街において、ありとあらゆる売場＝店舗を、〈ひとつ屋根のもとに〉、ひとつの資本の計画と統制のもとにあつめ、これを部門別組織によって経営管理するならば、それはワン・ストップ・ショッピングの便宜を大規模に提供することができるだけでなく、繁華街におけるコンパリゾン・ショッピングのたのしみとあいまって、容易に、市場ないし販路を拡大することができるということを、ついに近代的百貨店という革新的な経営形態のなかに、探りあてることができたのである。

近代百貨店の歴史的意義

そして、近代的百貨店の営業活動においては、〈百貨店の父〉ブーシコーが創造したダイナミックで革新的な近代小売商業の原則が、貫かれることとなったのである。その後アメリカでは、〈百貨店王〉とよばれたジョン・ワナメーカー(John Wanamaker)らによって、近代的百貨店の営業活動の原則はいっそう深められていった。一八六五年、ワナメーカーが制定した営業方針は、いっそう明確に、(1)現金販売、(2)定価販売、(3)品質保証、(4)返品・返金の自由という四つの原則をうたっている。

近代的百貨店は、こうした革新的な営業活動の原則をうちたてることによって、当時ふつうの小売商が高マージン・低回転で旧態依然たる営業活動をおこなっていたのにたいし、かれらより二〇%ないし三〇%も安い低価格で、低マージン・高回転の営業活動を展開し、大量販売を実現していくことができたのである。そして、この低価格販売と大量販売を徹底的に追究する営業活動こそ、近代的百貨店が近代小売商業にもたらした最大の革新であり、いわば小売商業活動に成功する不変の第一原理となったものであるといってもよいであろう。

これら近代小売商業の営業活動の基本となった四つの原則は、現代では、いずれもあらためてとりあげるまでもなく、至極あたりまえのことと考えられる営業活動である。また、これらは現代小売商業においても営業活動のもっとも基礎的な原則となっているものであるが、しかし、それは近代百貨店が、「人類の歴史とともに古い」といわれる商業四〇〇〇年の歴史のあと、いまからわずか一〇〇年ほど前に、はじめてうちたてることができた原則であったのである。換言すれば、近代小売商業の歴史は浅く、商人、とくに小売商人がながく汚名を負って生きていた時代から、現代はまだ一〇〇年とたっていないのである。

商人とは、ひとをみて、ひとによって、価格を掛け引きし、店舗に一歩足をふみいれれば、何か買わずには出られないように心理的に強制し、そしていったん取引をすませてしまえば、それがたとえ不良の商品であっても、また不満足な商品であっても、二度と引きとったり、交換したり、返金したりしてはもらえず、総じて、「人類の歴史とともに古い」商業とは、いわゆる商略、欺瞞。ときには強力によって、安く買い、高く売る技術――掛け値と値切りの掛け引き、また腹の探りあい、押し売り、泣きおとしであったのである（経済学的には不等価交換）。

◇プラトンの小売商業観

小売商人にたいして、強い偏見を抱いていた代表的な思想家はギリシャのプラトンであった。

プラトンは、対話集『法律篇』のなかで、人間社会について理想的組織を考え、人間活動として三つの階級を認めた。第一は守護者・支配者階級としてのエリート、すなわち哲人階級、第二には防衛力をもって行動する戦士階級、第三は職人階級である。そして、職人の活動を生産的（製造、農業、美術）とみなされる活動と、たんに利欲的（商業）とみなされる活動とにわけ、後者に対して、強い嫌悪と軽蔑を示している。

したがって、プラトンは法律によって、かれらの活動を規制することを提案している。

第一に、小売商人の数そのものを少なくすること。

第二に、国家にとって損害が最小であるような人々にのみ、小売商業という職業を割り当てること。

第三に、これらの職業につく人人が堕落しないように、なんらかの方法で強く規制すること。

それを一八〇度転換して、近代小売商業における営業活動の基本を、あたらしくうちたてることによって、こうした原則に拠ることの方が、はるかに、急ピッチで発達する生産力に対応して、市場ないし販路を急ピッチで拡大させるもっとも確実な方法であるということ、つまり大量生産される商品を大量に販売するもっとも確実な方法であるということを、人類は、ようやく、近代百貨店を確立することによって発見したのである。

それだけに、ワン・ストップ・ショッピングの原則のもとに、近代的営業活動と部門別管理というふたつの革新的な方法をもって、近代百貨店が、一九世紀後半以降に登場してきた歴史的意義は大きいといわなければならない。

人類は、こうしてはじめて、商業とは、一のものを二で売ったり、二のものを一で買いたたくだけの技術ではないということを学んだのである（経済学的には等価交換）。

換言すれば、資本主義経済が、一九世紀の末葉になって特定の成熟段階に進展するにいたったとき、小売商業は、はじめて、近代的百貨店という特定の経営形態をとって、近代小売商業を具現したのである。そして近代小売商業は、それから以降、さまざまな形態をつぎつぎに展開しながら発展していくこととなったのである。

第3章

通信販売

▨ 流通革新の第二の担い手

近代的百貨店は、近代的都市の発達とみごとに対応して大いに発達していったが、それにややおくれて、一九世紀末葉のアメリカの農村を舞台として、通信販売というあたらしい近代小売商業が登場してきた。

すなわち、生産力が急ピッチで発達し、商品が旧態依然たる方法ではさばきかねるほど豊富となっていくにつれて、あたかも百貨店が、〈ひとつ屋根のもとに〉、ワン・ストップ・ショッピングの便宜を提供することによって都市の集中した需要をつかみ、これに対応したように、通信販売は、農村の分散した需要を直接広告またはカタログによる注文という便宜を提供することによってつかみ、これに効果的に対応する近代小売商業の経営形態として、前世紀の末葉から今世紀のはじめにかけての時代に、大いに発達していったのである。

1 農村と通信販売

南北戦争後の農村と通信販売の登場

南北戦争がはじまった一八六一年、アメリカの人口の大部分は、まだミシシッピー以東に居住していた。当時の総人口三一四四万人のうち、ミシシッピー以西には、わずか一四%が居住していたにすぎなかった。しかし、南北戦争が終わった一八六五年から世紀の変わり目にかけて、急激な西部開拓の歴史が展開され、一八九〇年には、人口の三七%がミシシッピー以西に居住するようになった。そして、そのほとんどは農業に従事していたのである。

一九世紀末葉の一八九〇年に、アメリカの農村人口は六四・九%にのぼっていた。そして、これらの農村人口の大部分を占める農民は、あたらしい土地の開拓と農業の機械化によって、着実に生産力を拡大していったのである(二九頁表参照)。

一九世紀の半ば一八五〇年には、アメリカの農業生産は国民総生産の五六%を占めていたが、一九二一年には二一・八%へと低下していっている。すでに述べたように、当時のアメリカは、しだいに都市化がすすみ、世紀の変わり目の一九〇〇年には世界第一位の工業国になっている。したがって農業は、工業の発達によって、当然、その地位を相対的に低下させはじめていたのであるが、一八九〇年代においても、それはアメリカの基幹産業であることにまちがいはなかった。

このように、生産力が急ピッチで発展していくにつれて、農業や工業が生産するそれぞれの生産物を縦横に輸送するために、一九世紀の末葉から、鉄道と郵便の諸制度が急速に発達しだした。そしてこのことが、全国的な規模での通信販売（mail order）というあたらしい近代小売商業の登場をうながす基礎的諸条件をつくりあげることとなったのである。

鉄道と郵便制度の発達　一八六〇年から一九一〇年までの五〇年間に、アメリカの鉄道は、年平均四〇〇〇マイル以上建設され、一九一〇年には、アメリカは全世界の三分の一にあたる鉄路を、その広大な国土に築きあげていた。この南北戦争後にはじまったアメリカの鉄道建設ブームは、なによりも、人口の移動と工業の発展に大きな影響をあたえ、農業生産物と工業生産物の交流に大きな役割を果たしたのである。

鉄道の発達と並んで、通信販売の成立に大きな影響を与えたのは郵便制度の発達である。全国人口の半数以上は、地方の農村に居住していたのであるから、一九世紀末葉のアメリカでは、人口の大部分は広大な国土に広く分散し、孤立して生活していたのであり、情報の流通のためには、郵便制度の普及が必要であった。こうして、まず、一八七三年に一セントの葉書が利用されるようになった。一〇年後の一八八三年には、一等郵便の封書が利用されるようになり、また、直接広告、新聞、カタログなどの定期刊行物は、低率の二等郵便を利用することができるようになった。

第九代ハリソン大統領によって郵政長官に任命されたのが、当時〈百貨店王〉とよばれたワナメーカーであった。かれは一八九一年に、RFD(Rural Free Delivery 無料配達制度)法案を連邦議会に提出し、それが一八九六年には実施に移されることとなり、世紀の末葉から全国的に普及されていった。当時は、新聞、雑誌、書籍が発刊され、また教育が普及し、地方の農村に居住する農民の政治にたいする関心も深かったので、この制度は最初から成功し、大きな大衆的支持をあつめることになった。

この制度によって、農民は、まずなによりも、農産物の市場価格を知り、知的水準を高め、みずからの社会的地位の向上をはかることができるようになっていったのである。さらに小包郵便が利用できるようになったのは、世紀が変わって、一九一三年のことであった。

農村生活とゼネラル・ストア

農村の生活は、隣人との距離があまりにも離れ、娯楽らしい娯楽はなにひとつなく、まったく退屈きわまるものであった。一平方マイル当たりの人口密度は、一八六〇年に一〇・六人、一九〇〇年に二五・六人、一九一〇年にも三〇・九人にすぎなかった。したがって、アメリカ開拓の歴史の初期から発達していたニュー・イングランド地方でさえ、唯一の娯楽は、誰かがうまい具合に死んでくれて、みんなが葬式にあつまることだけであったといわれている。

当時、地方の農村にある小売商業といえば、小規模で、粗末で、しかも価格は高いというゼネラル・ストア（general store）だけであった。つまり、前世紀の末葉から世紀の変わり目にかけて、生産力は全国的に急ピッチで発達していったのにたいし、農村における販路拡大の方法はきわめて局限されたものだったのである。

行商人やメーカーのコミッション・セールスマンが時たまやってくる以外は、農村においては、このゼネラル・ストアが生産と消費を媒介する唯一の機関であった。

ゼネラル・ストアの取扱商品は、衣料品、雑貨、食料品、農具、工具、医薬品等々であり、まさに文字通り〈よろず屋〉であった。そして、このゼネラル・ストアは、原則として、掛けで商品を販売していた。農民は、かれらの必要とするものを、必要なときに、ゼネラル・ストアで購買していたが、それにたいする支払いは、収穫の後でおこなっていた。その年が不作である場合には、当然、その支払いはさらに延期されることになるわけであった。そこで、ゼネラル・ストアの方も、当然、仕入れは掛けによらざるをえず、したがって卸商や仲買人から商品を仕入れる場合、高いマージンをとられ、当然、その仕入コストは高くなり、農民の手に渡る商品の販売価格も、また非常に高くならざるをえなかったのである。

しかし、その反面、ゼネラル・ストアには、たのしい雰囲気もあふれていた。農民は、このゼネラル・ストアにあつまっては、いろいろな情報やゴシップを交換しあい、政治や鉄道やトラストを批判し、ウイスキーをあおり、そこは冗談をとばしあう会合の場所であり、生活のオアシスでもあった。

カタログによる大規模通信販売

農民の購入する商品は、現代の商品のように欲望と欲求に訴える商品ではなく、まったく生活の必要をみたす商品であり、またゼネラル・ストアだけが唯一のショッピングの機関であった。そこでは、価格が高いこと、つまり卸売価格と小売価格とのひらきが少なくとも倍以上もあったことが、最大の不満であった。こうした農民の消費生活における不満足な状態と、ますます急ピッチで発展する生産力との間に生じた一種の真空状態は、急速に埋められる必要があった。

そこで、その真空を埋めるために、一八七二年、郵便による通信によって、あらゆる商品を販売する最初の大規模な小売企業がシカゴにあらわれた。モンゴメリー・ワード (Montgomery Ward & Co.) である。ついで、一八八六年、シアーズ・ローバック (Sears, Roebuck & Co.) の創業をみることとなったのである。

こうして、アメリカにおいては、都市の小売商業がカバーできない農村に、市場ないし販路を拡大していく主要な方法として、通信販売があらたに登場してきたのである。通信販売というあたらしい小売商業の経営形態が、アメリカの農村を舞台に登場してくるようになったのも、けっして偶然のことではなかったのである。

換言すれば、通信販売は、広大な国土に、ゆたかな国内市場をもつ国において、生産力が急ピッチで発達し、商品が旧態依然たる方法ではさばきかねるほど豊富である場合に、地方の農村に居住する農民を中心とした消費者の分散した需要を直接広告またはカタログによってつかみ、これに効果的に対応しようとする近代小売商業の経営形態として、一八九〇年代から農村を舞台に大いに発達していくこととなったのである。

2 通信販売と革新
——近代的営業活動と大量受注＝発送システム——

シアーズ・ローバックの創業

農村におけるゼネラル・ストアには、すでに述べたように大きな限界があった。しかし反面、消費者にとっては、掛けで仕事や生活のために必要な商品を買えるという便宜があり、またなによりも、たのしい人間的な接触の場でもあった。したがって、

◇都市百貨店と通信販売
当時の都市百貨店も、通信販売をおこなわなかったわけではない。たとえば、一八七四年、メーシー、少しおくれてワナメーカーなどでも、農村向けの通信販売部門をもって活動しだしているが、しかし一九一〇年ごろから、都市を本来の活動の場とする百貨店は、しだいにその部門を廃止していった。

郵便による販売すなわち通信販売というような、ひととひととの人間的接触の要素をまったくもちあわせない経営形態が、農村に登場し大いに発展するには、それなりの革新がなければならなかった。そこでわれわれは、この通信販売というあたらしい経営形態の特質を、シアーズ・ローバックの発展の初期の段階をひとつの手がかりとして考えてみよう。

R. W. シアーズ
（シアーズ提供）

シアーズ・ローバックのシアーズは、その創立者であるリチャード・シアーズ (Richard Warren Sears) の名からとられた。かれは一八六三年一二月、ミネソタ州スチュアートビルで生まれたということになっている。かれは、ミネアポリスとセントルイスを結ぶ鉄道のミネソタ州ノース・レッド・ウッドという駅で運送代理店を経営していたが、二四歳のときのある日、後年の大シアーズの創始者となるチャンスをつかんだのである。というのは、シカゴから時計のはいった箱包みが、レッド・ウッドの小売商に送られてきたが、その小売商が受取りを拒否するというひとつの事件がおこったからである。

当時は、一般に、卸商が小売商に委託販売という方法で販売するというのがふつうのことであった。極端な場合には、小売商がまったく注文してもいないのに出荷することがしばしばあったし、また、およそデタラメな宛名で出荷するということもあった。そこで、運送代理店が受取り拒否にあって配達できないという連絡を送り主にすると、卸商は返送してもらうにしても費用がかかるから、たとえば、半

◇シアーズ・ローバック

▼シアーズ・ローバックは、今日、その売上高、純利益、総資産において、また従業員数において、いずれの指標をとってみても、全米＝全世界最大の小売企業である。

▼売上高についていうならば、シアーズ・ローバックは、ゼネラル・モーターズ＝GM、スタンダード・オイル、フォードのビッグ・スリーにこそおよばないが、わが国で非常に有名なゼネラル・エレクトリック＝GEやIBMなどよりもはるかに多い九二億ドル（じつに三兆三三四三億円）という規模の売上を実現して、全米全産業のなかでも第四位という地位を占めている（一九七〇年）。こういうことは、わが国ではほとんど考えることのできないことであろう。わが国では、商業、とりわけ小売商業は、構造的に、小規模で零細なことを特質とする産業と考えられているからである。

▼ビッグ・ビジネスのメーカーにも優に匹敵する流通界のビッグ・ビジネス、近代商業一〇〇年の歴史において、文字通り王者の位置を占めるシアーズ・ローバックは、どこから誕生し、どのようにして発展の契機をつかんでいったのであろうか。

シアーズ・ローバックの経営指標　（1970年）

売上高	926,216万ドル
総資産	762,309 〃
税引後純利益	46,420 〃
自己資本	370,827 〃
従業員数	35,900 人
売上高純利益率	5.0 %

（資料）同社アニュアル・リポート

全米全産業売上高ランキング　（1970年）

	社名	業種	売上高（万ドル）
1	ゼネラル・モーターズ	自動車	1,875,235
2	スタンダード・オイル	石油	1,655,422
3	フォード	自動車	1,497,990
4	シアーズ・ローバック	小売商業	926,216
5	ゼネラル・エレクトリック	電機	872,673
6	IBM	計算機	750,396
7	モービル・オイル	石油	726,052
8	クライスラー	自動車	699,967
9	ITT	電機	636,449
10	テキサコ	石油	634,975

（資料）*Fortune.*

A. C. ローバック
（シアーズ提供）

額でひきうけて、適当に売りさばいてほしいということになる仕組みであった。シアーズがぶつかったこの場合も、まさにこの種のものであったのであろう。中味の時計はイエロー・ウォッチとよばれる金張りの時計で、そのころ小売価格二五ドルというものであった。

当時、時計は、都市生活のひとつのステイタス・シンボルとして需要の多い商品であったが、シアーズは、それを一二ドルでひきうけ、一四ドルで同じ鉄道沿線の同業の運送代理店相手に、郵便で販売したのである。文字通りの低価格販売であったので、商品は簡単にさばけてしまった。かれは、こうして半年の間に、郵便による販売、すなわち通信販売という事業の有利さを知り、最初はミネアポリスで、つぎにシカゴで、その事業をはじめた。このR・W・シアーズ・ウォッチ・カンパニー（Richard Warrem Sears Watch Company）の創業は一八八六年のことであり、ワードにおくれること一四年であった。

その後、アルバー・ローバック（Alvah Curtis Roebuck）が、すぐれた時計修理の技術をもって経営に参加し、ふたりは、さまざまな社名のもとで共同しながら、シアーズ・ローバックの基礎を築きあげていった。そして、一八九三年九月に、シアーズ・ローバック・アンド・カンパニーという今日の社名が誕生したのである。

シアーズの仕入方法と低価格販売

シアーズが、その営業活動の基本としたのは、顧客が買わずにはいられないほど魅力的な低価格販売を実現するということであった。そのために、低マージンで、直接広告の大量投入による高回転という営業活動を、忠実にあるいは独創的に、展開したのである。

近代小売商業における営業活動に成功する永遠の鉄則は、すでに述べたように、低価格販売と大量販売を徹底的に追究することにあるのだが、シアーズの営業活動の基本もまた同じように、低マージン・高回転によって、これを実現することにおかれていたといってよいだろう。

さらにシアーズは、低価格販売をいっそう徹底するために、仕入コストを低くおさえることによって、持続的な低価格販売を可能ならしめる方法を追究した。

(1)　シアーズのビジネスがすべりだしたこの時代は、時計メーカーが完成品の販売価格を維持することに懸命の努力を傾けていたときであった。そのなかにあって、シアーズは、バラバラのムーブメントやケースは、当時、時計メーカーの同業組合も厳格な規制をしていなかったので、それに目をつけ、ムーブメントや部品を大量に買いつけ、それをみずから組み立てて時計をつくり、低価格販売と大量販売をいっそう徹底した。同時に、メーカーに、ひそかに、かれにだけ割引価格で完成

シアーズのカタログ
(1894年版表紙)

(シアーズ提供)

品を流させるよう説得し、低コストで時計を仕入れることに成功した。また、かれは、倒産したメーカーの在庫商品を大量に買いあげることによって、完成品をムーブメントだけの卸売価格とほとんどちがわぬ低価格で販売することさえできたのである。

(2) いまひとつ、当時、時計が高価格で販売され、その高水準が維持されていたのは、大多数の小売商の低回転にあった。仕入の清算は半年、あるいは一年という期間でおこなわれていた。これにたいして、かれは毎月一日、一五日の現金払いを断行し、一般に小売商は仕入コストの倍で販売するのがふつうであったのにたいし、シアーズは低マージン・高回転、つまり近代的な薄利多売の営業活動を推進していったのであった。また、そうした低価格販売を推進していくときの大義名分として、シアーズは、同業組合、協定、トラストによって維持されている高価格水準にたいして、攻撃と挑戦の姿勢を断固としてとり、それによって農民の信頼を獲得していったのである。

品質保証の原則

さらに、事業が発展していくにつれて、いまひとつ、重要な革新を工夫する必要が生じた。その革新とは、顧客にとってその商品が不満足な場合には直ちにその全額を返金するという仕方で、商品の品質を保証したことであった(ワナメーカーが一八六五年にフィラデルフィアという都市を舞台に同じことをおこなったことを想起されたい。三八頁参照)。

一八八九年発行のカタログの広告には、今日のシアーズの基本的な品質保証の原則が、早くもうちたてられている。「シアーズは、販売された時計が、すべて広告通りであることを保証し、もしもそうでないと思われたら，いつでも返品して下されば，全額を返金いたします。」

通信販売にあらわれた革新は，都市の百貨店でおこなわれた革新のすべての要素を，経営形態のちがいこそあれ，すべてとりいれ，すべて生かしている。現金販売，定価販売，品質保証，返品・返金の自由という百貨店があたらしく創造した営業活動の革新が，すべて農村を舞台とする通信販売のなかに生かされているのである。

ローゼンワルドの三つの信条

J. ローゼンワルド
（シアーズ提供）

こうして時計の通信販売からスタートしたシアーズは，さらにミシン，自転車というように，取扱商品の幅をしだいにひろげていったのであるが，事業が本格的にすべりだした三年目の一八九五年に，このビジネスに，ジュリアス・ローゼンワルド（Julius Rosenwald）という衣料品に経験の深いひとりの商人が参加することになったことは，シアーズにとってきわめて幸いなことであった。このローゼンワルドの参加は，今日のシアーズをつくりあげる上で，非常に大きな力となった。かれは近代小売商業が展開する営業活動の原則について，しっかりとした信念をもっていた。それは世に〈ローゼンワルドの信条〉として知られているもので，シアーズの経営に，一貫して絶大な影響をあたえたのである。ローゼンワルドの信条とは，つぎの三条である。

第一，より安く仕入れることによって安く売れ。大量仕入と現金仕入を手段として安く仕入れよ。しかし、品質は維持せよ。

第二、販売経費を切り下げることによって安く売れ、商品を生産者から消費者にもたらす経費を最小限にまで減らせ。しかし、品質は維持せよ。

第三、個々の商品の利益は小さくし、多くの商品を売ることによって全体の利益をふやせ。しかし、品質は維持せよ。

この信条は、おそらく近代小売商業のどのような経営形態にもあてはまるものであろう。これは、そのまま食料品スーパーマーケットの信条としてもおかしくないし、ディスカウント・ストアの信条と考えてもまちがいではあるまい。しかし、ローゼンワルドほど、このことを正確に理解した商人はなかった。

ローゼンワルドが、この信条を正確に理解し忠実に実行にうつしたからこそ、今日のシアーズ・ローバックがあるといっても過言ではない。この品質の保証をあくまでまもりぬく原則は、ながく今日にいたるまでシアーズの経営を特質づけてきたものであり、シアーズの成功の最大の基礎条件であった。店頭における販売とちがって、郵便による販売という方法が、逆にかえって、品質保証の原則を強固なものに鍛えあげたといってもよいだろう。そして、ローゼンワルドの参加によって、シアーズは成長と発展の道を着実に歩みはじめ、売上高も一九〇〇年の一一〇〇万ドルから一九一〇年の六一〇〇万ドル、一九二〇年の二億四五〇〇万ドルへと達した。世紀の変わり目から一九二〇年にいたるこの二〇年は、シアーズにとって通信販売の繁栄の時代であった。

シアーズの基本原則―低コスト経営

ローゼンワルドの営業活動の原則とは、低価格販売と大量販売を推進するために、徹底的に、⑴仕入コストを切り下げ、⑵販売コストを切り下げ、⑶薄利多売を実現する――ただし品質はあくまで維持しながら――ということに尽きるが、これこそ、もっとも古くして、つねにもっともあたらしい営業活動の基本であり、いわば小売商業活動に成功する永遠の鉄則であるといってよいだろう。

そして、すでに述べたように、都市における百貨店のおこなった革新は、それ自体、近代小売商業のもっとも基礎的な原則となったものであり、広く人類共通の遺産となったものであるが、それはあくまで販売面での革新であったのにたいして、シアーズ・ローバックがうちたてた原則は、仕入コストの切下げと販売コストの切下げによって、仕入面と販売面の両面にわたって低コスト経営を実現する基礎を経営的に築きあげ、それによって、持続的な低価格販売と大量販売を可能ならしめ、近代的な薄利多売の営業活動を、いっそう徹底的に展開していくということであった。それは、百貨店のおこなった革新をさらに一歩すすめて、近代小売商業における営業活動の核心に、いっそう正しくせまったものであるといわなければならない。

そして、これとならんで、シアーズは今世紀のはじめには、大量の受注＝発送を管理するためのスケジュール・システムを完成させ、一五分刻みの作業手順によって、膨大な注文も単品の注文であれば二四時間以内に、種々な商品ラインをふくんだ面倒な注文であっても四八時間以内に、発送処理を完了してしまう経営管理の革新をはかり、大量受注＝発送体制を築きあげたのである。

一九〇八年ごろには、日に一〇万にもおよぶ郵便による注文があったが、これらの郵便は、シアーズ独自の郵便開封機で、一時間に二万七〇〇〇通ずつ手際よく開封され、処理にまわされていった。受注伝票は二七の部署を通りながら、注文内容によって区分され、送金が処理され、商品ラインごとに色のちがう伝票に複写され、一五分刻みの作業工程を指示するスタンプが捺印され、それぞれ関連の部署を通って、最後に発送処理がおこなわれたのである。こうした分類作業から商品の移動、発送処理にいたるまで、シアーズでは多くの機械や考案が大幅に採用された。たとえば、商品移動のためのコンベア・システム、各フロアをつなぐエア・シューター・システム、また荷包みされた商品を発送するための輸送軌道等々である。自動車工業に大量生産＝組立システムを採用し、今日の大量生産方式の祖といわれるヘンリー・フォードも、あのデトロイト・ハイランドパーク工場の設計には、このシアーズの大量受注＝発送システムを、よく学んだといわれている。

こうして、人類は、百貨店と通信販売というふたつの近代小売商業のなかに、あたらしい革新的な営業活動と経営管理の方法をさぐりあてることによって、ようやくつぎに、近代小売商業一〇〇年の歴史における最大の革新を迎える基礎的条件を整えたのであった。

第4章

チェーン・ストア

▨ 近代商業史上最大の経営革新

百貨店は、〈ひとつ屋根のもとに〉おける部門別管理という革新的な経営管理の方法をもって、商品の範疇では主としてソフト・グッズとよばれる領域で、通信販売は、郵便による受注＝発送の管理という革新的な経営管理の方法をもって、主としてハード・グッズとよばれる領域で、前世紀の末葉から今世紀のはじめにかけての時代に、生産力の急ピッチな発展に対応する市場ないし販路拡大の主要なふたつの方法、もっとも代表的なふたつの近代小売商業の経営形態として大いに発達した。

そして、さらに生産力がますます急ピッチで発展していくのに対応して、市場ないし販路拡大のあたらしい方法として、今世紀のはじめ、わけても一九一〇年代から二〇年代にかけて、近代小売商業一〇〇年の歴史にとって、もっとも基礎的な最大の経営革新の登場を迎えることとなったのである。

それは、いうまでもなく、チェーン・ストアの登場である。都市における百貨店と農村における通信販売というふたつの近代小売商業の経営形態が確立したあと販路拡大の方法は、アメリカにおいては、チェーン・ストアによって推進されることになったのである。

われわれは、その発達のあとを、まず、食料品、雑貨、そして衣料品その他の分野におけるチェーン・ストアという順序でたどり、ついで、チェーン・ストアがもたらした革新の特質を考えてみよう。

1　チェーン・ストアの登場

ふつう、チェーン・ストア（chain store）の歴史は、A＆Pの創業のときをもって書きはじめられなければならないとされている。われわれもそれにならって、チェーン・ストアのこのパイオニアが、その歴史の端初を切りひらいていった段階、チェーン・ストア発展の初期の段階を、まず最初にみてみよう。

A　食料品チェーン・ストア

A＆Pの創業

一八五九年、ニューヨーク市のベッシー街に、ジョージ・ギルマン（George Gilman）と当時二六歳のメイン州オーガスタ出身のジョージ・ハートフォード（George Huntington Hartford）のふたりによって、小さな紅茶の小売店舗が開業した。社名をアメリカン・ティ・カンパニー（The American Tea Co.）といい、これがA＆Pの創業であった。そして、ふたりは、当時、東洋からの輸入茶を独占していた英国貿易商に対抗して、直輸入した紅茶をみずからの小売店舗で直売することによって、中間マージンを徹底的に排除し、安い紅茶を消費者に提供することを狙いとして、活発な営業活動を展開したのである。

ハートフォードは、当時の紅茶の流通コストを分析して、中間マージンが紅茶の価格を大幅につりあげていることを知った。そこでかれは、直輸入の紅茶を自分自身の店舗で消費者に提供するならば、少なくとも三〇％は価格を引き下げられると考え、直営の小売店舗を開設することによって、当時ニューヨークで一ポンド＝一ドルの高値をつけていた紅茶を、半値で販売することに成功したのである。このときハートフォードの頭のなかには、まだチェーン・ストアのネットワークを広範に張りめぐらそうという考えは浮かんでいなかったが、ベッシー街の成功は、自然と第二、第三の店舗を生みだした。

店舗はどんどん増設され、一八六五年には二五店舗となり、取扱商品も紅茶、コーヒー、堅パン、バターというように関連の深い食料品にひろがっていった。そして一八六九年、従来の社名を改め、さらに規模雄大な現在の社名が決定された。それは、ちょうどその年に、東からのユニオン・パシフィック鉄道と西からのセントラル・パシフィック鉄道が、ユタ州のオグデンで結合し最初の大陸横断鉄道が完成したからで、ハートフォードはこれと同様に、大陸を縦横に結ぶチェーン・ストアの構想をはじめて考えだしたのであった。

一八七八年、共同経営者のギルマンが引退したので、ハートフォードはこの事業の一切をひきうけ、単独で経営にあたることとなった。そして一八八〇年には一〇〇番目の店舗、世紀が変わる一九〇〇年には二〇〇番目の店舗ができた。このころの発展のスピードは、もちろん相当に急テンポであったが、後年さらにいっそう急テンポで展開されるようになったことにくらべれば、まだそれほど速いとはいえなかった。真の飛躍と発展は、そのあとにくることになったからである。

ジョージとジョンの経営参加

さて、オールド・ジェントルマンという呼び名で敬愛されていたA&Pの創始者には五人の子供があった。そのなかで、長男のジョージ(George

Ludlum Hartford）と次男のジョン（John Augustin Hartford）が父の家業をつぎ、A&Pの今日を築きあげた。

父の方針で、ふたりは一六歳になるとビジネスの世界にはいった。ジョージは一八八〇年に、ジョンは八八年に、それぞれ、A&Pマンとしてのキャリアを歩みはじめている。そして、内省的で思慮深い兄が会計と財務の道を歩み、積極的で商才にたけた弟が営業と宣伝に全力を傾けることになったのは、

◇A&Pの地位

▼ザ・グレート・アトランティック・アンド・パシフィック・ティー・カンパニー（The Great Atlantic & Pacific Tea Co. Inc.）という企業の正式の名称は知らなくとも、A&Pという略称は、平均的なアメリカ人の日常生活において、朝食の卵とコーヒーから、夕食の野菜と牛肉にいたるまで、およそ食生活に関するかぎり切っても切れないくらい縁が深い。

▼この大規模な食料品チェーン・ストアA&Pの年間売上高は、一九七〇年に五六億六四〇二万ドル（じつに二兆〇三九〇億円）に達し、『フォーチュン』小売商業ランキングの第二位を占め、売上高に関するかぎり全米全産業のなかでも第一二位の地歩を占めている。同業第二位のセーフウェイ（四八億六〇一六万ドル）、第三位のクローガー（三七億三五七七万ドル）を大きくひきはなし、食料品小売業界のトップをいく企業である。

▼A&Pの純益は五〇一二万ドル（一八〇億四三二〇万円）、これは売上高一ドルについて〇・九セントにあたる。A&Pはこの文字通りの薄利多売の営業活動を、四四二七の店舗網によって実現している。そしてA&Pには、毎日三〇〇万以上の顧客が来店し、アメリカにおける食料品総販売額の約七%を単独企業として占拠しているのである。

ハートフォード兄弟
（左ジョン，右ジョージ，後の肖像画は創業者 G.H. ハートフォード。A＆P提供）

A＆Pの発展にとってきわめて幸いなことであった。

総じて、小売商業に成功する最後の答は、いうまでもなく営業活動と経営管理の正しい結合を実現することにあるが、A＆Pの場合、積極的なジョンの営業活動上の創意によりビジネスの拍車がかけられると、内省的なジョージの経営管理上の思慮によりビジネスの手綱がかけられるという具合に、両者が正しく機能することによって、ビジネスが効果的に推進されていくことができたのである。

現金払い・持帰り制「エコノミー・ストア」の展開

A＆Pのチェーン・ストアとしての真の飛躍と拡大は、一九一二年になってはじまった。この年に、A＆Pは「エコノミー・ストア」("Economy Store")の展開をはじめたからである。それは、これまでおこなっていた掛売りと配達 (charge and delivery) を一切やめて、現金払い・持帰り制 (cash and carry) にし、そのかわりに商品を思いきった低価格で販売する方法を大胆に展開することであった。掛売伝票のおびただしい紙の山と、配達のためのさらにおびただしい馬と馬車の群を想起すれば、これらを廃止した効果は容易に理解することができよう。店舗は、ひとりで全部の仕事を処理することができるくらい小さく質素で、したがって低コスト経営で、薄利多売を徹底的に追求することができた。

きっかけはこうである。たまたま当時ニュージャージー州ジャージー・シティのＡ＆Ｐ本社のひざもとで、ヘンリー・コールという小さな食料品店が、現金払い・持帰り制で成功していることに着目したジョンは、いちはやく父と兄にエコノミー・ストアを開店することを提案した。これにたいして、父と兄は最初まったくとりあおうとしなかった。しかし、ジョンは力説これつとめて、とうとう、かれの考えの正しさを証明するために、ただ一店だけ、この新機軸の店舗を開かせてもらうよう、ふたりを説得することに成功した。しぶしぶ出してもらった三〇〇〇ドルの開業資金で、ジョンは盛業中のＡ＆Ｐの一番大きな店舗がある通りの角をすぐ曲がったところにあたらしい店舗を開いた。その店舗は大急ぎで名前もつけずに開店したが、ジョンの狙いは大いにあ

A&P の店舗数・売上高の推移

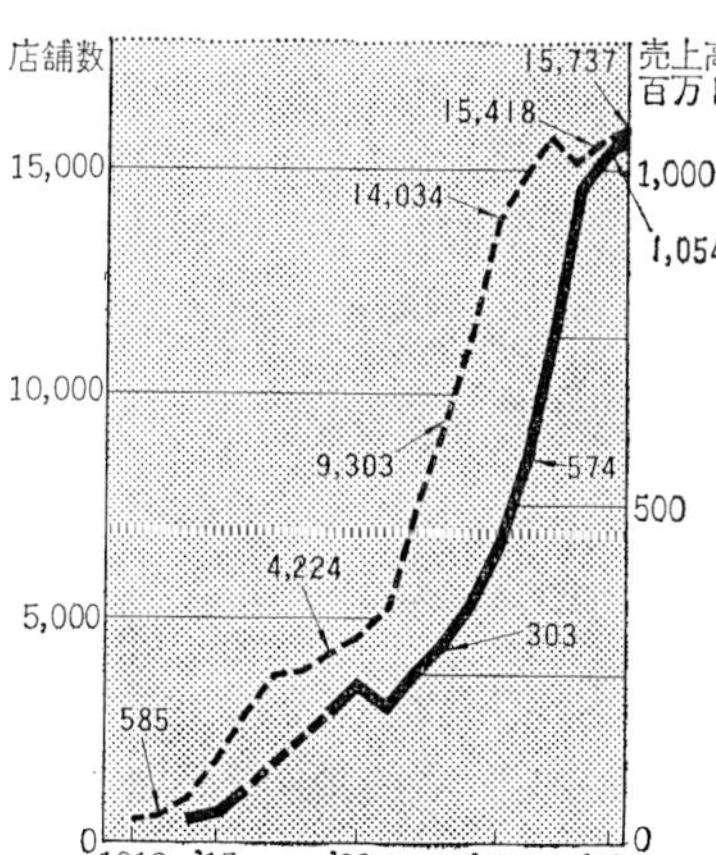

（資料）Ａ＆Ｐ, アニュアル・リポート。

◇一九〇〇年当時の社会風俗

▼現代の目で、一九〇〇年当時のアメリカのどこかの大都市の街角に立って、街路をながめたとする。まず驚かされるのは、おびただしい馬の数であろう。

当時、アメリカ全体で自動車の登録台数は八〇〇〇台にすぎなかった。ひとびとは自動車などは金持のおもちゃぐらいにしか思わず、それも少々冒険的でスポーツ好きの金持のものであった。

ところが、馬車ときたらいたるところにあった。二輪馬車、乗合馬車、有蓋・無蓋の馬車、辻馬車、荷馬車等々、ありとあらゆる馬車が都市のメイン・ストリートを走っていた。

馬車のある生活がかもしだす光景・興奮・音——そうしたものが都市をいろどっていた。馬のひずめの音、石だたみの舗道を鉄の車輪がきしむ音、ブレーキの音、馬のいななき、馬を車につなぐときの緊張、冬には馬ぞりの鈴の音、金持の二頭立ての馬車……時には、三頭の馬にひかれた消防車が鐘を鳴らして街を疾駆する……。

▼いまひとつ驚かされるのは、女性の服装、とりわけそのスカートの長さであろう。

都市の女性たちは、みな申しあわせたように、ほとんど道路を掃いて歩くような長いドレスを身につけていた。当時の女性は、ブラウスの高いえりから地面スレスレのすそまで、たっぷり衣服に包まれていた。ゴルフやテニスをするときでもスカートは地上五センチから七〜八センチのものでなければならなかった。そしてたいていの場合、帽子をかぶっていることが必要な身だしなみであった。

どんな季節でも、女性は何種類もの下着で身体を包んでいた。シミーズ、ズロース、コルセット、コルセットカバー、ペチコートを

一枚あるいは二枚……というように。

当時のコルセットは鯨の骨をつかい、胴を強くしめあげて、からだを蜂のようにねじあげてしまう責め道具にも似ていた。ドレスはほとんどツーピースで、コルセットでしめつけた上に、胴衣を固くしめるという着付けをしていた。

▼男性の服装も、えりは高く、しかも硬かった。ビジネスマンも、毎日着る背広は三つボタンの上着にチョッキを必ず着用し、細いズボンでなければならなかった。バンカーや重役はオフィスに行くのにも、フロック・コートを着て、山高帽子ではなく、シルクハットをかぶっていた。ただし、サマータイムだけは、麦わら帽（金持はパナマ）をかぶることができた。身だしなみのよい男性が、無帽で街を歩くことは、思いもよらないことであった。

農村にいるときは、サージの背広にフラノのズボンでもよかった。あるいはツィードの上衣に乗馬ズボン、またはニッカーボッカーでもよかった。しかし、都市に戻れば、あるいは農民が都市にでてくるときは、たとえ炎天の真夏でも、三つ揃いの背広、のりのきいたカラー、カフスのワイシャツにきちんと身を固めていなければならなかった。

▼こうしたきびしい服装が、一九〇〇年当時の生活のなかに貫いており、未婚の娘が夜ひとりで街を歩くなどということはけっしてなく、必ずつきそいが必要であった。世紀の変わり目の一九〇〇年当時のアメリカは、こういった社会風俗の時代であった。

たり、わずか半年で、A＆Pのもとの店舗の方がつぶれてしまい、実験は完全に成功した。ジョンの先見の明は事実によって証明されたのである。

三億ドル企業へ　A＆Pの飛躍と拡大はこの年からはじまり、エコノミー・ストアのチェーン・ストア展開という経営戦略が、目的意識的に採用されることとなった。このジョンの方法のもっとも卓越していた点は、店舗が小さく簡単なものですむため、いくらでも出店することができることであった。

この一九一二年が、あたらしいチェーン・ストアという革新的な経営形態の本格的な展開と発展が、はじまる年となったのである。A＆Pの五〇〇番目の店舗は一九一三年に開店し、この年の終わりには五八五の店舗網をもつようになった。つぎの二年間に、さらに一六〇〇の店舗が開店し、一九一九年の終わりには四二二四の店舗網をもつにいたった。

しかし、つぎの四年間には、既存の店舗を上回る五〇〇〇店舗以上をあらたに開店して、一九二三年には九三〇三の店舗網で、

◇日本の三億ドル企業

わが国の小売企業がはじめて三億ドル、つまり日本円に換算して一〇〇〇億円の売上高を達成したのは、一九六〇年代も後半になってからである。

現在（一九七〇年）においても、この水準を越えているのは、三越、大丸、高島屋、ダイエー、松坂屋および西武グループ（西武百貨店・西友ストア）にすぎない。

日本の小売企業ランキング
（1970年）

	企業名	店舗数	売上高（億円）
1	三越	11	1,885
2	大丸	4	1,652
3	高島屋	4	1,593
4	ダイエー	58	1,429
5	西友ストア	84	1,200
6	松坂屋	5	1,178
7	西武百貨店	10	1,100

（資料）『日経流通新聞』1971年5月19日号。

ついに三億ドルの売上高を実現したのである。この三億ドルの売上高は、世界の近代小売商業史において、A&Pによってはじめてなしとげられた輝かしい成果であった。

一〇億ドル企業の成立

一九二三年に三億ドルの売上高を実現したA&Pは、それからわずか二年間で、さらに約五〇〇〇店舗を増設し、一九二五年の終わりまでに一万四〇三四の店舗網をもつようになった。この年以降、その拡大のテンポは、やや緩慢になったが、一九三〇年にはA&P史上最高の店舗数一万五七三七に達した。そしてその間に、A&Pの伝統となった低マージン、高回転の近代的な薄利多売の原則が確立されていった。一九三〇年二月末で終わる営業年度、つまり一九二九年の売上高は、ついに一〇億ドルラインをはじめて越す実績をあげることとなったのである。わが国の小売商業界では、現在ようやく三億ドルを越えて、つぎの一〇億ドルをめざしての挑戦が、一九七〇年代の課題となっているところであるが、アメリカで最初の、したがって世界で最初の三億ドル小売企業から一〇億ドル小売企業への道は、一九二三年から二九年にかけて、A&Pによって切りひらかれていったのであった(六三頁図参照)。

A&Pの〝節約が支配するところ〟("where economy rules")というモットーのなかには、消費者に一セントでも節約をもたらす低価格販売の推進、それによって大量販売を実現しようとする近代的な薄利多売の原則が、もっとも簡潔に表現されているといってよいだろう(ちなみに、アメリカで一九七〇年現在、一〇億ドルを上回る売上高をあげている大規模小売企業は二一社ある〔次頁表参照〕)。

こうして一九二九年に、A&Pが一〇億ドルの売上高を達成したことは、チェーン・ストア経営という革新的な経営方法を武器として、アメリカ最大、したがって世界最大の大規模小売企業が近代小売商業史に成立したことを意味し、A&Pは、たんにチェーン・ストアの歴史にとどまらず、およそ近代小売商業一〇〇年の歴史における大規模小売企業の成立のさきがけとなったのである。多くの小売企業も、やがて、A&Pに少し遅れて規模拡大の道を歩むことになったが、いずれもチェーン・ストア経営という方法を、もっとも主

アメリカの小売企業上位21社 (1970年)

	企　　業　　名	売上高(千ドル)
1	シアーズ・ローバック (Chicago)	9,262,162
2	A & P (New York)	5,664,024
3	セーフウェイ (Oakland)	4,860,167
4	J. C. ペニー (New York)	4,150,886
5	クローガー (Cincinnati)	3,735,774
6	マーコー (ワード) (Chicago)	2,804,856
7	S. S. クレスギ (Detroit)	2,558,712
8	F. W. ウールワース (New York)	2,527,965
9	フェデレイテッド百貨店 (Cincinnati)	2,091,515
10	フード・フェア (Philadelphia)	1,762,005
11	アクメ・マーケット (Philadelphia)	1,650,249
12	ジュエル・ティ (Melrose Park, Ill.)	1,628,496
13	ナショナル・ティ (Chicago)	1,512,282
14	ラッキー (San Leandro, Calif.)	1,488,715
15	ウイン・ディキシー (Jacksonville)	1,418,916
16	ギャンブル・スコグモ (Minneapolis)	1,296,704
17	W. T. グラント (New York)	1,259,116
18	アライド百貨店 (New York)	1,225,070
19	シティ・プロダクツ (Des Plaines, Ill.)	1,207,127
20	グランド・ユニオン (East Paterson, N. J.)	1,200,831
21	メイ百貨店 (St. Louis)	1,170,383

(資料) 各社アニュアル・リポートおよび *Fortune*.

要な武器として発展していくこととなったのである。

食料品業界の見取図

小売商業におけるビッグ・ビジネスが、食料品の分野にはじめて成立するようになったのは、A&Pが目的意識的に展開したエコノミー・ストアによってであった。そして、このA&Pが三億ドルの売上高から、やがて一〇億ドルの売上高を達成した一九二九年という時点が、ひとつの大きな画期となったので、この時点で、アメリカの食料品小売商業界の一応の見取図をとらえてみよう。

一九二九年、アメリカの食料品総店舗数は四八万一八九一店で、そのうちチェーン・ストアは六万一四一六店であった。全米食料品総売上高は一〇八億ドルで、全米小売販売総額の約五分の一を占めていたが、このうち三五億ドルが食料品チェーン・ストアの売上高であった。つまり、食料品チェーン・ストアは全米食料品総店舗の一二・七%にあたる店舗で、全米食料品総売上高の三二・四%にあたるシェアを占めたのであった。

ところで、このように食料品チェーン・ストアが、そのシェアを急速に高めるようになった原因は、基本的に、どこにあったのであろうか。独立自営商の店舗は四二万〇四七五店で、売上高は七三億ドルであるから、一店舗当たりの年間売上高は一万七四一六ドルである。これにたいし、チェーン・ストアは、店舗数が六万一四一六店で、売上高は三五億ドルであるから、一店舗当たりの年間売上高は五万七二一六ドルとなる。つまり、チェーン・ストアの一店舗当たり年間平均売上高は、独立自営商の三・三倍という効率になるのである。収益力の基礎になる売上高において、約三倍というすぐれた効率がチェーン・ストアによって実現された結果、一二・七%の店舗で三二・四%の売上高を占めるという実績をあげることができたといってよいだろう。

一九二九年、A&Pは一万五四一八店舗によって一〇億ドルの売上高を達成したが、このことは全食料品店舗数のわずか三・二%にあたる店舗で総売上高の九・七%のシェアを単独企業が占めたということになる。さらに全米食料品チェーンの上位四社、つまりA&P、クローガー(The Kroger Co.)、セーフウェイおよびアクメ・マーケット(Acme Markets Inc. ただし、当時はアメリカン・ストアといった)の四社合計でみると、店舗数二万四九六〇店、売上高一六億四四〇〇万ドルとなり、五・二%の店舗で売上高の一五・二%のシェアを占めるようになっている。小売商業は、本来、小規模で分散的であることを特質とし、その市場占拠率のもつ意味はメーカーのそれと本質的にウェイトを異にする。それだけに、ここに成立した大規模小売企業のシェアのもつ意味は大きいといわなければならない。

1929年のアメリカ食料品小売商業

	店舗数	(%)	売上高(百万ドル)	(%)
1 A & P	15,418	(3.2)	1,054	(9.7)
2 クローガー	5,575	(1.2)	286	(2.6)
3 セーフウェイ	2,340	(0.5)	213	(2.0)
4 アクメ・マーケット	1,627	(0.3)	90	(0.8)
小計	24,960	(5.2)	1,644	(15.2)
チェーン・ストア合計	61,416	(12.7)	3,500	(32.4)
全食料品店合計	481,891	(100.0)	10,837	(100.0)

(資料) 各社アニュアル・リポートおよび *1929 Census of Business, Retail Trade.*

B　バラエティ・ストア

A&Pを代表とする食料品チェーン・ストアについで、いまひとつ、同じく単独の一店舗から事業をおこして、やがて巨大なチェーン・ストアにまで発展しただけでなく、小売商業界にまったくあたらしいバラエティ・ストア（variety store）という分野を築きあげることになったチェーン・ストア、ウールワースについて、そのすぐれた発想とあたらしい販売方法について考えてみよう。

ウールワースの創業

それは一八七九年、ペンシルバニア州ランカスターで、フランク・ウールワース（Frank Winfield Woolworth）によってはじめられた雑貨を五～一〇セントの均一価格で販売するバラエティ・チェーン・ストアである。ウールワースは、ニューヨークのウォーター・タウンにあったムーアという雑貨店の店員だった青年時代に、深い印象を与えられる経験をした。陳列台一ぱいのつまらない雑貨の上に、「このテーブルの上の商品―どれでも五セント均一」と書いておいたところ、それは一日で、ほとんど売り切れてしまったのである。そこでかれは、店舗全体をもっぱら五セントの雑貨だけにしぼって販売するならば、同じようによく売れるにちがいないと確信して、これを徹底的に実行しようと決心した。かれは、雇主から受けた融資と自分のわずかな貯蓄をあわせた三〇〇ドルで、ニューヨー

F. W. ウールワース
（ウールワース提供）

クのウティカにあたらしい店舗を開いた。「五セント均一店」("The Great Five Cent Store") という店名のこの店舗は、しばらく好調であったが、あとははかばかしくなかった。しかしそれでもかれは、その着想が基本的には誤っていないことを確信し、店舗を閉じ負債を清算した上で、どこかちがった場所で、その実験をつづけようと考えた。

そこで、かれは、ペンシルバニア州ランカスターで一〇日後に再起をはかった。それは小さな店舗で、その開店日は一八七九年六月二一日、ウールワースが二九歳のときであった。この日が、近代小売商業史の記念すべき日になるとは、当時の若きウールワースは夢にも考えなかったであろう。

翌年ハリスバーグにもう一店舗、さらに翌年ヨークにもう一店舗を開業したが、いずれもすぐ失敗した。かれは、このような失敗にもかかわらず、その構想が基本的には誤りでないことを、いっそう確信して、さらに一八八〇年秋にスクランドンに店舗を開き、これが第二の成功店となった。一八八一年には二店舗で総売上高は一万八〇〇〇ドル、一八八二年には二万四〇〇〇ドルとなった。

生まれながらのチェーン・ストア

ウールワースは、五～一〇セントの均一ストアの構想が正しいこと、しかし、それが成功するためには、よい立地条件を選ぶこと、単独店舗の発展にはおのずから限界があり、できるだけ多数の店舗を展開すべきであることを知った。ことに、かれは多店舗の必要を痛感した。なぜなら、五～一〇セントの商品は物価の安い当時でも比較的安い雑貨であり、したがって店舗を大型化することははじめから困難であり、しかも五～一〇セントで売れる商品の幅、つまりバラエティをもたせていくためには、大量の仕入を必要とし、そのためにも多店舗による大量販売を実現しなければならなかったからである。すなわち五〜一〇セント均一店＝バラエティ・ストアは、生まれながらにして、チェーン・ストアを展開する必然性をそなえていたわけである。

しかし、最初のころの発展は、そう速くはなかった。よい立地条件をみつけることも簡単ではなかったが、なによりもむずかしかったのは、店舗を管理することのできる人材を確保することであった。かれは資本と経験をもつ共同経営者を求め、それにある程度成功した。一八八一年の二店舗から、一八八六年には七店舗で年間売上高一〇万ドル、一八九五年には二五店舗で年間売上高一〇〇万ドル、そして一九〇〇年には五九店舗で五〇〇万ドルの年間売上高をあげることになった。

こうして世紀のはじめには、ウールワースの構想が、経営的にも、その基礎をしっかりと築きあげたことは誰の目にも明らかとなった。事実、ウールワースがその事業をスタートさせたころから、その構想は何人かの商人たちの注目をあつめ、これにつづくものがでてきていた。一八九六年にS・H・クレス（S. H. Kress Co.）が、一八九九年にはS・S・クレスギ（S. S. Kresge Co.）が、それぞれ創業を開始したのである（一九七〇年『フォーチュン』小売商業ランキングによれば、ウールワースは第八位、そ

ウールワースの合同合併

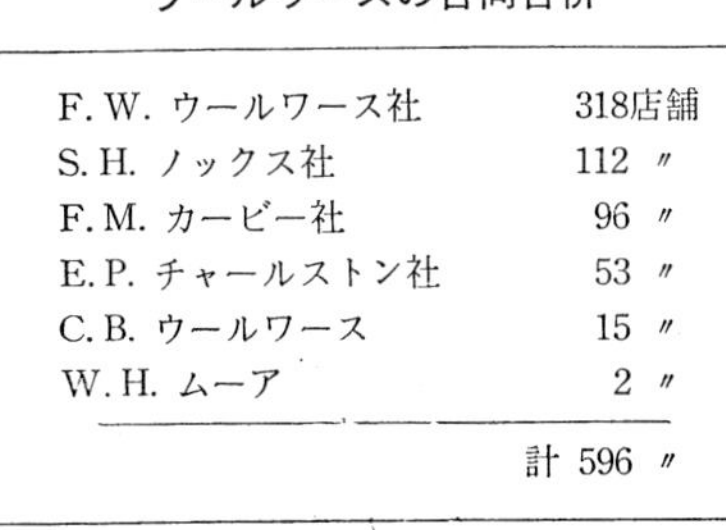

F. W. ウールワース社	318店舗
S. H. ノックス社	112 〃
F. M. カービー社	96 〃
E. P. チャールストン社	53 〃
C. B. ウールワース	15 〃
W. H. ムーア	2 〃
	計 596 〃

（資料）F.W. Woolworth Co. *First 75 Years*, 1954.

してクレスギが第七位に躍進している。六八頁参照)。

ウールワースの合同合併

ウールワースは直系の会社のほかに、共同経営によるいくつかの別系統会社をもっていたが、一九一一年の終わりに、これらの会社は合同合併を決議し、ここにはじめてF・W・ウールワース・カンパニー（F. W. Woolworth Co.）が生まれることとなった。

合併当時の勢力は前頁表の通りであった。この合同合併によりウールワースは合計して五九六店舗となり、その売上高は五二六一万ドルとなった。このうち、わずか二店しかもたないムーアを新会社に参加させたのは、このムーアこそ、ウールワースが最初に働いていた雑貨店の店主であったからである。これはウールワースの義理堅さを示すこともさることながら、その雑貨店で最初の均一店の構想がうかんだこと、最初の開店のときに援助をうけたことが、実際上も大きな助けとなっていたからでもあった。

こうしてウールワースは、一九一一年にあたらしい企業的基礎を築きあげた上、一九一二年に六三一店舗で六〇五五万ドル、一九一八年に一〇三九店舗で一億〇七一七万ドル、ウールワースが死亡した一九一九年には一〇八一店舗で一億一九〇〇万ドル、一九二四年に一三五六店舗で二億一五五〇万ドル、

ウールワースの店舗数・売上高の推移

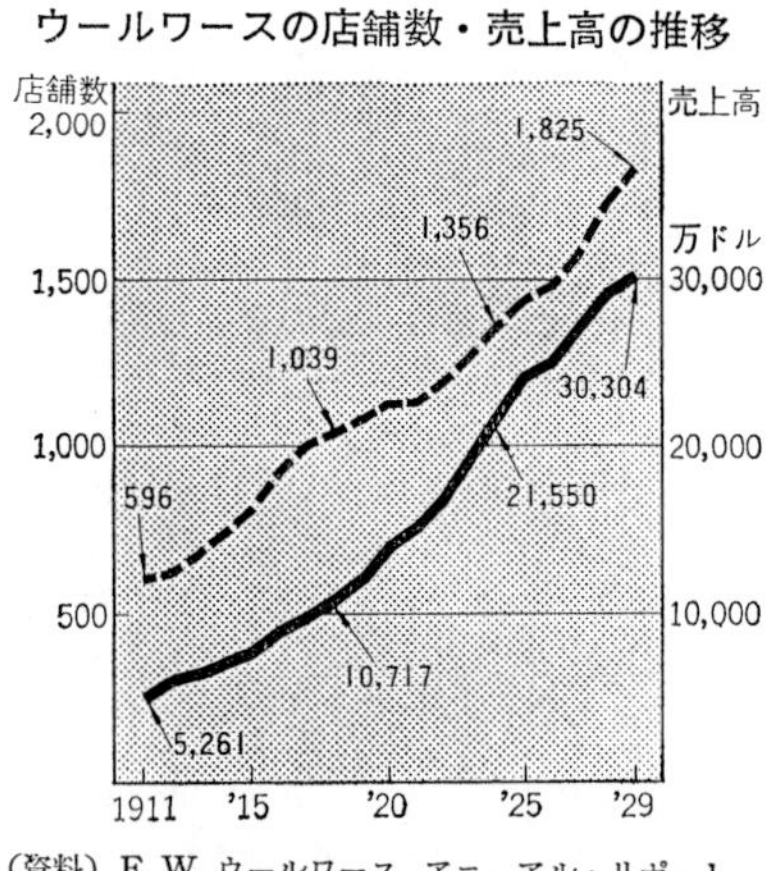

（資料）F. W. ウールワース，アニュアル・リポート。

そして一九二九年には一八二五店舗で三億〇三〇四万ドル（約一〇〇〇億円）の売上高を達成したのであった。

バラエティ・ストアの歴史的意義

このように、ウールワースは着実に事業を成功させたのであるが、われわれの関心はウールワースの成功物語にあるのではなく、それが近代小売商業史にあたえた大きな貢献にある。それは小売商業のあたらしい分野、あたらしいひとつの業種を創造したということである。百貨店が〈ひとつ屋根のもとに〉ありとあらゆる商品を品揃えすることによって、大規模な店舗をつくりあげたのにたいし、バラエティ・ストアは百貨店と同じように、多種多様なありとあらゆる商品を品揃えしながら、しかも百貨店とは逆に、小規模な店舗で成功したのである。つまり、まず第一に、多種多様な商品を価格で統制することによって販売を合理化し、第二に、商品を百貨店の買回品にたいし、最寄品（convenience goods）に集中することによって、小規模な店舗を分散的に配置して、百貨店とは異なる特質をうちだし、そして第三に、巨大なチェーン・ストア経営組織を築きあげることによって、個々の商品の仕

◇一九三〇年代のバラエティ・ストア

ウールワースは、一九三二年に五〜一〇セント均一の商品のほか、二〇セント均一の商品を加え、一九三五年には価格の制限を取り払った。そして、このころから、五〜一〇セント均一ストアは、近代的なバラエティ・ストアに発展していったのである。

わが国においても、このバラエティ・ストア方式のチェーン・ストア経営は、たとえば、高島屋均一ストアというかたちで、昭和初年（一九三〇年代）に導入されたが、戦争の進展とともに、その健全な発達はとめられてしまった。

入ロットを大きくし、大量集中仕入によって低価格販売と大量販売を可能にする条件をつくりあげることに成功したのである。それは、百貨店の成立以来、商業技術として最大の革新のひとつであり、しかも近代小売商業におけるチェーン・ストア経営の重要性を、誰の目にもはっきりと認識させた点で、もっとも大きな貢献をしたのである。

J. C. ペニー
(J. C. ペニー提供)

C　その他の分野のチェーン・ストア

チェーン・ストアの発達過程について、われわれは食料品チェーン・ストア、ついでバラエティ・チェーン・ストアの発達についてみてきたが、いまひとつ、食料品を除く総合商品(general merchandise)の分野におけるチェーン・ストアの発達についてJ・C・ペニー(J. C. Penney Co. Inc.)のケースを考えてみよう。

J・C・ペニーの創業

J・C・ペニーの場合も、今日重要な役割を演じている多くの大規模小売企業とまったく同じように、やはり最初は単独の一店舗から出発した。「ゴールデン・ルール」(“Golden Rule”)という名のもとに、ジェイムズ・ペニー(James Cash Penney)とふたりの共同経営者によって、最初の店舗が一九〇二年四月、ワイオミング州ケマラーで創業した。それは何のとりえもない、ごく小さな衣料品を中心とした店舗で、五〇〇ドルの自己資金と一五〇〇ドルの銀行借入をもって、ビジネスが開始されたのである。最初の年の売上高は約二万九〇〇〇ドルであった。翌一九〇三年に二番目の店舗を開店し、売上高は六万三〇〇〇ドルとなった。一九〇四年に三番目の店舗を開店し九万四〇〇〇ドルを売り上げ、そして一九〇七年に、かれはその共同経営者の持株を三万ドルで買い取って、このビジネスを自分の支配下においた。ペニーはそのころからすでに、チェーン・ストアを五〇店舗以上に拡大する確固たる意思をかためていたのである。

このような五〇店舗以上のネットワークを展開するという構想は、一九〇七年当時には、いつの日に実現されるか見当もつかぬ夢であったであろう。しかし、実際にはペニーが考えたよりも、はるかに早く実現されることとなったのである。一九一一年には二二店舗を数え、その売上高は一〇〇万ドルを越え、一九一四年には早くも五〇店舗以上という構想は現実に達成されたのである。この年の末には、七一番目の店舗が開店し、売上高は三六〇万ドルに達した。

ペニー一九年でメーシーと並ぶ

しかし、J・C・ペニーの発達過程におけるもっとも画期的な年は、一九二一年に訪れた。一九二一年、店舗数三一三のときに、その売上高が四六〇〇万ドルに達したのである。この年とこの売上高が画期的な意味をもつというのは、同じく衣料品を中心とするありとあらゆる総合商品を扱う当時アメリカ最大の百貨店ニューヨークのメーシー（R. H. Macy & Co., Inc.）の売上高が、まさにこの同じ年に同じ売上高を実現していたからである。

この事実から、われわれが学びとることができることは、ペニーはその売上高を達成するのに一九〇二年の創業以来わずか一九年しか必要としなかったのに対比して、メーシーの創業は一八五八年のことであるから、巨大な規模をほこる全米最大の百貨店といえども、単独の店舗でやってきたメーシーは、創業以来じつに六三年の歳月と努力を重ねた末でなければ、その同じ水準に到達しなかったということである。

アメリカ近代小売商業史において、小売企業をビッグ・ビジネスにまで成長させた最大の秘密は、チェーン・ストア経営組織である。単独の店舗では、たとえ、どのように大規模化しても、そこにはおのずから限界がある。この事実を、大中小さまざまな都市のメイン・ストリートに三一三店舗のチェーン・ストア経営組織を築きあげたペニーと、ニューヨークの繁華街の中心に巨大な単独店舗経営組織の歴史と伝統を守りつづけたメーシー、このふたつの企業の対比ほど、教訓的に物語っているものはないであろう。

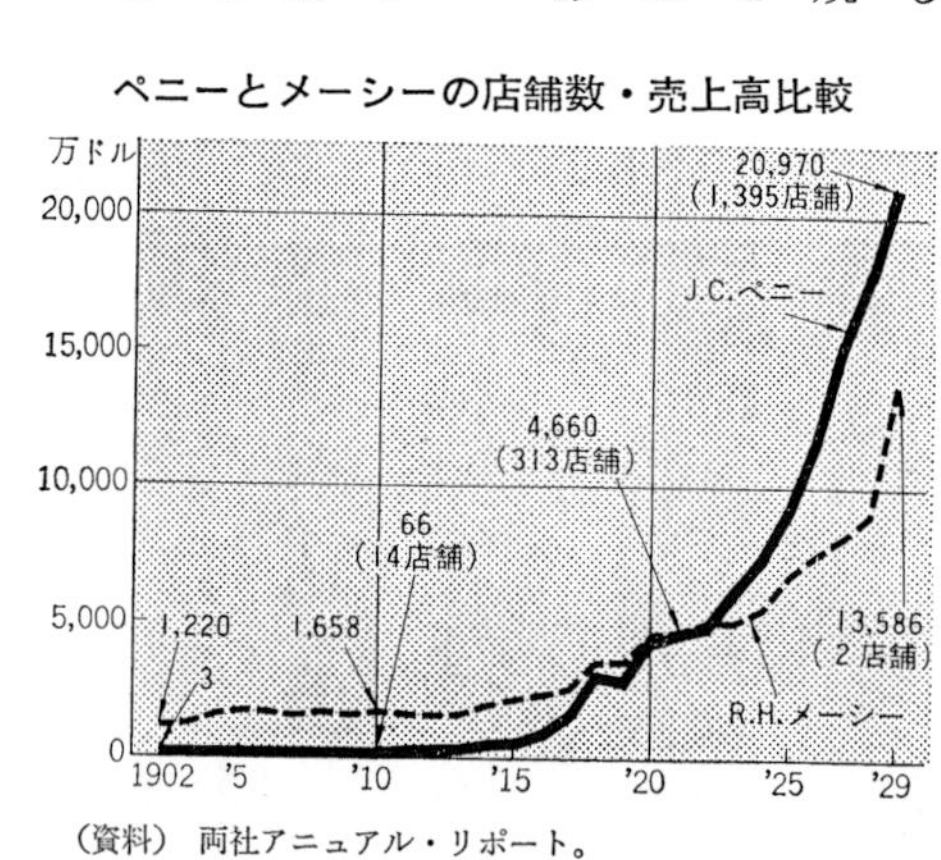

ペニーとメーシーの店舗数・売上高比較

（資料）両社アニュアル・リポート。

チェーン・ストア経営の優位性

その後の歴史は、いっそう教訓的である。一九二九年にメーシーは九八六〇万ドルを売り上げるという満足すべき好成績をおさめたが、その年のペニーの売上高は、一三九五店舗によって二億ドルを越えていた。二倍の売上高である。単独店舗ではどのように努力しても、そこにはおのずから限界がある。このことを十分に悟らせられたメーシーは、その年、バンバーガー店を吸収して、その売上高を一億三五〇〇万ドルに引きあげたのである。メーシーが、今日でも世界の百貨店のひとつとして威信をもちつづけているのも、それ以降、このようなかたちで他店の吸収や、支店の新設、さらに戦後になって目的意識的に多店舗展開をはかり、組織改造をおこなって、六〇店舗以上の百貨店チェーン網をもつようになったからである。それはともかく、一九二九年のこの両社の対比ほど、単独店舗経営にたいするチェーン・ストア経営の優位性を如実に示しているものはないといえよう。

さて、J・C・ペニーが一九〇二年に二万九〇〇〇ドルの売上にしかすぎない単独店舗からスタートして、急速な成長をとげ、メーシーをはるかに引き離す大規模小売企業を実現したことは、それ自体、まことに驚嘆すべきことであるが、これはもちろん魔術や秘伝、特許や独占がもたらしたものではない。また一九〇二年という年に、何か空前絶後のラッキー・チャンスが訪れたからでもない。チェーン・ストア経営組織を築きあげるという構想が、とくにペニーの独創でなかったことも、すでに明らかな通りである。それどころか、ペニーの創業のころには、すでにA&Pは四〇年以上、F・W・ウールワースは一二年以上も、その事業をすすめていた。

◇百貨店業界とチェーン化
百貨店業界が本格的にチェーン化を展開しだすのは、一九三〇年代にはいってからである。現在のフェデレイテッド百貨店（Federated Department Stores, Inc.）やアライド百貨店（Allied Stores, Corp.）などがそれである。

そして、より重要なことは、何十何百という単独店舗の独立自営商たちがA&P、F・W・ウールワース、J・C・ペニーの歩いた道につづき、小売商業の多くの分野で、同じようにチェーン・ストアを発展させ、大規模小売企業を築きあげる道を歩いていっていたということである。

小売商業成長のカギ

われわれは、こうした成功物語を何十何百と語ることができる。そのなかには、人間的にも興味の深い物語がちりばめられているのであるが、こうした物語のすべては、どれも基本的には同じ類型に属し、ただ多少細部がちがうだけである。したがってわれわれは、これ以上細部に立ち入ることをさけなければならないが、現在のアメリカを代表する大規模小売企業の多くは、多かれ少なかれ、すべてこのような発展過程をへて成長してきているのである。

ペニーはどうして成長したか。それはチェーン・ストアによってである。A&Pはどうして成長したか。それはチェーン・ストアによってである。F・W・ウールワースはどうして成長したか。それもチェーン・ストアによってである。アメリカの近代小売商業の歴史を語ることは、チェーン・ストアの歴史を語ることにほかならないのである。

こうして、一八五九年A&P創業のとき以来、世紀の変わり目前後までの間——このころは、すでに述べたように、都市においては単独店舗による百貨店が大いに発達し、その全盛期を迎えた時期であったが——、食料品・雑貨・衣料品・医薬品・靴その他さまざまな分野で、チェーン・ストアが出現しはじめ、そしてとくに一九一二年以来、今世紀の一〇年代から二〇年代にかけて、もっとも急速な成長期を迎えたのであった。それだけにチェーン・ストア反対運動も、しだいにはげしさを加えたが、現在の大規模小売企業＝小売商業におけるビッグ・ビジネスの多くは、この時期にその企業的基礎をしっかりとかためていったのである。

シアーズの戦略転換―チェーン・ストア展開

このように、現在の大規模小売企業は、そのほとんどが世紀のはじめのこの時期には創業を開始していた。しかし、一九二一年、第一次世界大戦後に最初におとずれた不況のあとまで、わずか一店舗すら、いとなんでいなかったにもかかわらず、チェーン・ストアの歴史にとって――したがって近代小売商業一〇〇年の歴史にとって――後にもっとも重要な役割を演ずることになる企業がふたつある。

そのふたつとは、いずれもシカゴに本部をもつ企業で、モンゴメリー・ワードとシアーズ・ローバックである。いうまでもなく、両社とも通信販売でスタートし、ワードは一八七二年創業以来すでに五〇年、シアーズは一八八六年創業以来すでに四〇年近くも、ひとつの事業を推進してきて、ようやく一九二〇年代になってはじめて、カタログによる通信販売と同時に小売店舗をも展開するという経営戦略の転換をはかることになったのである。

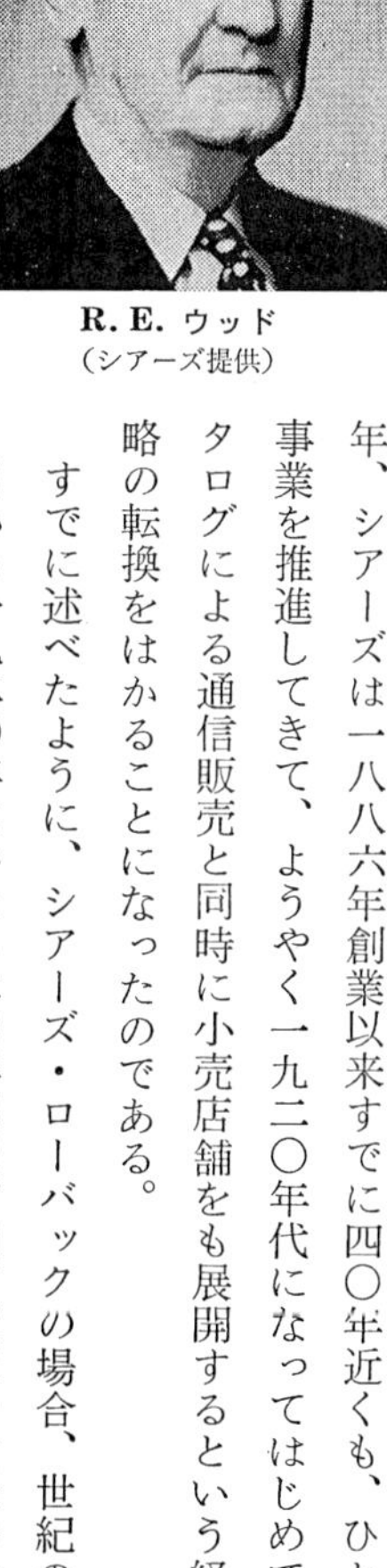
R. E. ウッド
（シアーズ提供）

すでに述べたように、シアーズ・ローバックの場合、世紀の変わり目から一九二〇年にいたる二〇年間は、通信販売の黄金時代であった。しかし、一九二一年に第一次大戦後の最初の不況が襲い、売上高は一挙に三五%も急激に低下したのである。そして、この売上高の激減が、シアーズの通信販売からの脱却、あたらしい店舗販売への進出、より正確にいえばカタログによる通信販売と小売店舗による店頭販売の二正面作戦という戦略展開——つまりカタログ販売と店頭販売の〈二極展開〉(dual system)——のための大きな跳躍台となったのである。

戦略転換のリーダー R・E・ウッド将軍

このあたらしい戦略転換のリーダーとなったのは、ロバート・ウッド (Robert Elkington Wood) であった。

ウッドは、ミズリー州のカンサス市で一八七九年六月に生まれ、一九〇〇年にウェストポイントの陸軍士官学校卒業後、その陸軍士官学校でエンジニアリングの教官をつとめてから、米西戦争に陸軍中尉で従軍した。その後、パナマ開発計画のために現地に派遣され、運河と鉄道の建設工事の補給行政を一〇年間も担当し、一九一五年退役した。しかし第一次大戦にふたたび現役に戻り、将官に昇進し、パナマ時代の上官だった主計総監の片腕となって、軍需物資の購買、補給、輸送の指揮官としての重責を果たし、連合国政府から勲功を賞されている。戦後、しばらくデュポンではたらいていたが、軍人には珍しい商才が買われて、まずシアーズの競争相手であるワードの本社商品部長となった。

一九一九年、かれはまず戦後のアメリカの社会におこっていた大きな変化、とりわけシカゴのリンカーン・ハイウェイの建設と自動車の増加に着目して、農民が自動車でやってくることのできる小売店舗の建設と自動車タイヤの販売によって、差をつけられていたシアーズを追い抜くことを考えた。しかし、ワードの社長と意見があわず、逆に解雇をほのめかされたのが、ウッドをシアーズに走らせることとなった。こうして一九二四年、ローゼンワルドによって引き抜かれ、陸軍時代に建設と兵站行政に敏腕をふるった貴重な経験を生かして、ウッドの才能のすべてが、シアーズ・ローバックのあたらしい発展時代をつくりあげるために投入されることとなったのである。あたらしい経営戦略の決定こそ、ウッドがシアーズにもたらした最大の寄与であった。

二極展開の成果

ウッドは、一九二〇年代のアメリカの大衆消費市場におこった大きな変化――とりわけ都市への人口の集中とモータリゼーションの進展という客観状況の変化――に対応するために、それまでの通信販売に加えて、都市に小売店舗を開設するというあたらしい経営戦略をはっきりとうちたてた。大衆消費市場の発達に密着しつつ、通信販売と店頭販売の〈二極展開〉をはかるという経営戦略をたてたウッドは、一九二五年三月に最初の店舗を開いてから一九二九年までの間に、三二四の小売店舗をつぎつぎに開設していった。そして、その間の一九二八年一月に、かれはシアーズの社長に就任している。

一九〇二年に創業したJ・C・ペニーは、この当時つまり一九二五年には六七六店舗を擁して、九一〇〇万ドルの売上高を達成する実績を築きあげ、都市化の進行とモータリゼーションの進展に対応して、着々とシアーズの主要な市場であった農村を浸蝕していっていたわけであるから、シアーズはみずからを防衛するためにも、小売店舗の開設という戦略をとらざるをえなかったのであり、それを指揮したのがウッドであった。

こうして急速に小売店舗の開設を展開していく過程であげられたもっとも顕著な成果は、一九三〇年までに、三五一店舗のチェーン・ストア網を築きあげ、店舗販売による売上高が、通信販売による売上高をついに追い抜いてしまったことである。つまり、通信販売が五〇年近くもかかって実現した売上高を、店舗販売はわずか五年で実現してしまったのである。この時のシアーズの総売上高は三億五五〇〇万ドルで、このうち小売店舗による売上高は一億九五〇〇万ドルであった。したがって、一九三〇年代以降のシアーズは、もはや、たんなる通信販売業者というよりも、多数の小売店舗を展開したチェーン・ストア経営組織を中心とする大規模小売企業となったといわなければならない。

ひとつの企業の戦略にかかわる意思決定が、正しい時期に、論理的かつ実際的に正しくおこなわれるならば、その企業の成長と発展を確実に保証することができる。ウッドがシアーズのためにおこなった経営戦略の決定は、まさに、その教訓の見本ということができよう。

D　チェーン・ストア時代

チェーン・ストアとはなにか

こうして、アメリカのチェーン・ストアは、第一次世界大戦のはじまった一九一四年には、小売商業界のすべての分野においても、わずか二〇三〇の小売企業が二万三八九三の店舗で、一〇億ドル弱の売上高をあげるにすぎなかったのだが、それ

◇シアーズとワード

時代と市場の変化にたいして、積極的に適応する戦略を展開したシアーズの成功は、競争相手のモンゴメリー・ワードとくらべてみると、いっそう明瞭になる。

▼ワードの創業はシアーズより一四年も早く、その後もながく互角の勝負を競う好敵手であった。通信販売から店舗販売への移行にはむしろ一歩先んじてさえいたのである。しかし、一九七〇年、シアーズは売上高九二億六二一六万ドルで純益四億六四二〇万ドルをあげ、アメリカ最大、世界最大の地歩を占めているのにたいし、ワードは売上高二八億〇四八五万ドル、純益五九六三万ドルで全米第六位にとどまっている——というより一九六八年以降アメリカ小売商業界からワードの名は消え、マーコー（Marcor Inc.）と変わっている。この年、ワードは板紙メーカーのコンテナー・コーポレーション・オブ・アメリカ（Container Corporation of America）と合同合併し、あらたにマーコーと社名を変更し長い歴史と伝統をもつワードの名は、企業としては姿を消してしまったのである。

▼このワードの低迷と敗残の原因については、衆目のみるところ、最高責任者アベリー（Sewell F. Avery）が、時代と市場の変化に積極的に対応する政策をとらず、消極的な政策に固執したためであるということに一致している。とくに第二次大戦後、そうした傾向が強かったのである。アベリーは、歴史に汚名を残したが、ウッドは偉大な栄光の名を残した。

▼低迷と敗残のワードと発展と栄光のシアーズ、経営戦略の当否がこれほど大きなコントラストを示した例もまれである。これに匹敵する例は、一九二〇年代のフォードがながくT型モデルに固執しすぎたために、GMに漁夫の利をえさせた失敗をあげることができよう。

から一五年後の一九二九年には、七〇四六の小売企業が一五万九六三八の店舗で、一〇七億四〇〇〇万ドルの売上高を実現するまでに、めざましい急速な成長をとげたのであった。

いうまでもなく、チェーン・ストアは、同一様式の多数店舗を、ひとつの資本の所有と計画のもとに組織し、管理することによって成立する近代小売商業の経営形態であり、それは、生産力がいっそう急ピッチで発達し、商品が旧態依然たる方法ではさばきかねるほど豊富である場合に、地方地方の大中小さまざまな都市に住む消費者の需要を、中央の本部と結んだ多数の分散した小売店舗のネットワークを通じることによって、つかもうとする市場拡大の方法にほかならない。したがってそれは、百貨店が〈ひとつ屋根のもとに〉ワン・ストップ・ショッピングの便宜をはかるという条件を大規模に整え、コンパリゾン・ショッピングのたのしみとあいまって、販売面での優位を基礎として発展したのに対比して、むしろ、大量集中仕入の優位を基礎として、それによって分散された多数の単位店舗の小規模性を克服し、中央における集中仕入の利点と分散した多数の店舗における販売の利点を同時に実現することによって、生産力のいっそう急ピッチな発達に対応する市場ないし販路拡大のもっとも有効な、もっとも基本的な方法として大いに発達していったのである。こうして、一九二〇年代のアメリカで、チェーン・ストア時代とよばれる一時期がつくりだされることになったのであった。

一九二九年の小売商業界

このようにわれわれは、一九一〇年代から二〇年代にかけての時代にチェーン・ストアが本格的に生成し発達していく姿を、ごく大づかみにではあるがみてきた。そして、一九二〇年代末、一九二九年という時点に立って、アメリカの全小売商業界においてチェーン・ストアが占める地位をみてみると、当時、一四七万六三六五店の全小売店舗のなかで、チェーン・ストアは一五万九六三八店、つまり全小売店舗数の一〇・八%で、全小売販売総額四八三億ドルのうち一〇七億ドル、つまり全小売販売総額の二二・二%のシェアを占めるというところまでに、急速な発展をとげているのである。

百貨店は、この時点で、店舗数は四二二一、売上高は四三億ドルをあげ、全小売販売総額の九%のシェアを占めている。したがって、チェーン・ストアのシェアは、百貨店のシェアをはるかに引きはなしてしまっているのである。なるほど、食料品チェーン・ストアの売上高が三五億ドル、衣料品チェーン・ストアの売上高が一一億ドル、バラエティ・チェーン・ストアの売上高が八億ドルにとどまっているのであるから、業種別には、百貨店は依然として小売商業界の王座に君臨していたことになる。しかし、単独店舗経営を中心とする小売企業としての百貨店は、このときすでにその王座を、あた

百貨店とチェーン・ストアのシェア比較（1929年）

	店舗数	(%)	売上高（百万ドル）	(%)
百貨店	4,221	(0.3)	4,350	(9.0)
チェーン・ストア	159,638	(10.8)	10,740	(22.2)
（内訳）食料品チェーン	61,416	(4.2)	3,514	(7.3)
（内訳）衣料品チェーン	17,218	(1.2)	1,197	(2.5)
（内訳）バラエティ・チェーン	5,447	(0.4)	810	(1.7)
（内訳）その他のチェーン	75,557	(5.0)	5,219	(10.7)
その他の小売業	1,312,506	(88.9)	33,239	(68.8)
小売業合計	1,476,365	(100.0)	48,329	(100.0)

（資料） *1929 Census of Business, Retail Trade.*

◇一九二〇年代の時代背景

一九一八年秋の第一次世界大戦の休戦のあと、アメリカは年を追って、伝統的なピューリタニズムの束縛から脱却し、これに反抗しようとする勢いが増していった。

▼まず反抗の先端を切ったのは娘たちであった。母親たちは、コルセットこそ女性の品位を保つための武器と考え、ロングスカートでくるぶしまで覆ったが、娘たちは開放的なあたらしいスタイルを選んだ。その結果、二〇年代半ばになると、アメリカ女性全体のスタイルは、まったく一変してしまった。一九一九年までは、長いドレスに下着類を幾重にも着込み、髪は長くのばし、帽子をかぶり、靴下は黒の木綿であったのが、一九二〇年代後半には、若い女性たちは衣服に必要な布地の長さを半分にちぢめてしまったのである。そして、次第に絹やレーヨンの下着を着るようになり、髪は短く切り、流行しはじめたばかりの美容院に通うようになった。そして、一九二〇年代の初めから、女性たちはすべて肌色のストッキングでなければならなくなった。これこそ最近まで四〇年以上つづいたもっとも持続性の強いファッションであった。

▼一九二〇年代の映画の代表的人気女優は、はじめは清純派のメアリー・ピックフォードであり、ついで性的魅力で有名なクララ・ボウに移った。そして、男女同権が唱えられ、婦人に参政権があたえられた。チャールストンが流行し、カクテル・パーティがおこなわれるようになった。ラジオが一九二〇年にピッツバーグで最初の公開放送をやったのち、爆発的に普及していった。ラジオの売上高はうなぎのぼりに上昇し、マスコミの花＝放送産業は莫大な広告収入をあげた。セールスマンこそ、アメリカの明るい希望とみられるようになったのも、この時代からであった。こうしてアメリカの工業と商業の輝かしい勝利の行進がはじまったのである。

▼一九二〇年代にチェーン・ストア時代がやってきたのは、こうした時代を背景としてであった。い

うまでもなく、この一九二〇年代におけるチェーン・ストアの急ピッチな発達の直接の背景には、都市化の進展とモータリゼーションの進行がある。

▼モータリゼーションの進行をいくつかの指標でみると、一九〇〇年の全米自動車登録台数はわずか八〇〇〇台であったが一九一〇年には四五万八〇〇〇台となった。その間の一九〇八年には、フォードT型の生産が開始され、またフォード最大のライバルであるGMが誕生し、この年は自動車産業史にとってきわめて重要な飛躍と発展を画する年となった。そして一九二〇年には登録台数は八一三万一〇〇〇台となり、アメリカにおけるモータリゼーションはいちじるしく進展していった。

乗用車登録台数の推移(1910～1929年)

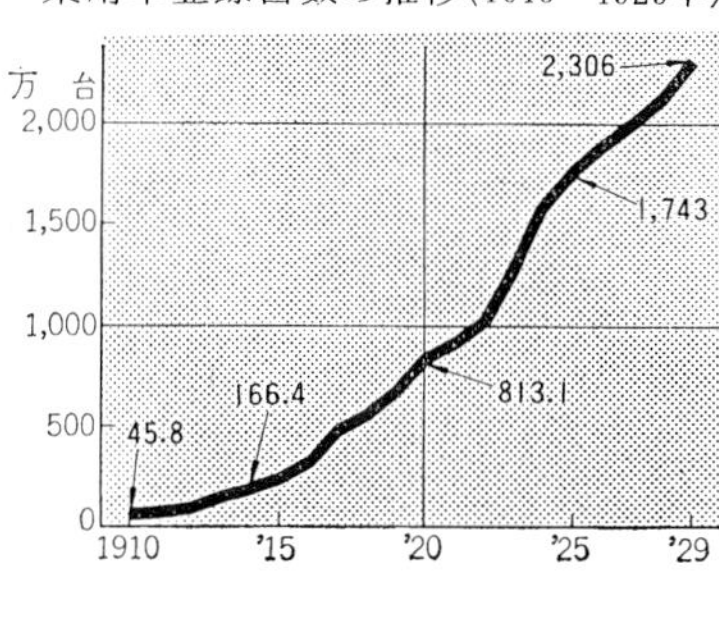

▼そして、最後に投機ブームがはじまったのである。じっさいに株式市場の活況がはじまったのは、一九二七年であり、一九二八年にいたって株価は天井知らずの高騰をつづけ、ついで何度か上下したあとで、一九二九年九月、壮大な世紀の頂点へ達したのであった。F・L・アレンは、こういっている。「一九二八年、二九年を通じて大ていの場合、株を買うことは、どの馬も奇妙なことに必ず勝ってしまう競馬の馬券を買うのに似ていた。株価はうなぎのぼりの高騰をつづけるばかりであった。」

▼二〇年代の最大のニュースは、一九二七年春、リンドバーグがニューヨーク＝パリ間の大西洋無着陸飛行に成功したことであった。これにくらべれば、議会で何が決まろうと、国際条約がどう締結されようと、それはものの数でなかった。むしろ、デンプシーの拳闘、ベーブ・ルースの本塁打の方にひとびとは熱狂していたのである。そして、アメリカは世にも不思議な禁酒国家であった。

一九二〇年代、それは技術革新と消費革命の時代、体制と秩序の〈小春日和〉の時代であったのである。

らしいチェーン・ストア経営組織を中心とする大規模小売企業に譲りわたしてしまっていたのである。

すなわち、すでに述べたように一九二九年という年は、食料品チェーン・ストアのA&Pが世界最初の年商一〇億ドルを実現した記念すべき年であったが、当時アメリカ最大の百貨店メーシーは一億三五〇〇万ドルにとどまり、シアーズ、ウールワース、クローガー、ワード、セーフウェイ、ペニー、クレスギ、アクメ・マーケットなどにつぎつぎに追い抜かれ、すでにアメリカ小売企業ベスト・テンの座をからくも維持する位置に立ってしまっていたのである。一九二〇年代、それは近代小売商業史において、チェーン・ストアが百貨店をその王座から追い、みずからの王座を確立した時代であった。

チェーン・ストアは、百貨店が買回品を中心として、あらゆる部門にわたってフル・ラインの商品構成を整えようとするのとはちがって、最寄品を中心として、食料品なら食料品、雑貨なら雑貨というように、ひとつの商品ラインの分野で、それぞれ大いに発達していった。そして、それはいくつかの飛躍と発展の時期を画しながら、一九一〇年代から二〇年代にかけて、都市化の進展とモータリゼーションの進行という状況を背景として、急速に発達していったのであった。そして、こうした過程のなかで、

アメリカ小売企業上位10社 (1929年)

	企業名	店舗数	売上高（百万ドル）
1	A&P	15,418	1,054
2	シアーズ・ローバック	324	415
3	F. W. ウールワース	1,825	303
4	クローガー	5,575	286
5	モンゴメリー・ワード	532	267
6	セーフウェイ	2,340	213
7	J. C. ペニー	1,395	209
8	S. S. クレスギ	597	156
9	アクメ・マーケット	2,644	143
10	メーシー	2	135

（資料） 各社アニュアル・リポート。

小売商業のあるものは大規模小売企業にまで成長し、あるものは共同化することによって自己を防衛し、あるものは吸収合併され、あるものは完全に滅び去っていったのである。

2 チェーン・ストアと革新
——流通産業の基礎的条件の成立——

さて、このように発達してきたチェーン・ストアは、近代小売商業の営業活動と経営管理に、一体いかなる革新をもたらしたのであろうか。チェーン・ストアが近代小売商業にもたらした革新とは、一体なにか。

A 経営管理の革新

百貨店経営の特質—商品別分業　チェーン・ストアは、なによりもまず、近代小売商業に革新的な経営管理の方法をもたらした。それはいうまでもなく、チェーン・ストア経営組織の創造である。チェーン・ストア経営組織の特質は、単独店舗経営組織と対比することによって明らかになるはずであるので、もっとも典型的な単独店舗経営組織をとる百貨店と対比しながら、チェーン・ストア経営組織の特質を考えてみよう。

単独店舗経営組織をとる百貨店の店舗が大規模になり、取扱商品がふえ、商品構成の幅がひろがっていくにつれ、そこに自然発生的に展開される「分業」の原理は、たとえば、Aがソフト・グッズ（soft goods）を扱えば、Bはハード・グッズ（hard goods）を扱う、同じソフト・グッズならば、Aが婦人ものを扱えば、Bは紳士ものを扱うという商品別の分業である。百貨店の部門別管理は、まさにこのような商品別の分業に基礎をおいた経営管理の方法にほかならない。

百貨店は、その発展の当初から、〈ひとつ屋根のもとに〉あつめられた多くの店舗のいわば集合体であった。したがって、それぞれの商品部門ごとに、部門別に営業活動の責任を負う経営組織が築きあげられるようになったのは、きわめて自然なことであった。ちょうど、複数の製品ラインをもつメーカーのプロダクト・マネジャーが、それぞれの製品別に製造と販売のふたつの職能の責任を負うのと同じように、百貨店の場合には、それぞれのデパートメント・マネジャーが商品部門別に仕入と販売のふたつの職能の責任を負うこととなっていったのである。こうして部門別管理を武器とする近代的百貨店の典型的な経営組織は、商品部門別に、それぞれ仕入と販売の責任を負う営業のラインを中軸にして、広告および販売促進、それにヒト・モノ・カネを管理する人事、総務、経理のスタッフが組織され、これらのライン—スタッフ五部門から構成される経営組織におのずから標準化されていったのである。

マザーの組織原理

百貨店の経営組織が標準化されていった結果、ひとつの理論として後に結晶したのが、マザー（Paul Mazur）の古典的な著書『近代小売商業の組織原理』（一九二七年）であった。

この組織原理によれば、商品部門別のデパートメント・マネジャーは、売上と利益に関する責任のすべてを負うとともに、営業活動に関する権限のすべてを掌握することになり、それは単独店舗経営組織に適用されるほとんど絶対的な組織原理として、小売商業界をながく支配することとなったのである。

このように支配的な組織原理となったにもかかわらず、デパートメント・マネジャー制にたいする批判が、ながくあとをたたなかったことも事実である。その主要な批判点は、この制度では、おのずから、販売よりも仕入に営業活動の重点が傾斜し、有能な仕入担当者が、かならずしも有能な販売管理者とはかぎらないため、販売の重要度がとかく軽視されやすくなるというものであった。

それにもかかわらず、この組織原理が圧倒的な支配をつづけたのは、なによりも仕入と販売を担当する営業のラインのマネジャーの気質にぴったりと適合し、単独店舗経営組織のなかで日常のビジネスが執行されていくかぎりにおいては、多少の難点はともかく、日常の営業活動はもっともスムーズに機能するからであった。事実、百貨店が単独店舗経営組織を基礎とした小売企業にとどまるかぎり、組織原理上も、また組織運営上も、この組織原理はきわめて有効たりえたのである。

チェーン・ストア経営の特質―機能別分業

チェーン・ストア経営組織は、この単独店舗経営組織における商品別の分業とはまったく異なる機能別の分業を基礎としなければならなかった。つまり、チェーン・ストア経営組織は、商業活動の中軸である営業のラインの活動そのものにメスをいれ、仕入と販売のふたつの機能を、ふたつながらに担当する営業活動というかたちを根本的に改め、仕入機能と販売機能を基本的に分離することによって、営業活動そのものをまったくあたらしい組織原理で構成するのである。それは自然発生的な商品別の分業から、目的意識的な機能別の分業への一八〇度の旋回を意味する。

従来のAはソフト・グッズ、Bはハード・グッズという商品別の分業から、Aは仕入、Bは販売という機能別の分業へ転換をはかることである。つまり、チェーン・ストア経営組織は、すぐれて営業活動そのものにおいて、中央における集中仕入の利点と、分散された多数の店舗における販売の利点とを同時に実現する体制を経営組織として築きあげることによって成立するわけであるから、まずなによりも商品別の分業とは、まったく一八〇度異なる機能別の分業を基礎にして、経営組織をあたらしく構成しなければならないのである。

アメリカでは、単独店舗経営組織のもとで、営業活動をおこなうデパートメント・マネジャーを、ふつう、バイヤー (buyer) といっている。このバイヤーの職務を、チェーン・ストア経営組織のもとでは、仕入機能と販売機能のふたつに分離するのである。このような分離をおこなった場合、それぞれの機能は、基本的に

仕入機能

1 仕入計画 (planning : what and how much to buy)
2 仕入活動 (buying)
3 価格設定 (pricing)
4 商品供給 (distributing merchandise to the stores)
5 販売促進 (advertising and sales promotion)

販売機能

1 陳列展示 (presenting the merchandise)
2 店員管理 (supervising the salespeople and selling services)
3 在庫管理 (stock control on the selling floor)
4 販売活動 (selling)

前頁の表のようになる。

このように、チェーン・ストア経営組織は仕入機能と販売機能を分離して、それぞれに責任と権限をわりあてるのであるから、それは理論的にも、実際的にも、正しくおこなわれなければ、営業活動は、かえって混乱と停滞をまねく危険にさらされるのであり、一方では責任のなすりあい、他方では権限の奪いあいという事態もおこりかねないのである。

そこで、チェーン・ストア経営組織は、仕入機能と販売機能を分離して、その上で、それぞれが同一の目標と成果――すなわち売上と利益――にたいして、共同の責任を負うという関係を樹立しなければならない。つまり、仕入と販売を分離して、いかに統一をはかるかという課題を正しく解決しなければならない。この仕入と販売の分離と統一を、理論的にも、実際的にも、正しく解決する経営管理組織を築きあげることに成功しなければならないのである。

したがって、百貨店の単独店舗経営組織におけるバイヤーは、チェーン・ストア経営組織のもとでは、中央における集中仕入を担当する仕入責任者と、店舗における販売を担当する販売責任者とにわかれて、それぞれ分業と協業をおこなうことになる。

仕入と販売の共同責任体制　中央において集中仕入にあたる仕入責任者は、チェーン・ストア全店舗にわたる当該商品の売上と利益に責任をもち、店舗において直接の販売にあたる販売責任者は、当該の店舗の当該の商品＝売場の売上と利益に責任をもつことになる。

換言すれば、このふたつのラインは、売上と利益にたいし、仕入責任者が全店舗の一商品部門（**one** department for **all** stores）の責任を負い、販売責任者が一店舗の一売場部門（**one** department for **one** store）の責任を負うという関係で、それぞれタテ・ヨコ（warp and woof）の責任をわかちあう共同責任者（co-partner）の位置に立つことになる。こうして、仕入責任者と販売責任者は、文字通り、同一の目標である売上にたいして共同の責任を負うのである。また、仕入責任者がたえず仕入コストの引下げをはかる責任を負うのと同じように、販売責任者もたえず販売コストの引下げをはかる責任をもち、そのことによって両者は同じく営業活動の最終成果＝利益にたいしても共同の責任を負うのである。

チェーン・ストア経営組織は、営業活動において、中央における集中仕入の利点と、分散された多数の店舗における販売の利点を同時に実現するために、仕入と販売の機能別の分離をはかり、しかも密接な連繋を絶対に必要とする仕入と販売の両機能を統一するあたらしい責任権限の体系を築きあげることによって、はじめて成立する。そして、小売商業においては、ひとつの商品ラインの分野といえども、けっして一種類の商品だけを扱うのではなく、本来品揃えの幅をある程度広く整えなければならないのであるから、この仕入と販売の機能別の分離と統一という原理の上に、商品別の分業を正しく組み込み、それぞれ商品別にタテ・ヨコの関係を正しく調整した経営組織を築きあげなければならないのである。すなわち、チェーン・ストア経営組織は、目的意識的に、あたらしく機能別の分業の上に、商品部門ごとの部門別管理を組み込んだ経営組織を構築しなければならないのである。

単独店舗経営では、たとえどのように大規模化をはかろうとしても、そこにはおのずから限界がある。むしろ、ひとつひとつの店舗は、たとえ小規模でも、それを多数、分散的に配置して、強力な中央の統一的な計画と統制のもとに、ひとつのチェーン・ストア経営組織にまで組織化し、複数の店舗を統一的に管理することに成功するならば、単独店舗経営では期待できないほどの売上と利益を実現することができる。

チェーン組織の原理と実際

つまり、チェーン・ストア経営の基本的な目的は、小売商業における営業活動の効率を高めるために、目的意識的に、中央集中による仕入の利益と、分散された多数の店舗による販売の利益（店舗および販売の単純化・標準化・専門化）を同時に実現する経営組織を築きあげ、「規模の利益」を獲得しようということである。そこで、目的意識的に、中央集中による仕入の利益を獲得しうる集権的な仕入組織と、多数店舗による販売の利益を獲得しうる分権的な販売組織をつくりあげ、この仕入部門と販売部門の機能別の分業と協業によって、全体の売上と利益を高めていくという共同責任の体制を築きあげるよう、経営を組織化しなければならないのである。また、このような集中仕入によって仕入コストを低下させると同時に、店舗においては販売コストを低下させて営業活動の効率化をはかることによって、低コスト経営を可能とすることができるのである。

なるほど、チェーン・ストア経営の優越性、すなわち多数の店舗を分散的に配置して、強力な中央の計画と統制のもとに、大量仕入や共同宣伝などの有利さを発揮して規模の利益を実現することは、理論的には、だれにでも容易に理解できる原理である。しかし、チェーン・ストア経営は、たんに原理や理論を学べば、それで可能となるという性質のものではなく、そのためには、単独店舗経営の場合とはまったく次元を異にする経営管理のすべて、わけても組織運営の理論と実際を、自家薬籠中のものに消化し、血肉化することに成功しなければ、その運営はおぼつかないのである。したがって、チェーン・ストアは、近代小売商業の発達過程において、たんなる技術革新というより、はるかに、言葉のもっとも正しい意味で経営革新であったのである。

小売商業固有の小規模分散性を克服するチェーン経営

総じて、小売商業を成功させ、ビッグ・ビジネスにまで成長させる最後の答は、いうまでもなく、営業活動と経営管理の正しい結合を実現することにあるが、チェーン・ストア経営組織を軸とする近代小売商業は、この課題をなによりも営業活動における仕入と販売の分離と統一という機能別分業の上に、商品部門ごとの部門別管理を正しく組み込んだ経営組織を築きあげることによって、基本的な解決をはかった。そして、近代小売商業は、チェーン・ストア経営組織を中心として、はじめて、小規模で分散的な小売商業を、大規模小売企業にまで成長するカギを見出したのであった。

小売商業は、本来、小規模で分散的であることを特質とし、事実、またその通りであった。この小売商業に固有の小規模分散性という特質を、チェーン・ストア経営組織を中心とする大規模小売企業は克服して、近代小売商業のなかに、産業資本と同じ資本の運動法則の貫徹する大規模な小売企業を築きあげるという経営的な基礎の成立を可能ならしめたのであった。換言すれば、チェーン・ストア経営組織は、近代小売商業の発達過程において、小売商業に固有の小規模分散性という特質を克服して、近代小売商業における資本の運動としての経営規模の拡大＝資本の拡大の要請にこたえて、集中的大規模化を実現するもっとも基本的な方法を創造したのである。そして、小売商業は仕入と販売の分離と統一を基礎とするチェーン・ストア経営組織を築きあげることによって、はじめて、近代小売商業として資本の拡大の運動法則を体現し、それによって大規模な近代的小売産業としての成長の軌道に乗ることになったのである。

◇小売企業の大型化

▼わが国におけるいわゆる〈流通革命論〉は、わが国小売商業の構造的特質は膨大な数にのぼる零細な小売店舗の存在にあると考えた。このことは間違いではない。そこで〈流通革命論〉は、流通機構の近代化・合理化は、なによりも、「小売店舗の大型化」によって推進されると考えたのである。そして、この小売店舗の大型化（＝スーパー化）こそが流通機構の近代化のカギであるというものの考え方は、流通問題をめぐる社会的通念のひとつとして、すでに根強く定着してしまっているのである。

▼しかし、真の流通革命は、小売店舗の大型化というよりは、はるかに小売企業の大型化、すなわちチェーン・ストア経営組織によって、大規模小売企業を実現することによってのみ可能となるのである。店舗の大型化そのものは望ましいことにはちがいなかろうが、それも小売企業の大型化、すなわち経営規模の拡大、大資本化や共同化によってのみ、真に可能となるのであって、これにくらべれば、小売店舗の大型化そのものは、むしろ、その副次的な効果にしかすぎないのである。

B　営業活動の革新

小売商業による生産段階への介入　チェーン・ストア経営組織を武器とする近代小売商業は、さらにすすんで、まったくあたらしい革新的な商品調達（＝仕入）の方法をもたらした。それは小売商業を中心とするひとつの生産＝流通のシステムの創造である。

チェーン・ストア経営組織を武器とする近代小売商業は、みずからの大量販売力にうらづけられた集中仕入の優位を計画仕入にまで高めることによって、その計画力をバックに、みずからの責任において製品計画をたて、生産段階に介入して、メーカーに計画生産をおこなわせるところにまで、つきすすむことができるようになる。つまり、チェーン・ストア経営組織を中心として成立する大規模小売企業は、大規模メーカーが製品計画をたてメーカー・ブランドで生産し販売している既存の商品にたいして、独自のプライベート・ブランドの製品計画をたて、みずからの大量販売力にうらづけられた大量集中仕入力をバックに、逆に、中小メーカーを組織し、これに生産計画をあたえることによって、ひとつの生産＝流通のシステムを築きあげ、まったくあたらしい商品調達（＝仕入）の方法を実現するところまですすむことができるようになるのである。

この段階では、大規模小売企業が、みずから商品のデザイン、品質、価格を決定し、大量販売にあわせた大量仕入が、さらにすすんで完全な計画仕入になる。それによって、逆に、中小メーカーの生産段階もまた計画化され、そこに大きな生産性の向上がはかられて、生産コストの引下げが実現されるようになるのである。そして、これこそが小売商業を中心とするもっとも革新的な商品仕入の方法なのである。

小売商業の生産段階への介入は、小売商業みずからが工場を所有して商品生産をおこなうことだけを意味しない。そのような直接的な統合の方法だけでなしに、小売商業が主宰者となって、商品計画をたて、多数の中小メーカーを組織化して、かれらに一定の仕様（specification）にもとづいて生産させ、これを仕入れて販売するという間接的な統合の方法も存在する。

そして、このように生産段階までを統合するシステムをとる小売商業が出現するとすれば、もはや、たんにメーカーの生産する製品を仕入れて再販売するだけの従来からの小売商業では到底太刀打ちできないほどの強味を発揮することができるようになるのである。

低コスト商品の調達方法

流通機構の近代化・合理化をもたらす最大の要因は、なによりも、小売企業がチェーン・ストア経営組織を中心として、巨大な販売力をもつ大規模小売企業にまで成長していることでなければならないが、さらにそれだけにとどまらず、小売商業がいわば商業固有のワクにとどまることなく、生産段階にまで介入し、革新的な商品調達（＝仕入）の方法を創造して、ここにひとつの生産＝流通のシステムを築きあげるところまでに成長していることでなければならない。

換言すれば、チェーン・ストアの最大の優越性は、ただたんにチェーン・ストア経営組織によって、商品販売の面で、巨大な販売力を統合することができるようになるだけでな、、商品仕入の面で、生産段階への統合に向かうことができるところにある。つまり、その販売力がメーカーのミニマム・ロットを越えたとき、大規模小売企業は、その大量販売力を大量仕入力に転化し、集中＝計画仕入の裏づけによって、みずから商品計画を決定し、メーカーの生産計画までも決定して、真に低コストの商品を仕入れるもっとも確実な方法を築きあげることができるようになるのである。こうなってはじめて、小売商業は、ただたんにメーカーの生産した製品を消費者のために選択し、これを仕入れて再販売するだけの機関ではなく、流通機構全体のなかで、もっとも重要なひとつの中心的な機関としての役割を果たし、それによって流通の合理化はもちろん、すすんで国民経済のもっとも基軸である生産そのものの合理化にまで、大きな貢献をすることができるようになるのである。

小売商業固有の消極的受動性を克服するチェーン経営

小売商業は、本来、生産と消費の間に介在して、メーカーの生産した商品を受動的にうけとめ、これを最終消費者に媒介する機能を果たし、それ自体、自生的な展開の論理をもたないことを特質とし、事実、またその通りであった　この小売商業に固有の消極的受動性という特質を、チェーン・ストア経営組織を中心とする大規模小売企業は克服して、むしろ生産段階にまで積極的に働きかけ、革新的な商品調達（＝仕入）の方法を創造することによって、逆に、これをリードし、産業構造のなかでみずから積極的・能動的な役割を果たす重要な存在となり、言葉の正しい意味で産業的な基礎の成立を可能ならしめたのであった。換言すれば、チェーン・ストア経営は、近代小売商業の発達過程において、小売商業に固有の消極的受動性という特質を克服して、小売商業が主宰するあたらしい生産＝流通のシステムを実現するもっとも基本的な方法を創造したのである。そして、小売商業はチェーン・ストア経営組織を築きあげることによって、はじめて、近代小売商業として産業構造のなかで積極的能動性を体現し、それによって大規模な近代的小売産業としての成長の軌道に乗ることになったのである。

◇流通のシステム化

▼わが国におけるいわゆる〈流通革命論〉は、わが国小売商業の構造的特質は複雑で迂路の長い流通経路の存在にあると考えた。このことは間違いではない。そこで〈流通革命論〉は、流通の近代化・合理化は、なによりも、「流通経路の短縮、中間マージンの排除」によってはかられると考えたのである。そして、この流通経路の短縮こそが流通機構の合理化のカギであるというものの考え方は、流通問題をめぐるいまひとつの社会的通念として、すでに根強く定着してしまっているのである。

▼しかし、真の流通革命は、中間マージンの排除というよりは、はるかに小売商業の生産段階への介入、すなわち小売商業が中心となってひとつの生産＝流通システムを築きあげ、生産コストの切下げを実現することによってのみ可能となるのである。流通経路の短縮や中間マージンの排除そのものは望ましいことにはちがいなかろうが、それもチェーン・ストア経営組織を武器とする大規模小売企業によって、ひとつの生産＝流通システムがつくりあげられ、生産段階への垂直的な統合がおこなわれることによってのみ、真に可能となるのであって、これにくらべれば、流通経路の短縮や中間マージンの排除は、むしろ、その副次的効果にしかすぎないのである。

さて、このようにしてチェーン・ストアは、(1)経営管理においては、チェーン・ストア経営組織という近代的な経営管理の方法をうちたてることによって、たえず小規模で分散的なものとされてきた小売商業を、経営規模の拡大＝資本の拡大をはかり、集中的大規模化を実現することができるような経営的な基礎をつくりあげ、(2)営業活動（わけても商品仕入の面）においては、こうして成立した大規模小売企業が中心となって、大量販売—大量仕入—計画仕入—計画生産という合理的な生産＝流通のシステムをうちたてることによって、これまで自己の内部に方向決定の自生的な展開の論理をもたず、たえず消極的で受動的なものとされてきた小売商業を、生産にたいして積極的・能動的な役割を果すことができるような産業的な基礎を築きあげることを可能ならしめたのである。

近代小売商業がこうした経営的で産業的な基礎を築きあげ、そのような意味で小売商業の産業化を可能ならしめるふたつの基礎的条件を整えたとき、われわれはそれをたんなる近代小売商業（modern retailing）と区別して、近代小売産業（modern retail industry）、あるいは、ややソフィスティケートされた言い方がゆるされるならば、流通産業（distribution industry）といってもよいだろうと思うのである。それは、言葉の正しい意味で、近代的で合理的な、経営的で産業的な近代小売商業の成立が、およそ一般的に可能となったことを意味するからである。しかし、流通産業が流通産業として、特定の具体的なかたちをとって確立するには、歴史の発展がいっそう成熟したつぎの段階をまたなければならなかった。そこで、われわれは、歴史のつぎの頁を繰ってみよう。

第5章

スーパーマーケット

▨ 食料品の分野における流通産業の確立

われわれが、さきに、一九二九年という歴史的時点で、チェーン・ストアの決定的な優位性に注目する必要があると指摘したのは、けっして偶然のことではなかった。じつに、一九二九年一〇月二四日にはじまる世界大恐慌こそ、近代小売商業にとっても、大きな転換期であったからである。こうして、アメリカ経済における市場の外延的拡大の時期は終わり、市場の内包的開拓の時期がはじまったのである。

一九二九年の世界大恐慌、ひきつづく慢性的不況期を転換期として登場してきた市場拡大の方法は、まず、価格の劇的な引下げ、つまり劇的低価格政策による販売方法であった。食料品スーパーマーケットの登場である。

こうしてあたらしく登場した食料品スーパーマーケットは、その後、大いに発達し、現代においては、いわゆる〈アメリカ的生活様式〉と〈アメリカ的ビジネス様式〉そのもののなかに、完全に同化され、制度化されてしまっているといってもよい。

そこで、われわれは、まず、食料品スーパーマーケットの登場のあとをたずね、ついでそれがもたらした革新について考え、さらに、食料品スーパーマーケット産業というかたちで具体的に確立した流通産業の市場構造を分析することによって、流通産業の特質を探ってみよう。

1 スーパーマーケットの登場

一九二九年世界大恐慌を背景として

一九二九年秋から一九三〇年代にかけて、アメリカ経済だけでなく世界経済にとって、もっとも暗い時代のひとつがはじまったことは、よく知られている通りである。

これを転換期として黄金の一九二〇年代が終わり、世界大恐慌から慢性的不況にながく悩みつづけるひとつの時代がはじまったのである。チャップリンの映画『モダン・タイムズ』（一九三六年）は諷刺的に、スタインベックの小説『怒りのぶどう』（一九三九年）は現実的に、この惨めな時代の日々をみごとに描いてくれている。

第三二代大統領F・D・ルーズベルトは、一九三三年三月大統領就任演説のなかで、当時、国民の三分の一が衣食住の欠乏に苦しみ、就業者総数三六〇〇万人のうち、一四五〇万人が失業して職を探し回っていると述べている。とくに農家は悲惨をきわめ、農産物は市場を失って、畑でそのまま腐るにまかされ、養豚農家は小豚を殺して大地に埋めなければならなかった。農家がわずかに手に入れるカネも、すべて借金の利子に回され、それにさえ足りなかった。メーカーも、加工業者も、同じ苦境に立っていた。工場は行きづまり、在庫は倉庫にあふれていた。どうにか販売できたとしても、ほとんど原価を割る状態であった。小売商業も、当然、同じことであった。消費者の購買力は底をつき、わずかなカネも節約された。当時、都会でもっとも顧客を集める小売店舗といえば、街角の屋台のリンゴ売りだけであった。卸商も小売商も、大きな在庫にあえいでいた。しかし、これらを売りさばくあたらしい方法やアイディア、ダイナミックなエネルギーは生まれるべくもなかった。むしろ、拡大されたチェーン・ストアにたいし、卸商や小売商から猛烈な反対運動がまきおこされ、公正取引法と税法のふたつの面から、チェーン・ストアに激しい攻撃がかけられたのである。

チェーン・ストア反対運動のなかで

ケイブズ (Richard Caves) は、『産業組織論』(一九六四年) において、この間の事情にふれ、つぎのように問題のポイントを整理している。

「チェーン・ストア反対運動は、ひとつはチェーン・ストアを課税によって破滅させようとする運動であった。一九二九年のはじめには、二七の州議会がチェーン・ストアに懲罰的な課税をおこなった。これらは、たしかにチェーン・ストアに死刑の宣告を与えるようなものであった (もっとも、これらの課税の多くはその後廃止され、また憲法違反の判決をうけることになった)。

いまひとつのチェーン・ストア反対運動は、一九三六年のロビンソン・パットマン法に結晶されることになった公正取引法によってチェーン・ストアの発展を阻止しようとする運動であった。この法律は、アメリカ食料品卸売業者団体が立案したものであって、価格差別にかかわる一九一四年のクレイトン法第二条を改正したものである。これは価格差別一般を対象とするものではなく、チェーン・ストアによる大量仕入に有利となるような価格差別を防止しようとするものであり、逆に、チェーン・ストアに不利な差別を強要しようとさえした……。

大量仕入は、生産規模の拡大をあらかじめ計画したり、工場設備をいっそう効果的にたえまなく使用することによって、生産コストの切下げを可能とするだろう。大量仕入をおこなうものに、このようなコスト節減の反映である割引を与えることは、けっして価格差別ではない。価格は、当然、コストに対応しなければならないからである。実際、このような割引を禁止することこそ、逆に、大量仕入をおこなうものに不利な差別となるだろう……。」

こうして独立自営商は、クレイトン法第二条あるいは後のロビンソン・パットマン法と税法のふたつによって、旧態依然たる販売方法を守ることができた。ここで旧態依然たる方法というのは、たとえば、肉とチーズと野菜を買うのに、三つの店に行き、三つの店で待たされ、三つの店でそのたびに財布をあけて代金を支払わなければならないという面倒な販売方法をいうのである。

独立自営商の自衛の武器
ボランタリー・チェーン

しかし、独立自営商のなかでも、情勢を見抜き将来への展望をもった商人は、むしろ、積極的な武器、つまりチェーン・ストア経営組織をみずから採用して、強力な集中仕入機構をつくりあげ、旧態依然たる方法から脱皮しなければならないと考えていった。そして、こうした独立自営商は共同化し、相互に提携し、団結することによって、チェーン・ストアに対抗する力を築きあげようという考えを抱くようになった。団結の方法は、ボランタリー・チェーン(voluntary chain)という方式であった。

ボランタリー・チェーンは、チェーン・ストア経営組織を武器とする大規模小売企業による圧迫に対抗して、独立自営商が自己防衛のために、自己の独立性を維持しながら、相互にチェーンを組織して、本部をつくり、集中仕入や広告宣伝などの共同活動を展開する共同経営形態である。そして、それはその本部機構の性格によって、ふたつに大きくわけられる。

ひとつは、卸商が主宰するボランタリー・チェーンで、その代表的な組織には、一九二〇年創業のレ

マイケル・カレン
(Zimmerman, M. M., *The Super Market*, 1955)

ッド・アンド・ホワイト(Red and White)、一九二六年創業のIGA（Independent Grocers Alliance アメリカ独立食料品店連盟）などがある。いまひとつは、小売商が共同組合をつくってみずから主宰するコーペラティブ・チェーン（co-operative chain）で、たとえば、一九二三年創業のCGC（Certified Grocers of California カリフォルニア独立食料品店連盟）などが有名である。

スーパーマーケットの父、マイケル・カレン

一九三〇年という年は、すでに述べたように、アメリカでは恐慌と失業の年であり、拡大されたチェーン・ストアの勢力に対抗して、独立自営商の反対運動が猛然と火を吹いた年であった。そこで、当時アメリカで第二位（現在第三位）の食料品チェーン・ストアのクローガーの忠実な社員であり、チェーン・ストアのもっとも熱心な推進者であったひとりの男が、食料品チェーン・ストア業界に大きな革新がおこなわれないかぎり、現在の食料品チェーン・ストアは破滅に瀕するであろうと考えた。そして、あたらしい革新的な販売方法の構想を、会社に提唱したのである。その男こそ、スーパーマーケット（super market）の父ともいうべきマイケル・カレン（Michael Joseph Cullen）であった。

これよりさき、マイケル・カレンは会社の許可をえて、一九二九年、イリノイ州ヘリンでハイウェイ沿いの納屋を改造して、実験的な店舗を開いていた。そして、ここで展開されたすぐれた販売方法によって、売上高はみるみるあがっていった。そこで当然のことであるが、この店舗は独立自営商の生存に脅威を与え、かれらの強い反対運動を招くことになったので、会社はカレンにたいし、店舗の閉鎖を命じた。かれは、命に従って店舗を閉じ、会社の命ずるポストに戻ったが、熟慮の末、副社長あてに一通の手紙を書いた。この手紙こそ、ひと呼んで〈スーパーマーケットのバイブル〉といわれるものであるが、この手紙の内容は、これからはじまるスーパーマーケット時代を予言するかのごとく、きわめてビジョンに富み、しかも具体的で革新的な販売方法を提唱したものであった。

スーパーマーケットの聖書
マイケル・カレンの手紙

この手紙の重要な部分は、ジンマーマン（M. M. Zimrerman）の著書『スーパーマーケット』（一九五五年）のなかに抜粋されているが、その要点はつぎの通りである。

「……まず、奇怪なほど巨大な規模の店舗をつくりましょう。地価の安い立地条件を選び、そして十分な駐車場を備えるのです。経営はセミ・セルフ・サービスにします。つまり、二〇％を対面販売、八〇％をセルフ・サービスとするのです。そして、ほとんど卸値という低マージンで、消費者に販売するのです。それでも十分な純益をあげることができます。……

まず、最初の三〇〇品目を原価で、

つぎの二〇〇品目を原価に五％掛けて、

つぎの三〇〇品目を原価に一五％掛けて、

さらに三〇〇品目を原価に二〇%掛けて、販売するのです。……(いま、チェーン・ストアは二五%のマージン、独立自営商は四〇%ものマージンをとっています。)……この時に、経費を徹底的に低くおさえられれば、平均マージンを九%にしても、純益を確実に二・五%確保することができるのです。……

一般大衆がこのような店に、どんな反応を示すか想像できますか。三〇〇品目を原価で、二〇〇品目を原価に五%掛けただけで販売する——考えてもみて下さい——たしかに、それは前人未踏のことであります。しかし、リンドバーグの大西洋無着陸横断も、前人未踏の試みでした。私の申しあげた価格を、もし広告にだせば、一般大衆はドアを蹴破るほどの勢いで殺到してくるにきまっています。おそらく暴動のようなことになるでしょう。……

私の念頭を去らないただひとつのことは、いかにしたらより安く販売することができるか、いかにしたら競争に打ち勝つことができるか、いかにしたら会社にもっと利益をあげさせることができるかという問題だけです。答はきわめて簡単です。——経費を徹底的に切り下げること、これだけが競争に打ち勝つ唯一の答であります。」

キング・カレンの創業

スーパーマーケット経営に関するかれの構想は、きわめて特徴的であった。すなわち、第一に最低のマージンで、最高の回転をあげ、最大の利益を実現する劇的低価格政策、第二にセルフ・サービス、第三にきわめて広義な意味でのショーマンシップに裏づけられた広告宣伝・販売促進政策、この三つを基軸として、肉と野菜とチーズを買うのに三つの店に行かずにすむワン・ストップ・ショッピングの総合食料品店を構築することであった。

しかし、社長のアルバース（William H. Albers）は何の返事もすることはできなかった。なぜなら、このまだ一度も直接会ったこともない一社員からの手紙をみることさえ、できなかったからである。副社長は、多忙な社長に無用な時間を費させまいとして、握りつぶしてしまったのである。そしてかれは、会社の経営方針に何の影響も与えることができないことを知り、職を辞し、独立して、自分の店舗を開設し、その構想をみずから実現にうつしたのである。こうして一九三〇年八月、ニューヨーク・ロングアイランドのジャマイカに、「キング・カレン」（"King Kullen"）という名の食料品店が開店したのであった。広告宣伝の文句は、

「キング・カレンは世界最大の価格粉砕王！

キング・カレンはこれをいかにして実現するか！」

すべてこの調子で消費者にたいするアッピールがはじまった。

キング・カレン（初期の古いガレージを改造した店舗）

（*The Super Market*）

そして、たちまち驚異的な成功をおさめ、一九三二年には、八店舗で六〇〇万ドルの売上高をあげるにいたったのである。

かれは、あらゆる広告宣伝を総動員して、かれの商品がいかに安いか、なぜ安いか、よい商品をなぜ安く提供できるかを、鋭く短い言葉で、たえず訴えかけた。かれの店舗には、豪華なショーウインドーやショーケース、店員の行きとどいたサービスは一切なく、商品は裸で空箱の上に山とつまれて陳列され、消費者の自由な選択にゆだねられていた。こうして、当時だれひとりかえりみるものもなかった空倉庫を化して、文字通りのスーパーなマーケットを実現したのであった。

スーパーマーケットの創始者、マイケル・カレンは、このように革新的な販売方法を強力に推進していったが、一方、カレンの辞職はクローガーにとって高価なものについた。なぜなら、アルバース社長は自分のチェーンの売上高が、従来からの営業活動を因襲的に踏襲していくかぎり、確実に低下していくのに気づかせられていたからである。そして、一九三三年、アルバース社長も、クローガーを辞任し、あらたに自分の事業（Albers Super Markets Inc.）をおこし、カレンの方式で総合食料品店を開店したのである。はじめて〈スーパーマーケット〉という表現がつかわれたのは、じつに、このアルバースの店舗からであった。

〈スーパー〉という表現は、ハリウッドからもちこまれた。当時ハリウッドは超特作を売物に、すべての作品を、スーパーという形容詞を使って売りこんでいたからである。

2　スーパーマーケットと販売革新
——劇的低価格販売と品目別管理——

劇的低価格販売による強力なアッピール

劇的低価格販売の魅力、これが食料品スーパーマーケットの最大のアッピールであった。すなわち、伝統的な営業活動では、商品に部門別に平均したマージンを掛けるのにたいして、食料品スーパーマーケットは顧客を大量動員するのにもっとも適した一部の品目を、原価で、あるいは原価を切って販売し、このロス・リーダー(loss leader)の周囲を、伝統的な商品よりもいっそう安い商品で取り囲んで、大量陳列をおこない、消費者の自由な選択にゆだね、出口のチェック・アウトで一括清算をする。そして、何で出血し、何で儲けるかを、あらかじめ計画し、経費の節減のためにセルフ・サービスを大幅に採用し、なによりも高速度の回転を実現することによって、低マージン、低コスト、高回転、高収益をあげる近代的な劇的低価格販売を確立したのである。

スーパーマーケット経営の基本―品目別管理

スーパーマーケット方式の近代小売商業の経営の秘密は、なによりも、(1)劇的低価格販売、(2)セルフ・サービス、(3)ショーマンシップを最大限に発揮する演出、この三つを基軸として展開される計画経営にある。つまり、総合的な食料品の商品構成のうち、あらかじめ綿密に計画されたある特定の品目について、おどろくべき劇的低価格、超安値の魅力をうちだし、このような商品をロス・リーダーとして、消費者大衆をひきつける。そしてさらにこれをもっとも効果的に演出するショーマンシップ＝広告宣伝および販売促進政策でみがきをかけ、顧客を一種の催眠状態にさそいこみ、それによって高回転の大量販売を実現する。しかも低マージン経営を可能にするための低コスト経営をセルフ・サービスを基軸として展開するというのが、スーパーマーケット方式による近代小売商業の基本原則であるといってもよいだろう。

スーパーマーケット方式による近代小売商業が展開した革新的な経営方法は、それまでは各部門ごとに平均したマーク・アップをかけ、平均したマージンを実現しようとするのに対比して、とくに消費者を動員するために、商品のうちのある特定の品目を、原価で、あるいは原価をきって劇的に販売する。そして、このロス・リーダーの周囲に品目別に異なるマーク・アップをかけた低マージン商品を配置して、高回転をはかり、徹底的に低価格販売と大量販売を実現することによって、結果として高収益を掌中におさめる。つまり、これまでの商業に根強くこびりついていた「平均」というものの考え方から根本的に訣別し、一八〇度の旋回をとげ、品目別管理を基礎として経営をおこなうのである。

キング・カレンの初期の広告

(*The Super Market*)

スーパーマーケット経営の基軸である劇的低価格政策、その核心のなかの核心ともいうべきロス・リーダー政策は、したがってこれまでによくおこなわれてきた値下げないし特売とは、根本的に性格を異にする。これまでの値下げ、特売はそれ自体、いわば必要悪であり、おこなわずにすめば、それに越したことのない消極的な性格のものにすぎなかった。

スーパーマーケット経営は、反対に、これに積極的役割をあたえ、むしろ値下げを顧客動員のための投資と考え、この投資を最大限に効果的に活用しようとする。それはきわめて高度にあらかじめ計算されつくした「計画経営」でなければならないのである。

つまり、食料品スーパーマーケットは、よくいわれるように、たんに大量生産―大量販売という抽象的な図式で大量販売を実現したり、また、百貨店のように、販売総額としての大量販売を達成したりするところに、その経営管理の基本をおくのではない。言葉の正しい意味で、大量販売と一品一品の商品の販売訴求点とを、きわめて具体的に結合し、単品の大量販売を徹底的に追究する。つまり、商品の部門別管理からさらに品目別管理へと徹底し、それを低価格販売と大量販売の軌道に乗せるところに、その経営管理の基本をおくのである。

食料品チェーン・ストアA&Pの戦略転換

食料品スーパーマーケットは、世界大恐慌が生みおとし、一九三〇年代の慢性的不況期が育てあげた正真正銘の「困窮の児」であった。そして、世界大恐慌を契機として、近代小売商業におけるひとつの革新的な販売方法が、恐慌と不況の圧力がもっとも集中的におそいかかっていた食料品業界から生まれてきたのも、けっして故ないことではなかったのである。

◇スーパーマーケットの品目別管理

▼アメリカにおける食料品スーパーマーケットの品目別管理について、われわれが知っておかなければならない最大のポイントは、およそ食料品スーパーマーケットには、はっきりとふたつの性格の異なった商品があり、このふたつを明確に区別して、営業活動が計画化されなければならないということである。

▼すなわち、ひとつは売上、したがって利益の大部分を生み出す商品であり、いまひとつは、およそ食料品についてワン・ストップ・ショッピングの条件をそなえた総合食料品店であるというイメージをつくりだす商品である。

この事実を、たとえば食料品スーパーマーケット・チェーンのイーグル社(Eagle Food Center)のケース・スタディは、その保存食料品の全品目、総数三〇三三品目のすべてにわたって、一品一品の品目別に、売上、利益、販売数量をそれぞれ綿密に追跡して、きわめて客観的に、具体的な数値をもって、われわれに明らかにしてくれている。

▼まず、一品一品の品目別の数値を売上の多い順に分類し、三〇三三品目を、三〇三ないし三〇四品目ごとに一〇等分して、その品目ごとに売上高を累計していくと、表のようになる。

この表は、全品目のわずか三〇%にあたる九一〇品目が、じつに総売上の七二・二%をあげている事実を明らかに示している。

利益についても同じように、この表は、この九一〇品目が、じつに総利益の六八・六%をあげている事実を明らかに示している。

▼食料品スーパーマーケットにおける売上と利益の構造を、なによりも雄弁に物語るこの計数的把握のなかから、われわれはふたつの性格を異にする商品をはっきりと区別する必要を学ぶと同時に、この双方が、それぞれ固有の役割を完全に果たすことによって、はじめて、食料品スーパーマーケットの営業活動が成立するということを学ぶことができるのである。

換言すれば、食料品スーパーマーケットの営業活動は、たんに販売総額として大量販売を実現するところにあるのではなく、大量販売と一品一品の商品の販売訴求点とを、きわめて具体的に結合し、単品の大量販売を実現するところに、その基本原則をおくのであるといってよいだろう。

▼食料品スーパーマーケットにおいて、総売上の約半分四三・八%が、わずか一〇%の品目によって実現され、総売上の七二・二%が三〇%の品目によって実現されるという事実こそ、近代小売商業における品目別管理の重要性を、有力に物語るものといえよう。

▼ドラッカーは、この間の事情を、『経済の暗黒大陸』のなかで、きわめて的確に、しかし、やや誇張して、こういっている。

「メーカーの場合も小売商業の場合も、事情はまったく同じなのだが、総売上の九〇%は、ひじょうに小さなパーセンテージ、原則として五ないし八%の品目によってあげられている。

しかも全品目の残る九〇%あまりが、流通コストの九〇%あまりを食ってしまうのだ。なぜなら、収益は販売の量にだいたい比例するが、流通コストは、品目の数または取引の数に比例する傾向があるからである。

回転のおそい商品でも、早い商品と同じだけ売場面積をとるし、同じだけ資本を固定させる。事務量にしても同じである。

輸送の面では、だれでもわかるように、むしろ単位が小さくなればなるほどコストは高い。同じことが、包装にも、集金にも、在庫にも、保険その他にもいえるのだ。」

品目数と売上高・利益高

	品目数	%	品目数累計	品目数%累計	売上高 %	売上高 %累計	利益高 %	利益高 %累計
1	303	10	303	10	43.8	43.8	39.7	39.7
2	303	10	606	20	17.1	60.9	17.1	56.8
3	304	10	910	30	11.3	72.2	11.8	68.6
⋮	⋮	⋮	⋮	⋮	⋮	⋮	⋮	⋮
10	303	10	3033	100	0.6	100.0	0.8	100.0

これに当初猛烈に反対しつづけてきたメーカー、卸売業者、独立自営商、そして最後に食料品チェーン・ストアも、しだいにこれに反対することの愚かさをさとり、みずからを時代の変化に適応させていった。最初に、その意義を認めたのは、むしろ、当初もっともはげしく反対したメーカーであった。食料品メーカーは、スーパーマーケットこそ大量生産されるメーカー・ブランドの商品が、もっとも速く、もっとも大量に、販売されるもっともすぐれた販売方法であることを発見したのである。そして最後に、食料品チェーン・ストアも、これまでの営業活動の方法を根本から再検討せざるをえなくなったのである。しかし、これにたいする唯一の答は、結局、みずからスーパーマーケット方式を採用し、みずからを食料品スーパーマーケットへと転換すること以外には、ありえないということであった。

そして、一九三六年、当時も現在もアメリカ最大、したがって世界最大の食料品チェーン・ストアA&Pも、全国的規模で展開していたチェーン一万五〇〇〇の戦線を整理して、本格的な食料品スーパーマーケットのチェーン展開へ、大きな戦略転換をはかることになったのである。スーパーマーケットの誕生から一九三六年にいたるこの数年間の歴史は、一九三〇年にニューヨークのロング・アイランドにあがった販売革新の狼煙が、いかに激烈な連鎖反応をつぎつぎにまきおこしながら、嵐のような激動を、食料品の生産から流通の最末端の小売段階にいたるまでの全メカニズムに与えていったか、その間の事情を雄弁に物語っている。こうして一九三六年、A&Pの戦略転換を画期として本格的なスーパーマーケット時代がはじまったのである。

このように、一九三〇年代の後半以降、A&P、クローガーといった大規模チェーン・ストアは、旧来の店舗を食料品スーパーマーケットに積極的に改造したり、旧来の店舗をつぎつぎに閉鎖して、あたらしい店舗をスーパーマーケット方式で開設する戦略を、全国的規模で展開することになった。したがって、それ以降の食料品スーパーマーケットの発展は、これら大規模小売企業の積極的な戦略展開に負うところが多いのである。

スーパーマーケットの革新—販売方法の技術革新

そのかぎりにおいて、スーパーマーケットは、あるひとつの経営形態というよりは、むしろ、劇的低価格政策とセルフ・サービスとショーマンシップを軸とするひとつの販売方法であるといってもよい。換言すれば、スーパーマーケットの発展にみられる革新的な販売方法の導入は、それにともなって、スーパーマーケット方式という営業活動を基礎にしたあたらしい経営形態を生みだしたが、このような経営形態がまったくあたらしい小売企業を生みだし、古い経営形態の小売企業がそれによって駆逐されてしまうという過程をたどるのではなく、既存の小売企業、とくにチェーン・ストア経営組織を中心としてその企業的基礎をすでにかためていた主要企業が、むしろ、積極的にあたらしい販売方法を採用して、みごとに環境の変化に適応していくこととなったのである。つまり、あたらしい経営形態の展開は、むしろ、企業間競争における大規模小売企業の優位を決定的なものとしつつ展開されていったのであり、そのかぎりにおいて、スーパーマーケットがもたらした革新は、経営革新というより、あたらしい販売方法の技術革新であったということができよう。

カレン物語の後日談

ところで、カレンとアルバースの物語には、さらに、まだ後日談がある。一九三七年、ニューヨークに全米スーパーマーケット協会が創設され、その第一回総会が開催された際、初代会長に推されたアルバースは、マイケル・カレンに心のこもった顕彰の辞を捧げているのである。

「私が、みなさんに申しあげたいのは、イリノイ州南部で私のために働いていたこの男が、このスーパーマーケットという販売方法こそ将来を担うものであることを、私に進言するために、はるばる本社のあるシンシナティまでやってきたことであります。不幸にして、わが社の副社長は、私をわずらわせまいとして、かれに言いました。社長は多忙をきわめていて、面会いたしかねますと。カレンはこう言いました――やむをえません。辞職いたします。」

この顕彰の辞を捧げられたカレンは、じつにその前年、つまりA＆Pが経営戦略の一大転換をおこなった一九三六年に、すでに没していた。

つまり、一九二九年の世界大恐慌、うちつづく一九三〇年代の慢性的不況期に、近代小売商業の発展に大きな革新をもたらしたすぐれたひとりの商人、マイケル・カレンは、その天才的なアイディアを現実に実行にうつしてから、わずか数年にして、一九三六年志なかばに、すでに没していたのである。かれが、生涯、念願としていたことは、独立自営商によるボランタリー・チェーンを結成して、コーポレート・チェーン（corporate chain 会社チェーン）の大規模小売企業に優に対抗する力を発揮することであった。われわれがやや立ち入りすぎる恐れを感じながらも、あえて、いわば業界裏話的な詮索にまで入りこんだのも、じつは、これがたんなる感傷的なエピソードにとどまらないからである。カレンの夢は、現在のアメリカの食料品業界が、大規模小売企業によるコーポレート・チェーンと、独立自営商によるボランタリー・チェーンによって、ほぼ二分されているという事実によって、みごとに実を結んでいるといってよいだろう（一三〇頁表参照）。

スーパーマーケットの急速な発展

こうして一九三〇年にスタートしたスーパーマーケットは、一九三六年のA＆Pの戦略転換をひとつの画期として本格的な発展の軌道にのり、世界大恐慌の勃発した一九二九年から一〇年後の一九三九年には、全米全食料品店のうち一・三％にあたる四九八二店のスーパーマーケットが、全食料品売上高の一九・四％にあたる一五億ドルを販売するようになった。それから一五年後の一九五四年には四・九％にあたる一万三五九八店のスーパーマーケットが、四六・二％にあたる一五九億ドルをあげるようになり、さらに一六年後の一九七〇年では、全米全食料品店二〇万八三〇〇店のうち一八・四％にあたる三万八三

食料品店とスーパーマーケットの売上高・店舗数の推移

	店舗数			売上高		
	全食料品店	スーパーマーケット	%	全食料品店（百万ドル）	スーパーマーケット（百万ドル）	%
1939	387,337	4,982	1.3	7,722	1,500	19.4
1954	279,440	13,598	4.9	34,421	15,900	46.2
1970	208,300	38,300	18.4	88,415	66,665	75.4

（資料）"Annual Report of the Grocery Industry" *Progressive Grocers.*

〇〇店のスーパーマーケットが全食料品売上高の七五・四%にあたる六六六億六五〇〇万ドルを販売するようになるまで、急速な発達をとげていったのである。

食料品スーパーマーケット産業の確立

一九二九年秋にはじまる世界大恐慌、ひきつづく三〇年代の慢性的不況は、資本主義経済に必然的な矛盾、すなわち生産力の購買力に対する超過傾向が破局的な爆発を示したことを意味し、需要が生産にたいして追いつきかねるという資本主義経済に固有の困難が、アメリカのように国土の広大な、国内市場のゆたかな国においてすら、一九二九年という時点で、はっきりその巨姿をあらわしたことを物語った。しかもこれは、従前の恐慌と異なって景気回復への自動的な転換の能力を欠いていたのである。こうした段階を迎え、もはや、市場の外延的

◇スーパーマーケットの定義

▼スーパーマーケットの定義は、一般的には、年間売上高が五〇万ドル以上の総合食料品店で、保存食料品、精肉、乳製品、生鮮食料品、パンなどが完全に部門別に管理され、少なくとも保存食料品部門においては、完全なセルフ・サービス方式が採用されていなければならないものとされている。

▼なお、この定義による年間五〇万ドル以上の売上高という制限をはずし、スーパーレットとよばれるやや規模の小さなスーパーマーケット三万三五〇〇店を加えれば、スーパーマーケットは、全米全食料品店の三四・五%にあたる七万一八〇〇店で全米全食料品売上高の八七・四%を販売しているのである（一九七〇年）。

▼そして一九三九年から一九七〇年にいたる約三〇年の間に、全食料品店舗数の四六%は姿を消し、その間に全米全食料品売上高は約一一倍となっている。その過程で、スーパーマーケットは店舗数で七倍強、売上高では四四倍強へ、急速な成長を示しているのである。

拡大をはかる方法はなく、その内包的開拓をはかる以外には方法のない段階における市場ないし販路拡大の方法として、あたらしく登場してきたのが、食料品スーパーマーケットであった。それはなによりも、劇的低価格政策にもとづく革新的な販売方法を創造することによって、生産力と購買力の恒常的不一致傾向が顕在化した資本主義経済のこの発展段階において、販路拡大のもっとも主要な方法となったのであった。

資本主義経済に必然的な矛盾、すなわち需要が生産にたいして追いつきかねるという固有の困難は、世界大恐慌以降の段階において、スーパーマーケット方式による低価格販売と大量販売を、徐々に、あるいは急激に展開させ、小売商業という流通経路の最末端の段階において、この矛盾の解決を、暴力的にではなく、なしくずし的に中和させる機能を果たすこの革新的な販売方法を、たんなる一時的な販売方法に終わらせずに、恒久的な制度と化していった。現代の平均的なアメリカ人は、食料品の購買に関するかぎり、スーパーマーケットなしの生活は考えられず、また食料品メーカーは、その製品の販売に関するかぎり、スーパーマーケットなしのビジネスは考えられない。いわゆる〈アメリカ的生活様式〉と〈アメリカ的ビジネス様式〉そのもの、つまり、現代アメリカの生活構造と産業構造そのもののなかに、食料品スーパーマーケットは完全に同化され、制度化されてしまったといってよいであろう。

そして、チェーン・ストア経営を中心として近代小売産業＝流通産業成立の基礎的条件を整えてきていた小売商業は、激烈な企業間競争が国民経済的規模で展開されるという状況の支配する一九三〇年代の慢性的不況期のなかで、まず、食料品小売商業の領域において、食料品スーパーマーケット産業(super-market industry)というかたちで、近代小売産業＝流通産業を確立したのである。換言すれば、近代小売商業は、まず食料品という商品の範疇のなかに、特定の食料品スーパーマーケット産業というかたちをとって、具体的に、流通産業を体現したのである。つまり、食料品チェーン・ストアは、一方では、ひとつひとつの店舗規模をスーパーマーケット化することによって、経営規模の拡大をはかっていっそう大規模小売企業を実現し、他方では、そこで実現された大量販売力を大量仕入力に転化し、それをバックにして生産段階に介入し、垂直的統合をいっそう推進して、食料品スーパーマーケット産業を確立することができたのである。

われわれはつぎに、食料品小売商業の市場構造を明らかにすることによって、近代小売産業＝流通産業の特質を、それがおこなう垂直的統合の問題を中心として考えてみなければならない。

3　小売商業による生産段階への垂直的統合
——食料品小売商業の市場構造——

食料品小売商業の位置　いうまでもなく、食料品小売商業は、アメリカ経済のなかで、きわめて重要な地位を占めている。たとえば、一九五八年の全米全食料品売上高は四九〇億ドルで、うち精肉、魚、青果物などの専門食料品店にたいして、各種食料品を総合的に取り扱うグローサリー・ストア（grocery store）とふつういわれている総合食料品店の売上高は四三六億九六〇〇万ドルを占めている（このグローサリーを、以下においてはとくに断わらないかぎり食料品とよぶ）。

この食料品売上高は、アメリカの小売商業においては、もちろん、最大のセクターであり、他の産業分野とくらべても、大きなセクターを占めている。アメリカの消費者が支出する五ドルのうち一ドルは、このグローサリー・ストアで費されていることからみても、また、アメリカの食料品メーカーが、その主要な販路を、このグローサリー・ストアに求めていることからみても、食料品小売商業がアメリカの経済構造全体のなかで、きわめて重要な位置を占めていることは容易に理解できるところである。つまり、アメリカの食料品小売商業は、アメリカの国民経済の産業構造と、アメリカの国民生活の生活構造のなかに、きわめて重要な意味をもって組み込まれているのである。そこで、われわれは以下において、食料品スーパーマーケット産業あるいは食料品流通産業の特質をあきらかにするために、この食料品小売商業の市場構造を分析してみよう。

市場集中とはなにか　食料品小売商業の市場構造の分析は、まず、その市場集中の特質を明らかにすることからはじめられなければならない。

市場集中（market concentration）とは、ひとつあるいは複数の企業が、特定の市場において、どれだけのマーケット・シェアを占めているかということであるが、特定の企業が特定の市場において占めるシェアが大きければ大きいほど、その市場での集中度は大きくなり、経済理論と産業界の経験の教えるところに従えば、この市場集中の大きさは、その産業の市場行動を規定する重要な尺度となっている。つまり、市場の集中度は、その産業の市場構造が、(1)競争、(2)独占、(3)寡占のいずれであるかを規定し、そのいずれであるかは、企業の価格政策、あるいは販売政策や仕入政策、総じて、その企業の市場行動に重要な影響をもち、またそのことによって、逆に、市場構造全体にも大きな影響を及ぼすのである。市場集中と市場行動とは、このように密接な関係がある。そこで、われわれの分析も、まず、その市場集中の特質を明らかにすることからはじめられなければならないのである。

スーパーマーケットの売上高集中

ところで、食料品小売商業の店舗数は、すでに述べたように、今世紀にはいってから急速に減少している。一九三九年の三八万七三三七店舗から、一九五四年の二七万九四四〇店舗、一九七〇年の二〇万八三〇〇店舗へと、顕著な減少を示している。一九三九年から一九七〇年までの約三〇年間に、その四六%強が完全に姿を消しているのである。しかし、それにもかかわらず、食料品小売商業が、きわめて多数の店舗で構成されていることも、まぎれもない事実である。

また、食料品小売商業の売上高が比較的少数の店舗に集中していることも、すでに、述べた通りである。一九三九年から一九七〇年までの約三〇年間に、食料品スーパーマーケットの売上高集中は一九・四%から七五・四%まで急速にのびている。このことは、大規模な総合食料品店であるスーパーマーケットへの売上高集中が、急速にすすんでいることを物語っている(一二三頁表参照)。

しかし、この事実は、食料品店のなかでスーパーマーケット方式をとる小売店舗(retail store)において売上高集中が進んでいるということを示しただけであって、市場構造の特質を規定する市場集中度をあらわしているのではない。われわれの分析における主要な関心は、むしろ、小売企業（retail firm）の市場集中の問題でなければならない。

A　小売商業における寡占と競争

全国マーケットの市場集中

さて、以上を前提において、まず、食料品小売商業の市場構造を、全国レベルで、つまり全国マーケットで、ある特定の企業がいかなる市場集中をおこなっているかという尺度ではかってみよう（資料の関係から、以下においては一九五八年という時点を中心に論を展開する）。

(1)　まず会社チェーン（corporate chain）は、一九五八年に七九〇社、店舗数一万九四〇〇店あり、その売上高は全食料品売上高の四三%を占めている。

この内、上位一～四社のシェアは二二・四%、五～八社六・〇%、九～二〇社七・二%という市場集中度を示しており、上位二〇社で全食料品売上高の三五・六%、そして残りの七七〇社が七・四%のシェアを占めている。つまり、このことは、食料品売上高がますます会社チェーンに集中するようになり、なかでも上位二〇社の市場集中がきわめて高いことを示している。上位二〇

◇会社チェーンのシェアと企業数

会社チェーンのシェアは、一九四〇年の三三%から一九四八年の三八%、一九五八年の四三%へとこの間に一〇%増加している。しかし、企業数は、一九五八年にいたる約五年間に、八六六社から七九〇社に減少している。

社が会社チェーン売上高の八〇%強を占め、七七〇社が残る二〇%弱を占めるにすぎないのである（わが国では、この会社チェーンをふつうレギュラー・チェーンといっている）。

(2) つぎに独立自営商をみると、独立自営商の店舗数は一九五八年に二六万五六〇〇店あり、その売上高は全食料品売上高の五七%であった（一九四〇年が六七%であったのに比べると一〇%低下していることになる）。

(a) このうち、完全に独立自営で、なんら提携・共同活動をしていない独立自営商の店舗数は一七万三六〇〇店で、店舗数ではもっとも多いが、その売上高は全食料品売上高の一五・四%にしかすぎない。

(b) これにたいし、ボランタリー・チェーンあるいはコーペラティブ・チェーンを結成し、提携・共同してチェーン・ストア経営の力を発揮している独立自営商は、四六三社、店舗数九万二〇〇〇店あり、その売上高は全食料品売上高の四一・六%を占めている。

この内、上位一～四社のシェアは七・四%、五～八社二・四%、九～二〇社五・三%という市場集中

食料品小売商業の市場構造（1958年）

	企業数	店舗数	売上高(%)
会社チェーン	790社	19,400	43.0
	(内)上位 1社		11.4
	2～4社		11.0
	5～8社		6.0
	9～20社		7.2
ボランタリー・チェーンあるいはコーペラティブ・チェーン	463社	92,000	41.6
	(内)上位20社		15.1
独立自営商		173,600	15.4

（資料） Mueller, W. F. and Garoian, L., *Changes in the Market Structure of Grocery Retailing*, 1961.

度を示しており、上位二〇社で全食料品売上高の一五・一%、そして残りの四四三社が二六・五%のシェアを占めている。

すなわち、食料品小売商業を市場集中度という尺度でとらえると、食料品小売商業は全国マーケットで、前頁の表のような市場構造となっている。

◇仕入面からみた市場集中度

食料品小売商業の市場構造は、こうした販売面からだけでなく、仕入面からも、みなければならない。

▼その観点からみると、ボランタリー・チェーンあるいはコーペラティブ・チェーンを組織している独立自営商の場合、共同して集中仕入をおこなっている商品は、上位二〇社にしぼってみても、取扱商品の半分におよばない。したがって、これらの提携チェーンが共同集中仕入をおこなっている量は、多くみても、全食料品総仕入高のわずか八%弱にしか達しない。

▼会社チェーン上位二〇社が、三五・六%の売上高シェアに見合う三五・六%の仕入額のほとんど大部分を、集中仕入していることと比較すると、これらの提携チェーンの市場集中度は、販売面と仕入面では、いちじるしくウェイトが異なっているのである。

▼したがって、会社チェーンの市場構造とボランタリー・チェーンあるいはコーペラティブ・チェーンの市場構造は、たんに販売面にあらわれた量的ちがいだけでなく、仕入面の質的なちがいがあるということも、知っておかなければならない。

▼それにもかかわらず、これらの提携チェーンが、他の独立自営商よりすぐれた販売力を示し、全体として会社チェーンに優に匹敵する売上高をあげているのは、やはり、相互に提携・共同し、すでに述べたように全国的規模のチェーン経営組織のメンバーとして、その指導と統制、助言と援助をえているからなのである。

ローカル・マーケットの市場集中

つぎに、全国マーケットにつづいて、ローカル・マーケットにおける市場集中度を、はかってみなければならない。このことは、小売商業がそれぞれの立地に密着し、本来、小規模で分散的であるという固有の特質をもつことからみても、とくに重要であるからである。

一九五八年に、全国マーケットで五%以上のシェアをもつ企業はA&Pの一一・四%、セーフウェイの五・〇%と、二社のみである。しかしこれをローカル・マーケットにかぎってみると、A&P、セーフウェイをはじめとして上位二〇社のうち一七社が、五%以上のシェアを占め、二〇社平均で一〇・一%となり、全国レベルでみた場合の平均一・八%より、はるかに高いシェアを占めている。このことは、これらのチェーンは、全国的規模でみた場合のシェアこそ少ないが、現実に営業活動を展開しているそれぞれのローカル・マーケットでは、比較的高いシェアを占めていることを示している。たとえば、全国マーケット・シェアではA&Pのシェア一一・四%にたいし、第一一位のジュエル・ティ（Jewel Companies, Inc.）は一・〇%とはるかに少ないが、ローカル・マーケットではA&Pの一三・八%にたいし、ジュエル・ティも同じ一三・八%を占めているという具合である（次頁表参照）。したがって、食料品小売商業はローカル・マーケットできわめて高い市場集中度を示していることになる。事実、一九五八年の人口三万五〇〇〇以上の全米一三三都市において、その上位一社はそれぞれの都市で平均二五・四%、上位二社で四二・二%、上位四社では五八・三%のシェアを占めているのである。

一方、ボランタリーおよびコーペラティブ・チェーンがローカル・マーケットにおいて、どの程度の集中度を示しているかを的確につかむ資料は入手困難であるが、人口三万五〇〇〇以上の都市では会社チェーン上位四社と提携チェーン上位四社とで、平均八〇%以上のシェアを占めているであろうといわれ、食料品小売商業のローカル・マーケットにおける市場集中度はきわめて高いということができるのである。

森宏氏は『食品流通の経済分析』(一九七一年)のなかでつぎのようにいっている。

「アメリカの場合、一九四〇年から一九五八年にかけての大手チェーンの成長をみると、各企業はマーケットをあたらしい都市に求めて外延的に拡大していったというより、すでに営業している都市のなかで集約的に成長していったように思われる……。

一九五八年には、たとえば人口二〇万前後の都市では、トップの企業一

上位20社チェーンの全国・ローカルマーケットのシェア比較 (1958年)

チ　ェ　ー　ン　名	ローカル・マーケット・シェア	全国マーケット・シェア
1. A　&　P	13.8	11.4
2. セーフウェイ	11.3	5.0
3. クローガー	10.5	4.4
4. アクメ・マーケット	9.6	2.0
5. ナショナル・フッド	8.6	1.8
6. フッド・フェア	7.8	1.6
7. ウィン・ディキシー	16.3	1.4
8. ファースト・ナショナル	13.6	1.2
9. クランド・ユニオン	6.0	1.1
10. コロニアル	12.3	1.0
11. ジュエル・ティ	13.8	1.0
12. ACF・リグレイ	12.4	0.9
13. ロブロウ	9.4	0.6
14. ストップ & ストップ	6.1	0.4
15. ペン・フルーツ	8.3	0.4
16. スリフティ・マート	n.a.	0.4
17. レッド・アウル	11.3	0.4
18. ボーハフ	7.3	0.4
19. ラッキー	3.4	0.3
20. ワインガルテン	n.a.	0.3
平　均	10.1	1.8

(資料) 130頁の表に同じ。

社で平均二五％程度のシェアを占め、上位四企業をとると、シェアは六〇％にもなっている。したがって、ローカル段階の食品小売商業は、近年いちじるしく寡占的な市場構造をもつにいたっている。」

このように食料品小売商業の市場構造は、全国マーケットよりもローカル・マーケットでの集中度の方がはるかに高い。そして、このローカル・マーケットにおいて、少数の大規模小売企業が、同一マーケットで、はげしい企業間競争を展開しながら、そのマーケットでの売上高の大部分を占めているのである。

販売面における寡占的構造

このローカル・マーケットにおける食料品小売商業の市場構造は、寡占モデルに近い。つまり、少数の大規模小売企業が売上高の大部分を占めて寡占的な核（oligopolistic core）を形成し、多数の小規模な独立自営商がその残余の部分を占めて競争的な周辺（competitive fringe）を形成しているという構造である。すなわち、競争的周辺をともなった寡占的核を中心として、オリゴポリー（oligopoly 売手寡占）が構成されているのである（大都市の市場は、単一の大規模なマーケットというよりも、いくつものサブ・マーケットが複雑な階層をなして構成しているマーケットとみるべきであろう）。

このような寡占モデルが形成されている場合、経済理論の教えるところによれば、寡占企業は「相互の依存関係（oligopolistic interdependence）を認識」しあうようになり、なんらかの価格カルテルが形成されるか、あるいはプライス・リーダーシップが確立されて、価格競争は制限され、非価格競争が製品とサービスの差別化、広告および販売促進の強化というかたちで展開されることになっている。

小売商業においても、寡占モデルが形成されれば、非価格競争が強化されるという法則は、いうまでもなく、自己を貫徹するわけであるが、しかし小売商業においては、小売商業独自の市場行動がとられるのであって、これがひとつの重要な特質となっている。

(1)　そのひとつは、小売商業においては、メーカーの場合とちがって、比較的新規参入が容易であるところから、参入障壁を築きあげるために、かえって逆に、意識的に価格競争が展開されるということである。

(2)　いまひとつは、小売商業においては、大量の顧客動員をはかる必要から、ロス・リーダーを駆使する劇的低価格政策が計画的に展開されるということ

◇市場集中と吸収合併

▼上位二〇社の成長と拡大によって、食料品小売商業における市場集中は、急速な進展をみせているが、その過程は、他企業の吸収合併という企業集中の方法によることが多いという事実にも注目しなければならない。

▼この場合にも、上位企業への集中が顕著で、一九四〇年から一九五八年までの一八年間に上位二〇社のシェアは二九・三%から三五・六%へと六・三%増大したのであるが、吸収合併の方法によって増加した分はそのうちの四・八%に当たり、それは増加分の約七六%に当たる高いウェイトを示している。

これは逆にいえば、上位二〇社の全国シェアの増加は、もし吸収合併がおこなわれなければ、実現しなかったともいえるのである。そして事実、上位二〇社のうちA&P、ファースト・ナショナル(First National)などは、まったく吸収合併をやらなかったので、そのシェアを低下させているのである。

▼いまひとつ、吸収合併のもたらすもっとも大きな成果は、ローカル・チェーンを急速にナショナル・チェーンにまで成長させるもっとも有力な手段になるということである。

である。

以上の条件のために、小売商業における寡占の形成は、無条件には寡占価格の形成をゆるさず、そこでは実際には、たえず価格競争が持続的に展開されることになるのである。このことは小売商業の市場行動の重要な特質のひとつといわなければならない。

しかし、もちろん、ローカル・マーケットでの市場集中が高まっていくにつれて、やはり非価格競争の傾向は強まると考えられる。ローカル・マーケットにおける市場構造と、そこに展開される市場行動が、実際に、どのようなかたちで展開されていくかは、中小規模の会社チェーンと、ボランタリー・チェーンあるいはコーペラティブ・チェーンに属する独立自営商が、どの程度まで成長し、大規模な会社チェーンにたいして、どの程度まで競争力を発揮することができるかにかかっている。わけても、独立自営商が独立性を保持しながら共同化することによって、大規模小売企業と互角に競争して、いっそう効果的な競争を実現するエネルギーを、どの程度まで発揮できるかにかかっているのである。

◇大規模小売企業の
ロス・リーダー政策

多くのローカル・マーケットで営業活動を展開している大規模小売企業は、たんにある特定の商品部門あるいは品目を、原価で、あるいは原価を切って販売するだけでない。ある特定のマーケットでは、その店舗全体を、はじめから計画的に赤字で経営し、他企業の犠牲の上に、マーケット・シェアを拡大することができるという潜在的な能力をもっている。

この場合には、いったん、そのマーケットを支配すると、あとは自己の価格政策に他企業を従わすことが可能となるのである。こうした市場行動については、A&PやセーフウェイなどPの展開したケースが、歴史上、たしかに存在している。

仕入面における競争的構造

食料品小売商業の市場構造は、たんに販売面からだけではなく、むしろ、より重要な仕入面からもみなければならない。そしてこの場合は、ローカル・マーケットより全国マーケットをみる必要がある。多くの食料品は、食料品メーカーによって全国マーケットに販売され、小売商業は、これを全国マーケットより仕入れるからである。

そこで、食料品小売商業の市場構造を、仕入面からみると、そこでは食料品小売商業は、多数の大・中・小規模の会社チェーン、また多数のボランタリー・チェーンあるいはコーペラティブ・チェーン、さらにいっそう多数の独立自営商によって構成されている。このような条件のもとでは、「相互の依存関係を認識」しあうような価格カルテルは成立しない。すなわち、そこにはオリゴプソニー（oligopsony 買手寡占）は形成されないのである。全食料品売上額の一一・四%を販売するトップ小売企業のA&Pでさえ、そこでは仕入価格を支配することはできない。たとえ、仕入面で支配力を発揮する大規模小売企業を想定したとしても、その企業がとる市場行動と考えられるプライス・リーダーとしての性格は、きわめて競争的な性格の強いものとなるであろう。

メーカーと小売商業の市場集中のちがい

さて、このように全国マーケットのレベルで、食料品小売商業の市場構造をみてみると、市場集中度は、売手としての食料品メーカーの方が、買手としての食料品小売商業より、はるかに高いという事実につきあたる。事実、一九五八年に食料品メーカーの分野には約四万の企業があったが、小売商業の分野には、その数倍もの企業があり、企業数だけをみても、メーカーの方がはるかに少ないのである。

一般的に、食料品メーカーの販売面での市場集中度の方が、食料品小売商業の仕入面での市場集中度よりはるかに高いといえる。このように、小売商業の仕入面での市場集中度は、会社チェーン上位二〇社でも――販売面で三五・六%のシェアを占める商品が、すべて本部集中仕入のルートを通るとしても――全仕入額の三五・六%を占めるにすぎない。つまり、食料品小売商業は、このかぎりにおいて、ベイン(Joe S. Bain)の『産業組織論』(一九五六年)の分類にしたがえば、集中度の低位な産業分野に属するといわなければならない。

◇メーカーの市場集中度
市場集中の度合は、製品によって、当然、ちがってくる。たとえば、缶詰製造業上位四社の集中度が二八%であるのにたいして、そのなかの缶詰スープ製造業だけをとれば、上位四社の集中度は八九%と非常に高いという具合である。

B　メーカーの市場支配と小売商業の対抗力

メーカーの強い市場支配力が垂直的統合を生み出す　このように、小売商業が仕入面で市場集中度が低いということは、メーカーの市場支配力が、一般的に、はるかに強いということを意味する。しかし、このメーカーの市場集中度が高く、したがって、その市場支配力の方が、小売商業よりはるかに強いという市場構造そのものが、じつは、かえって逆に、小売商業をして独自の市場行動をとらせる条件をつくりだすのである。それは、小売商業による生産段階への介入、すなわち、メーカー段階への垂直的統合(vertical integration)という市場行動である。

食料品小売商業による生産段階への介入、つまり垂直的統合は、一九一〇年代にまでさかのぼる歴史をもっている。チェーン・ストア時代がはじまった一九二〇年に、上位五企業は、すでに三七の製造工場を直接経営していた。そして一九三〇年には上位二五社が少なくともひとつ以上の製造工場を経営していたのである。

一九五八年に会社チェーンが生産段階に直接介入している主な製品は、缶詰、コーヒー、精肉、乳製品、パンなどであり、この約三〇年のあいだに、多くの会社チェーンが垂直的統合をおこない、生産の多くの分野に参入しているのである。そして、ここでも上位二〇社による集中度が高く、一九五八年、会社チェーンが所有する製造工場の約九〇％強は上位二〇社が占め、さらに上位四社がその半数以上を占めている。

とりわけ、一九四〇年以降、多くの会社チェーンは生産のいろいろな分野に垂直的統合をすすめていった。たとえば、一九四〇年に上位四〇社のうち、パン製造業を統合しうるだけの規模をもっていたのは一四社にすぎなかったが、一九五八年にはこの四〇社のすべてが、この条件をそなえるにいたっている。このことは、ブロイラーにおいても一四社が四〇社に、アイスクリームにおいても一〇社が三二社に、精肉においても八社が三一社に、チーズにおいても五社が一二社になっているという具合である。

水平的統合―垂直的統合の基礎的条件

さて、小売商業が垂直的統合の方法によって、生産の分野に参入することができるかどうかを決定するもっとも基礎的な条件は、小売商業の市場集中（market concentration）の度合にあるのではなくて、その水平的統合（horizonal integration）の度合にある。いうまでもなく、市場集中と水平的統合とは相互に密接な関連をもっているが、このふたつの概念は同一視されてはならない。

水平的統合とは、(1)店舗規模の大型化と、(2)店舗数の増加によって、経営規模を拡大する方法を意味する。食料品小売商業に即していえば、小規模な専門食料品店がスーパーマーケット化して総合食料品店に大型化することは前者(1)の例であり、チェーン・ストアのネットワークを出店あるいは吸収合併によって拡大することは後者(2)の例である。すなわち、水平的統合は、絶対的企業規模（absolute firm size）をあらわすのである。

しかし、絶対的企業規模が拡大しても、ある特定の市場に占めるシェアが必然的に大きくなるとはかぎらない。市場集中とは、この特定の市場におけるシェアを問題にするのであって、市場集中度が高いということは相対的企業規模（relative firm size）が大きいことを意味するのである。

その意味で、市場集中＝相対的企業規模と水平的統合＝絶対的企業規模のふたつの概念は、厳密に区別されなければならないのだが、小売企業による生産段階への垂直的統合の基礎的条件は、その市場集中の度合にあるのではなく、むしろ、その水平的統合の度合にあるのである。つまり、市場集中の進展ではなくて、水平的統合の進展が、小売商業による垂直的統合の可能性を築きあげるもっとも基礎的な条件なのである。それは一体なぜか。

垂直的統合の二つの方法

小売商業は大型化とチェーン化による水平的統合をおしすすめるならば大規模小売企業を築きあげることができる。そして、さらにみずからのプライベート・ブランドを消費者にうけいれてもらうことができ、そのプライベート・ブランドで計画的に大量販売するだけの実力をそなえ、それがその商品の生産のミニマム・ロットをこえる絶対的企業規模を実現できさえすれば、生産段階へ垂直的統合を推進していく基礎的な条件を獲得することができるのである。

つまり、メーカーが築きあげている参入障壁、すなわち同じメーカーでは新規参入をはかることがほとんど不可能と思われるような堅固な参入障壁でも、小売企業は一定の絶対的企業規模を実現し、その大量販売力をバックにするならば、これを容易に克服して新規参入をはかることができる。小売商業は大規模小売企業を実現することによって、大量販売力をそなえ、それによってみずからのプライベート・ブランドを消費者にうけいれてもらうことができ、そのプライベート・ブランドで、最適規模の工場の生産する製品を、十分計画的に販売できるだけの絶対的企業規模をつくりあげることができれば、生産段階へ垂直的統合を推進する確実な地歩を獲得することができるのである。

そして、小売企業による生産段階への垂直的統合は、

(1)　メーカーが強い市場支配力をもっていて、マージンの幅が

> ◇プライベート・ブランド商品の発達
>
> 一九三〇年には、会社チェーンの約半分がプライベート・ブランドの商品を販売していたが、一九五八年には、ほとんど全部の会社チェーンがプライベート・ブランドの商品を販売し、上位二〇社では、売上高の五〇％以上がプライベート・ブランドであるといわれている。

削りとられても差しつかえないほど大きい場合には、もっとも顕著にあらわれるのであるが、みずからが最適規模の工場を自社所有のもとに建設するなり、あるいは既存工場を買収するなりして、みずからプライベート・ブランドの商品を生産するという直接的な方法でおこなわれる。

(2) 垂直的統合は、このような直接的な方法だけではなく、小売企業がメーカーとの間に、ある提携・契約関係をつくりあげ、これに小売企業があたえる仕様書にもとづいて、プライベート・ブランドの商品を生産させ、それを仕入れて、販売するという間接的な方法でもおこなわれる。たとえば、メーカーが高い広告費の投入によって、製品差別化をおこなっているような場合には、プライベート・ブランドを確立している大規模小売企業は、マージンの幅がそれほど大きくなくとも、広告費を削りとることを目的として、メーカーにその製品をつくらせ、それを仕入れて、販売することができるのである。

このプライベート・ブランドの商品をつくるという方法は、小売企業がおこなう製品差別化のひとつの形態である。したがって、小売企業がプライベート・ブランドによる製品差別化を推進する場合には、(1)消費財メーカーの市場構造が寡占的状況にあって、強い市場支配力をもつときは、そこではマージンの幅が当然大きいので、直接参入の動機をもつことになり、逆に、(2)メーカーの市場構造が競争的状況にあるときは、マージンの幅が小さいので、直接参入をはからずに、間接的な方法を採用することになるのである。

要するに、小売商業の側が、一定の絶対的企業規模を実現していれば、生産の側が、寡占的市場構造にあるか、あるいは競争的市場構造にあるかによって、小売商業の側からの対応は変わってくるのであって、寡占的市場構造であれば、オーナーシップをもって、製品を直接生産するという垂直的統合の方法がとられるし、競争的市場構造であればオーナーシップをもたずに、メーカーに製品をつくらせ、それを仕入れて、販売するという垂直的統合の方法がとられる。

メーカーの市場構造に競争的条件をもたらす

このように、小売商業に独特の市場行動である生産段階への垂直的統合は、メーカーの市場構造そのものによって根本的に規定されるわけであるが、それは逆に、メーカーの市場構造にも大きな影響をおよぼすことになるのである。

およそ、食料品メーカーの分野で、高い市場集中が実現される主たる要因は、製品差別化に成功するからであり、この製品差別化の成功によって、他のメーカーはその産業分野への参入が阻止される。しかし、小売商業はプライベート・ブランドを開発し、一定量の製品をプライベート・ブランドで販売することができるだけの絶対的企業規模を実現しさえすれば、そのような参入障壁をきわめて容易にのりこえて、新規参入をはかることができるのである。そこで、

◇垂直的統合と吸収合併

一九四〇年から一九五八年の間に、食料品小売商業は八一のメーカーを買収しているが、そのうち六八は上位二〇社が買収した。また一九四八年から一九五八年までの一〇年間に、ボランタリー・チェーンは八工場を、コーペラティブ・チェーンは二工場を買収している。このことは、小売企業がメーカー段階に直接的な垂直的統合をすすめる場合にも、広く吸収合併という企業集中の方法を用いているということを示している。

(1)　このようなかたちで大規模小売企業が、それぞれの製品の生産分野に直接の参入をはかっていくと、その製品を生産する企業数が変化することになり、それは、当然、マーケット・シェアに影響をあたえる。その結果、本来なら、市場集中度が高ければ高いほど、製品差別化に成功すればするほど、非価格競争が展開され、競争的条件は制限されるわけであるが、しかし、大規模小売企業のとる垂直的統合によって、生産段階における市場行動は、より競争的になっていくのである（だが、それは価格が完全に競争水準にまで下がることを意味しない。なぜなら、生産段階の利益が小売商業の利益を下回る点で、小売商業は生産段階への参入をやめるからである）。

(2)　直接工場を自社所有する方法とは別に、間接的な方法で垂直的統合をはかっていく場合には、メーカー・ブランドの商品とプライベート・ブランドの商品との間に、競争を生じさせることになる。こうして、製品差別化に成功して、強い市場支配力をもつメーカーといえども、競争水準以上に価格を維持しつづけることはできなくなる。そうすれば、新規参入をまねくことになるか、あるいはプライベート・ブランドで生産し販売するメーカーの数をふやすことになるからである。実際には、製品差別化に成功していない中小メーカーがプライベート・ブランドの商品をつくったから、ただちに競争的結果をもたらすとはいえないだろう。しかし、大規模メーカーといえども、やがてこれを無視することはゆるされなくなり、それは、当然、価格政策に反映されるようになる。

いずれにせよ、小売商業による垂直的統合は、メーカーの市場構造に競争的条件を促進する影響をあたえる。そしてその際、われわれが注意しておかなければならない重要なポイントは、小売商業が生産段階に介入する基礎的条件というのは、繰り返しいうことになるが、けっして小売企業の市場集中度が高くなったからではなくて、小売企業の絶対的企業規模が水平的統合の結果、拡大されたからであるということである。つまり、小売企業が寡占化によって市場支配力を強化したからではけっしてなく、水平的統合がすすんで、一定の絶対的企業規模にまで達することによって、垂直的統合をはかることができるようになるのである。そして、この小売商業による垂直的統合という独特の市場行動が、メーカーの市場構造に競争的条件をもたらす役割を果たさせるのである。ガルブレイス(John K. Galbraith)が『アメリカ資本主義――対抗力の理論』(一九五二年)において、強い売手が弱い買手をして強い買手に転化させるといったのも、まさに、この意味においてであった(第六章参照)。

垂直的統合の市場成果

われわれは、食料品小売商業の市場構造を、ひとつにはローカル・マーケットにおいて成立している寡占的な構造と、いまひとつには全国マーケットにおいて成立しているメーカーの強力な市場支配の構造という特質を、小売商業における販売面と仕入面のふたつの面から把握した上で、小売商業がとる独特な市場行動を、ごく大づかみにではあるがみてきた。

この市場構造と市場行動のふたつの要素から、われわれはその市場成果を問うことができるわけであるが、ここではその問題にふかく立ちいらずに、ただ、つぎのことを指摘しておくにとどめよう。

小売商業においては、すでにわれわれがみてきたように、小売商業独特の市場行動が、多かれ少なかれ競争条件を促進するように働き、とりわけ、チェーン・ストア経営組織によって一定の絶対的企業規模を実現した場合、小売企業による垂直的統合のもたらすプラスの成果のもつ意義は大きいといわなければならない。大規模小売企業が、もし、たんに交渉力にものをいわせて、割引価格を強要するならば、それは望ましい市場成果をもたらすとはいえないであろうが、現実にコストの引下げが可能であるならば、ケイブズもいうように、そのようなコストの節減が価格に反映されることは、もっとも望ましい市場成果をもたらすということができるからである。

また、もっともマイナスの成果がもたらされると思われる大規模小売企業が小規模な競争者を駆逐して、そのあとで、超過利潤をあげるというようなケースについては、ケイブズは、実際的には、そう起こりそうもないといっている。

「小売企業においては、退出も容易であるが、参入もまた同様に、容易であるからである。たとえ、小売企業の市場集中が高位の状態におかれても、小売商業の大部分が、正常利潤をはるかにこえるような利潤をえる機会はきわめて少ない。」

しかし、やはり販売面において、とくにローカル・マーケットにおける大規模小売企業の市場集中が高まりつつあることは注目されなければならない。小売商業が望ましい市場成果をもたらすようにするためには、たえず競争的な市場構造を維持できるような公共政策を樹立することと、小規模な独立自営商がより効率的な経営がおこなえるような条件をつくりあげることが必要であるといえよう。

第6章

近代事業部制と流通システム

▨ 総合商品の分野における流通産業の確立

一九二九年秋にはじまる世界大恐慌、ひきつづく三〇年代の慢性的不況期に、食料品スーパーマーケットは、近代小売商業に最大の革新をもたらした。それはなによりも、劇的低価格政策と品目別管理にもとづく革新的な販売方法を創造することによって、生産力と購買力の恒常的不一致傾向が顕在化した資本主義経済のこの発展段階において、販路拡大のもっとも主要な方法となったのであった。そして、チェーン・ストア経営を中心として近代小売産業＝流通産業成立の基礎的条件を築きあげていた小売商業は、まさに、食料品の領域において、食料品スーパーマーケット産業というかたちで、近代小売産業＝流通産業を確立したのであった。

しかし、それと同時に、同じこの段階において、近代小売商業に最大の革新をもたらし、食料品を除く総合商品の領域において、近代小売産業＝流通産業の確立にいっそう大きな役割を果したいまひとつの要因についても注目しなければならない。われわれは、それをシアーズ・ローバックのケースを手がかりとして考えてみよう。

1　小売商業における近代的地域事業部制

シアーズ・ローバックの経営管理の革新は、ゼネラル・モーターズ、デュポン、スタンダード・オイル（ニュージャージー）などとならんで、アメリカの近代企業経営史における近代的経営管理組織——近代的事業部制——の成立にあたって先駆的な役割を果した点において、きわめて重要なものがあった。いずれも、あたらしい経営戦略にもとづく事業拡大のために、新設の施設を管理し、経営資源を再配分し、新規の事業と従来からの事業を統合し、これを全体として正しく統合管理するために、あたらしい経営管理の革新の先駆者となった企業である。

すでに述べたように、一九二〇年代の半ばシアーズはウッドのすぐれた指導のもとに、経営戦略の一大転換をはかり、チェーン・ストア時代の波に乗り、事業を逞しく推進していった。しかも、ウッドは、シアーズの経営戦略にかかわる意思決定を正しくおこなっただけでなく、これを実現する武器としての経営組織——つまりチェーン・ストア経営組織の基礎をかため、さらにこれを発展させてネーション・ワイドの展開を可能ならしめる近代的事業部制——を築きあげていく過程を、ねばり強く指導したために、いっそうすぐれていた。シアーズの成功は、経営戦略に起因するだけでなく、そのすぐれた経営組織にも起因するからである。

シアーズを小売商業のビッグ・ビジネスとして成立させている最大の秘密は、ウッドが決定した二極展開の経営戦略と、それを実現する武器としての近代的事業部制にあったのである。

シアーズの直面した三つの問題　シアーズ・ローバックが一九二五年まで、通信販売のみで事業を推進していたとき、シアーズでは、職能的分業にもとづく高度な集権管理組織をおこなっていた。次頁の図のように、トップ・マネジメントの強力な指導と統制のもとに、通信販売の営業活動は管理されていたのである。ウッドはあたらしい経営戦略の意思決定をしたとき、はじめは、この経営組織を大幅にかえねばならなくなるとは考えていなかった。新設の小売店舗は一〇ヵ所におよぶ通信販売の拠点を通じて管理されることになっており、こうした既存の施設を高度に活用することが、むしろ競争相手のチェーン・ストアに対抗するための重要な武器のひとつと考えていたのである。

しかし、急速なチェーン・ストアの展開は、その後数年にして、従来の経営管理体制ではどうにもならないところにまで、シアーズの営業活動を追いこんでしまった。問題は三つあった。第一はあたらしい人材の選択と訓練の問題、第二はあたらしい取扱商品の選択と品質の問題、第三は通信販売の拠点から小売店舗への商品供給体制の問題であった。

このうち、人材の問題がいちばん深刻であった。従来からのカタログ販売と、小売店舗における店頭販売とでは、販売方法がまったくちがっていた。社内から小売店舗のマネジャーを出しても、通信販売の経験しかないので、店頭販売には不向きであった。社外からスカウトし

シアーズ・ローバックの集権管理組織図

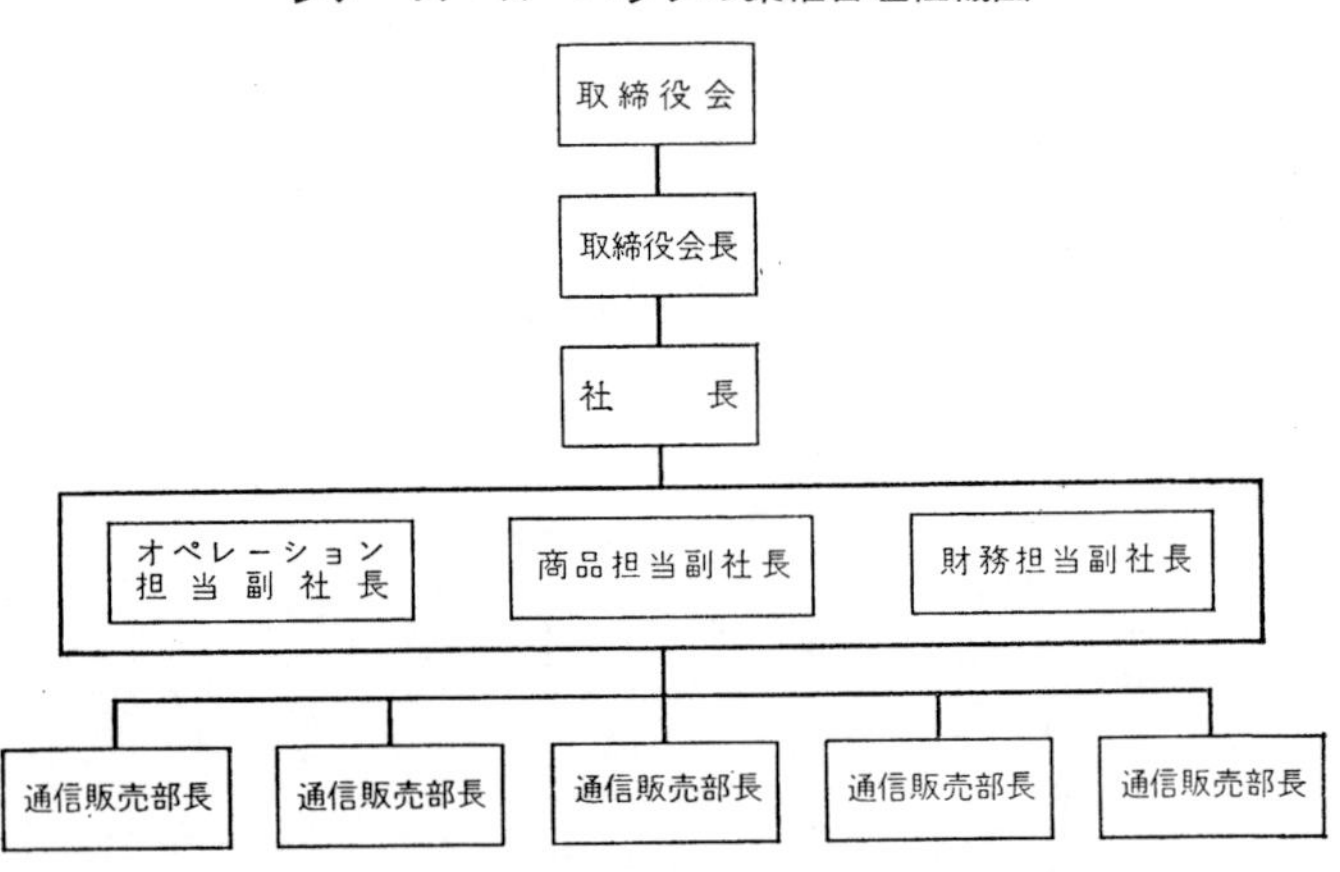

（資料） Emmet, B. and Jeuck, J. E., *Catalogues and Counters*, 1950.

たマネジャーは、店頭販売の経験しかないので、通信販売を理解できなかった。こうして生じた深刻な問題を解決するために、シアーズ・ローバックはJ・C・ペニーとの合併を、真剣に計画したことさえあるほどである。

ついで、通信販売の拠点から小売店舗に供給する商品の選択と品質が問題であった。仕入を担当したのは、従来からの通信販売のためのバイヤーたちであったから、小売店舗の品揃えを適切に処理することは非常に困難であった。農村を主要な市場とした通信販売が、都市を基本的な市場とする小売店舗の店頭販売に、そう簡単に適応できるわけがなかった。小売店舗では、顧客は他の小売店舗、すなわち百貨店やチェーン・ストアと比較選択して、商品を購買するかどうかの決定をおこなうのである。それは通信販売の知らないところであった。

そこで店舗の側は、中央の商品部の商品の選択と品質に不満をもち、しかも、その供給体制も不備な点が多かった。こうして通信販売と店頭販売の二極展開の経営戦略を正しい軌道に乗せるためには、商品の仕入組織そのものにメスをいれることが必要であり、商品の供給組織の再編成も必要であった。

小売店舗のための仕入と通信販売のための仕入が、市場のちがいを反映して、おのずからちがってくるということは、とりわけ重大な問題であった。そのために一時、ウッドは二つの仕入組織をもつことさえ考えた。しかしそれは、シアーズ・ローバックの二極展開戦略の基本目標を見失うことであり、統合管理を断念することにほかならなかった。

こうした山積する難問を解決するために、ウッドはさまざまな改善の努力をおこなったが、シアーズが直面した問題は、たんに部分的な再編成や手直し、あれやこれやの努力や工夫では解決できない性質のものであることを、ついにさとることができた。これを根本的に解決するためには、全社の経営管理体制そのものの分析と、経営組織全体の改造が必要であった。問題の根源は、通信販売と小売店舗のチェーン・ストアを統合する経営組織そのものを、あらたに築きあげることにあったからである。

フレーザーの組織改革委員会による検討

一九二九年八月、ウッドはこの問題を解決するために、社外に人を求め、ジョージ・フレーザー（George E. Frazer）に、シアーズ・ローバックの経営管理組織の全面的な組織改革の計画と指導を依頼した。こうして、フレーザーをリーダーとする組織改革委員会がつくられ、シアーズが直面していた三つの問題を全面的に解決する組織計画が慎重かつ綿密に検討され、翌年一月には報告書が提出された。この報告は、シアーズ・ローバックの歴史において、もっとも重要な経営管理の革新の基本方向を定めるものであった。

委員会の報告によって、シアーズ・ローバックには次頁の図のように従来の職能別組織に加えて、あたらしい地域別組織ができることになった。そして、地域別の販売組織は中央集中仕入機構と機能別の分業と協業の関係を保つよう位置づけられるようになったのである。こうして、当面の営業活動の危機は回避されることとなった。

しかし、一九三〇年二月、あたらしい組織がスタートするとすぐから、シカゴ本社の職能別組織と地域別組織との関係をめぐって、組織そのものの紛糾がはじまった。シカゴ本社と地域別組織との間の責任と権限をめぐる対立は、事業を混乱におとしいれかねなかった。これを根本的に解決するためには、地域別組織に強力なスタッフを配して、真に自立できるだけの責任と権限を与えるか、あるいはまったく逆に、すべての権限を本社に集中するか、そのいずれかしかなかった。しかし、前者の方向は経費が当然かさむので、深刻な不況の進行するなかで、一九三二年五月、ウッドは地域別組織の廃止を決定した。ふたたび小売店舗

シアーズ・ローバックの地域別組織図

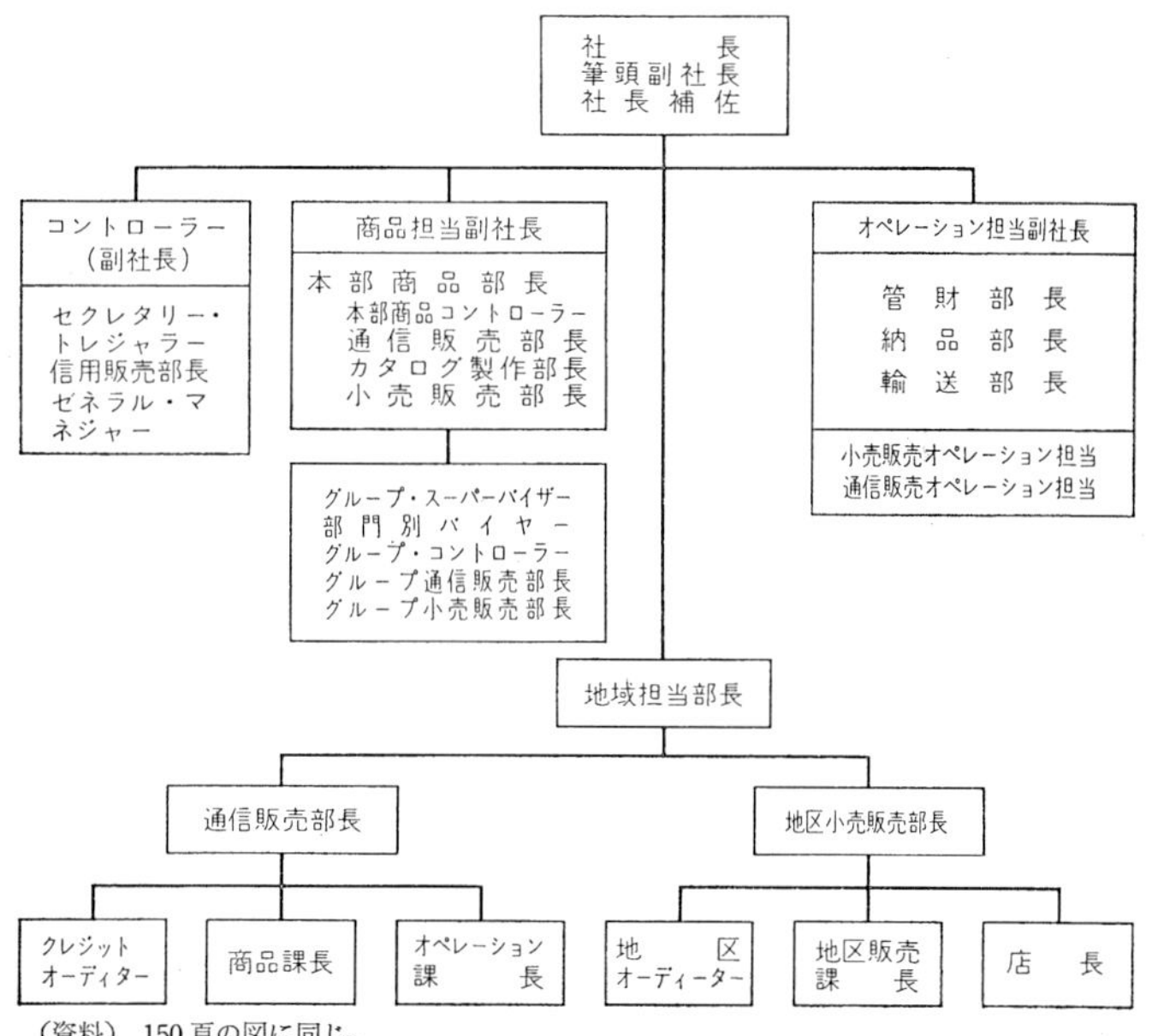

（資料）150頁の図に同じ。

の管理を集権的に集中し、組織の混乱と管理経費の増大を回避しようとしたのである。

地域事業部制へ本格的な準備

この二年余の経験がシアーズに与えた教訓は、もはや一面職能的で、一面地域的な経営組織では管理していけないということを、事実をもって教えたことであった。そして、シアーズはこれから長い試行錯誤の過程を歩みながら、正しい問題解決の道を模索しつづけることになったのである。

ウッドは、一九三七年夏ごろから、現役を退く決心をしていた。そして一九三九年、六〇歳になったウッドは正式に社長を辞任し、ローゼンワルドの後を襲って取締役会長に就任した。社長にはトーマス・カーニー（Thomas J. Carney）が就任した。

トップの異動が決定すると、ウッドとカーニーは、あたらしい執行体制を築きあげる必要から、そのころまでにふたたび自然発生的に拡大しつつあった地域別組織を再編成しようと考えた。一九三九年は第二次大戦が勃発した年であったが、シアーズの売上高は順調に伸びつづけていた。一九三五年から一九三九年までの五年間に、売上高は三億九二〇九万ドルから六億一七四一万ドルへ増大し、小売店舗の数も四二八店舗から五二〇店舗へ増加していた。そしてシアーズは、すでにたんなる通信販売に基礎をおく事業というより、チェーン・ストアに基礎をおく大規模小売企業であった。いまや、シアーズの規模はあまりにも巨大となり、集権的に本社で管理することは、事実上、不可能であった。あたらしい解決方法は、もはや、ながい試行錯誤をかさねたたんなる集権化や分権化ではなく、それは明らかに、地域事業部制の創設以外のものではありえなかった。しかもそれは、一九三〇年の地域別組織とはちがって、営業活動の基本、すなわち売上と利益――目標と成果――にたいする責任とともに、職能遂行に関する包括的権限を与えられるべきものであった。

二〇年の歳月をかけた地域事業部制の完成

こうした方針のもとに、ウッドとカーニーは、今度は慎重に着実に一歩一歩、改造を実行しようとした。そこで、地域的にシカゴ本社からいちばん遠い太平洋岸のロスアンゼルスに地域事業部をまず創設し、このあたらしい組織の成功をまって、他地域におよぼしていこうとした。こうして一九四一年、アーサー・バローズ（Arthur S. Burroughs）が、この地域事業部新設の指導にあたることになった。地域事業部は、その地域内のあらゆるタイプの小売店舗と通信販売施設を直轄し、職能業務を担当するスタッフも擁して、各種の職能業務にも全責任を負うものであった。商品の仕入だけは、シカゴの商品部をへて発注されるが、これは中央集中仕入機構が、創業以来一貫して全シアーズ・ローバックの唯一の商品供給源として、その機能を保持し、大量集中仕入の利益を確実に掌中に収めようとしたからである。しかし、この一点をのぞけば、地域事業部が本社の指揮を仰ぐのは、執行委員会と財務委員会の決定をまつべき経営政策の基本と財務、予算だけであった。

一九四二年、カーニーが死亡し、バローズが社長に就任した。かれは、社長になるとすぐ、太平洋岸地域にならって、南部と東部に、地域事業部を設置した。こうして三つの地域事業部を運営するようになって、シアーズは、はじめてシカゴ本社を本格的に総合本社（general office）として機能させるため、その職務を再編成することとなった。

しかし、この問題はきわめて困難な問題であった。その解決は、一九四六年、バローズの後を襲ったファウラー・マコーネル (Fowler B. McConell) によって完成されることになった。こうして、ウッドとマコーネルは一九四八年一月、ふたたび組織委員会を設置し、三月に報告書の提出をうけた。この報告は、総合本社の任務、とくに地域事業部にたいする本社スタッフの職務を、はじめて明確に規定したものであった。こうして、シアーズの組織改造のための長期にわたる試行錯誤の過程は、一九二九年のフレーザー委員会の設置から数えて約二〇年の歳月の末に——一九三九年の本格的な移行の準備から数えても一〇年の努力の末に——ようやく最後の答を見出したのである。それは基本的に、ゼネラル・モーターズ、デュポン、スタンダード・オイル(ニュージャージー)などと同じ近代的事業部制の確立であった。しかし、シアーズの場合は、これらのメーカーが製品別事業部制への道であったのにたいして、小売商業の特質を反映して、地域別事業部への道を創造的に歩むことであったのである。

一九四八年四月、最後の中西部と南西部に地域事業部が発足し、既存の三つとあわせて、五つの地域事業部によって、シアーズはついに、アメリカ全域をネーション・ワイドにカバーするチェーン・ストア経営組織を確立し、それによって、二極展開の経営戦略を実現するもっとも確実な経営組織を完成することとなったのである。それは、チェーン・ストア経営組織の核心である仕入と販売の分離と統一の組織原則の上に、商品別に部門別管理の方法を組み込んで、営業活動の基本組織を正しく築きあげ、さ

シアーズ・ローバック総合本社組織図

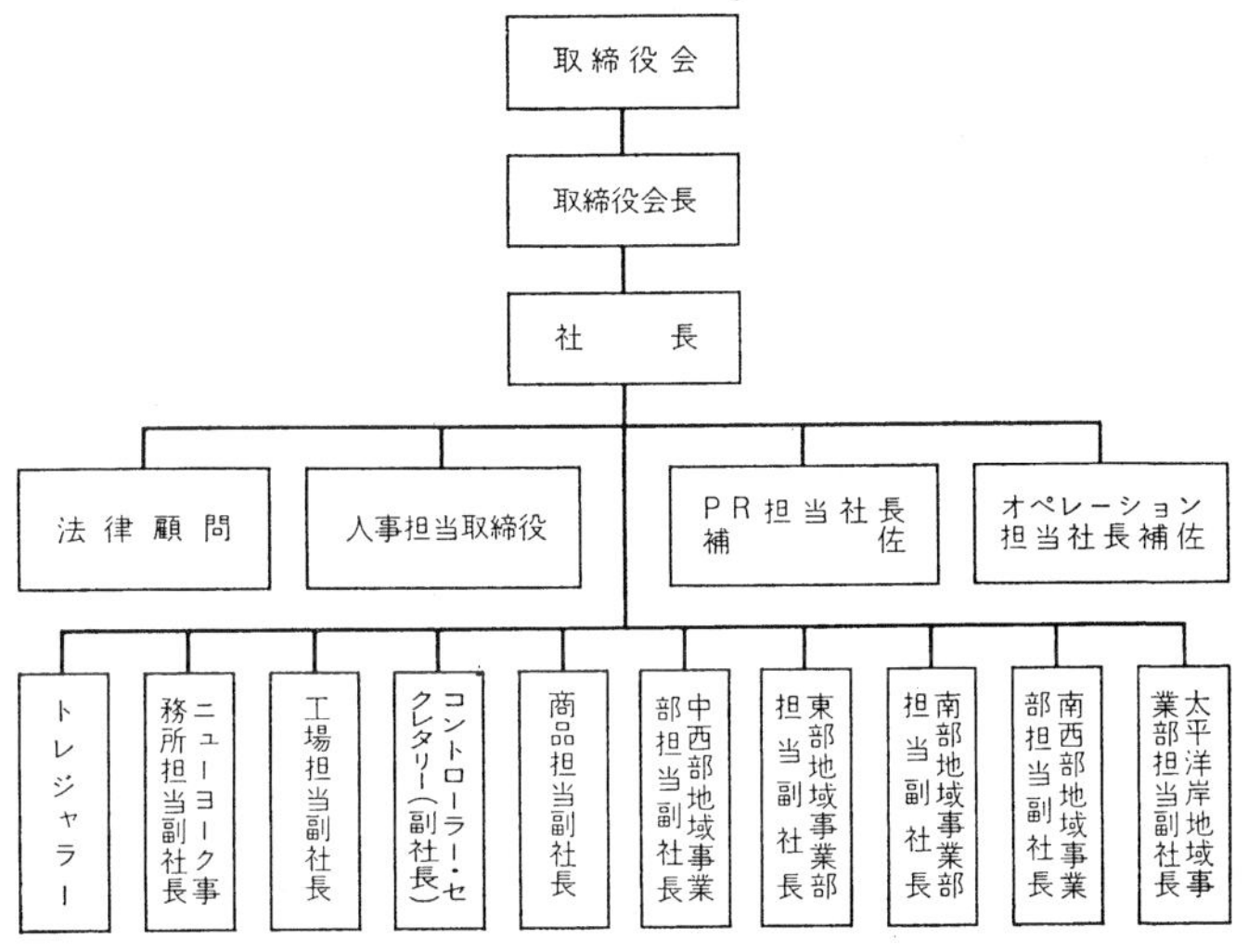

（資料）150頁の図に同じ。

シアーズ・ローバックの地域区分と地域事業部所在地

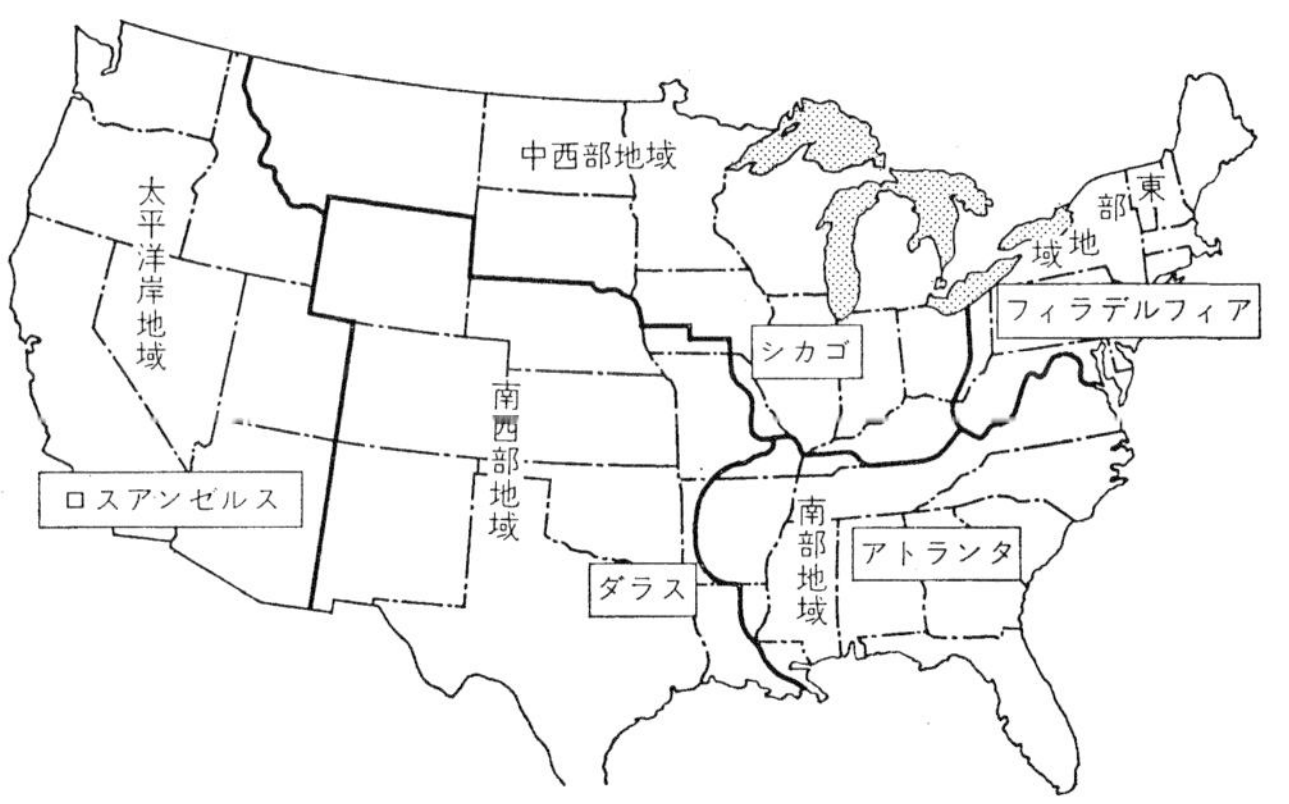

（資料）Sears, Roebuck and Co., *Merchant to the Millions*, 1968.

部組織図——中西部地域事業部——

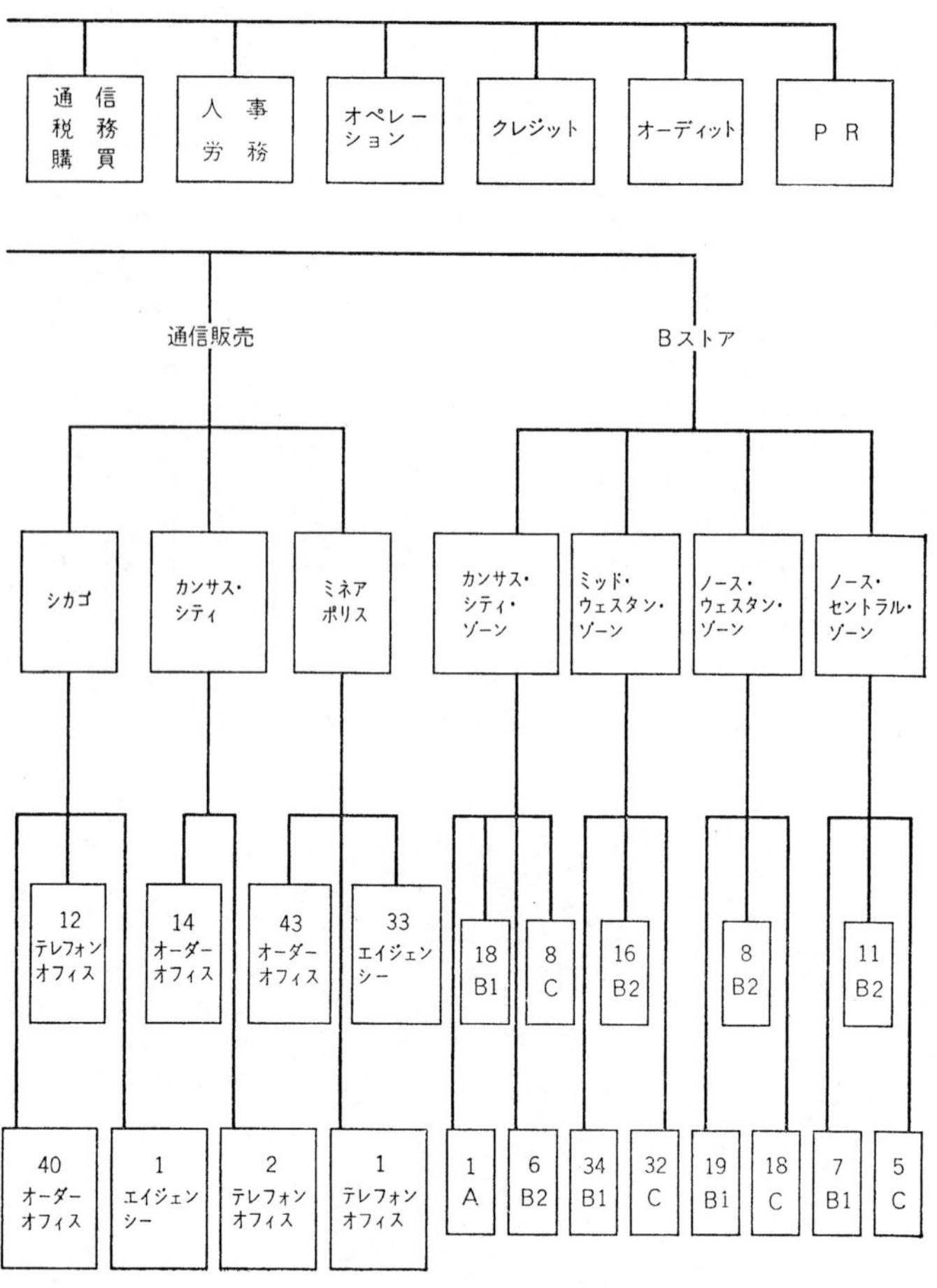

を示す）

シアーズ・ローバック地域事業

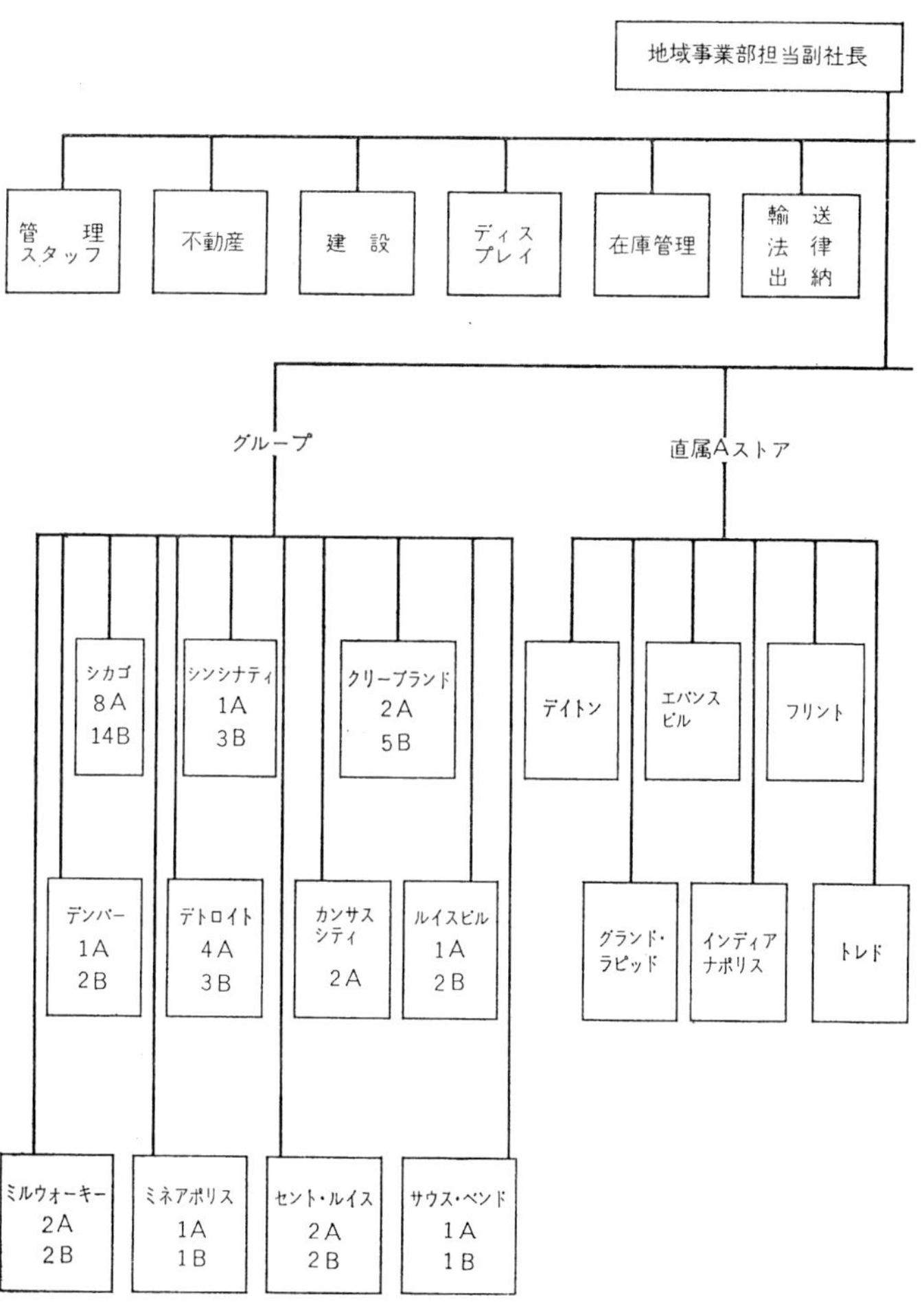

(右半分下段のA，B，B1，B2，Cはそれぞれ小売店舗のクラスを示し，他の数字は店数
(資料) 150頁の図に同じ。

らにそれをナショナル・チェーンとして完成させるために地域事業部制にまで高めた近代的経営管理機構であった。シアーズのチェーン・ストア経営組織は、五つの地域事業部を担当する副社長が社長に直属し、担当地域の営業活動はもとより、ヒト・モノ・カネすべての職能の運営に全責任を負い、同時に総合本社は全社的なシステムと手続に関する助言の機関となった。こうして完成された総合本社の組織と各地域事業部の組織は一五七〜九頁の図の通りである。

この完成された組織は、かつての職能的集権制でも、また過渡的に採用されたことのある地域的分権制でもなく、独立採算の五つの地域事業部を基礎に、職能専門スタッフと本社トップ・マネジメントよりなる総合本社をそなえた近代的な分権的地域事業部制である。

2　ふたつのパラレルな流通システム
——寡占メーカーにたいする対抗力——

◇アメリカ経営学の成果

アメリカでは経営学の立場から、わけてもビッグ・ビジネスの形成のあとをふりかえって、これを見直そうという試みがおこなわれている。たとえば、デール(Earnest Dale)、ドラッカー、チャンドラー(Alfred D. Chandler, Jr.)などの経営学者あるいは経営史学者の業績である。

とくに、チャンドラーは、比較経営史の立場から精緻な分析と論証を展開し、その主著『経営戦略と組織——米国企業の事業部制成立史』(一九六二年)において、ゼネラル・モーターズ、デュポン、スタンダード・オイルおよびシアーズ・ローバックの四社を典型的なビッグ・ビジネスとしてとりあげ、その経営組織の革新を、歴史的に比較分析している。

シアーズは長い試行錯誤の過程をへて、全国的規模におけるチェーン・ストアと通信販売を管理するための近代的地域事業部制を確立し、経営管理の革新を創造的に遂行したのであるが、これと並行して、シアーズの発展を大きくささえた営業活動の革新が推進されていっている。それは、とりわけ商品仕入の方法において革新的であった。

シアーズ独自の商品仕入方式

シアーズ独自の商品仕入の基本方針は、そもそも創業のリチャード・シアーズの時代にさかのぼるものだが、その後ローゼンワルドの品質管理に重点をおく時代をへて、さらに三〇年代以降は、市場でもっとも売れている既存の商品をデザイン、品質、価格の点で大幅に改善して、独自のプライベート・ブランドの商品計画をたて、生産段階へ垂直的統合をすすめて、徹底的な低コスト商品の開発を積極的にはかっていくこととなったのである。もともと、シアーズの二極展開の経営戦略そのものが、モータリゼーションの進展への対応という発想から展開されただけに、たとえば、自動車のタイヤについては、早くから独自のデザインと仕様によって、同じ品質の他製品より二五％は安いタイヤを開発し、著名なグッドイヤーと提携・契約して、その生産をゆだねるという方法がとられていた。しかし、それがグッドイヤーの競争相手のメーカーや小売商を刺激し、三〇年代の半ばに公正取引委員会によって、グッドイヤーが告発されるという事態を招いた。ついで一九三六年、反チェーン・ストア運動の結果誕生することになったロビンソン・パットマン法によって、シアーズにとって有利な価格差別が禁止されることになり、シアーズはタイヤの仕入先をグッドイヤーから中小メーカーに転換せざるをえなくなった。こうして、シアーズの垂直的統合の方針は、基本的に、中小メーカーを組織・指導する方向をとることとなったのである。

たとえば、三〇年代初期の電気冷蔵庫、キッチン・セット、ローラースケートなどのケースが典型的なものといえよう。電気冷蔵庫の場合は、著名な技術者をシアーズがスカウトし、パテントも買ってシアーズ独自の仕様書をつくり、その生産を冷蔵庫とはまったく関係のない機関車のヘッドライトの専門メーカーにさせ、価格も安く性能もよい新製品の開発に成功した。キッチン・セットの場合は、従来の鋳物の材質をエナメル・コーティングのプレス鋼板にかえ、材料コストと輸送コストを大幅に低下させ、低価格販売の条件をつくりあげた。また、ローラースケートの場合は、従来ラジオをつくっていたバッテリー・メーカーに、シアーズの仕様書にもとづいて低コストで生産させ、当時の標準価格を完全に五〇％引き下げることに成功している。これらの例は、まさに三〇年代に開発されたシアーズ独自の商品仕入方式の典型であり、やがてこの方式がシアーズの商品仕入の基礎的方法（basic buying system）として定着していくこととなったのである。

メーカー主導型と小売企業主導型の流通システム

そもそも、中小メーカーは、大量生産をおこなう大規模メーカーに一歩も二歩も譲らなければならない。中小メーカーは、一般に、研究開発や技術開発、広告宣伝や販売促進の面で、大規模メーカーとの競争上、不利な立場にあるからであるとされている。しかし、技術開発や販売促進の能力で、大規模メーカーに一歩も負けない中小メーカーはいくらでもある。むしろ、中小メーカーの生産性が大規模メーカーより低く、生産コストが高くなるもっとも主要な原因は、なによりも市場が不安定なため、製品計画と生産計画をうちたてることができないところにある。

そのため、中小メーカーは製品計画と計画生産を可能ならしめる同盟者を、本来、必要とし、アメリカの場合、チェーン・ストア経営組織を中心とする大規模小売企業が、その同盟者の役割を担うこととなったのである。それはちょうど分散している多数の中小の独立自営商が、大量生産をおこなう大規模メーカーを同盟者として必要とし、これに依存するのとまさに逆の関係であるが、事情はまったく同じことなのである。

そこで、アメリカの場合は、アメリカ経済全体の構造のなかで、それぞれ独自のふたつのパラレルな生産＝流通システム (two parallel system) を発達させることとなったのである。ひとつは、いうまでもなく、大量生産をおこなう大規模メーカーが、独自のメーカー・ブランドで、自社独自の販売ネットワークか、あるいは多数の中小の独立自営商の販売ネットワークを通じて、その製品を販売するという生産＝流通システムである。そして、いまひとつが、大量販売をおこなう大規模小売企業が、独自のさまざまなプライベート・ブランドで、中小メーカーに、その製品計画と生産計画をあたえて商品を生産させ、それを仕入れて販売するという生産＝流通システムである。

このふたつのパラレルなシステムは、いずれも、その製品＝商品の生産はメーカーの製造工場でおこなわれ、最終消費者に対する販売は小売店舗でおこなわれる。その点ではまったくちがいはない。しかし、ひとつは、大量生産をおこなう大規模メーカーが、その製品のデザイン・品質・価格および生産計画を決定する生産＝流通システムである。いまひとつは、この同じ機能を、大量販売をおこなう大規模小売企業が決定する生産＝流通システムである。そしてアメリカの流通機構全体の構造は、基本的に、このふたつのパラレルな生産＝流通システムによって構成され、それぞれが相互に競争し、対抗しつつ、共存しているのである。

◇流通機構の四つのシステム

国民経済的な規模において、流通機構全体の構造は、原理的には、この大規模メーカー主導型と大規模小売企業主導型のシステムのほかに、卸商主導型と消費者協同組合主導型のシステムが考えられる。それは、生産―流通―消費を担当する主体が、基本的には、メーカー――卸商―小売商―消費者の四つの要素によって構成されていることに対応する当然の帰結である。そして、この四つの類型はそれぞれが複雑にからみあいながら、きわめて多元的に、流通機構全体の構造を築きあげるのである。

しかし、この四つの類型のうち、とりわけ主流の役割を果たすものは、なによりも大規模メーカー主導型と大規模小売企業主導型のふたつのシステムであるので、われわれは問題の所在を明らかにするため、このふたつについてとくに焦点をしぼって論じようとしていることに注意されたい。

対抗力としての大規模小売企業

ガルブレイスは『アメリカ資本主義』（一九五二年）で、経済を動かすメカニズムとして競争の問題をとりあげ、そこで対抗力＝カウンターベイリング・パワー（countervailing power）というあたらしい概念を提示した。この概念の意味は、市場において、たとえば売手の側が寡占の状態にあって強い市場支配力を確立している場合には、それに対抗する力が買手の側にも出現するということであり、この力を対抗力と名づけたのである。その実例として、かれは労働力市場において、鉄鋼や自動車などの産業の場合のように、寡占メーカーが強力な買手として登場してくる場合には、これにたいして、これまた強力な労働組合が対抗力として成立していることをあげ、また消費財市場においては、売手側の寡占企業にたいして、大規模小売企業が対抗力として成立していることを例示している。

つまり、対抗力は、寡占メーカーが市場支配力を確立したときにのみ、その反対の側に生まれるのであって、市場支配力のないときには、そもそも成立しないのである。したがって、小売商業における対抗力は、メーカーが高い市場集中と製品差別にもとづく寡占を形成し、削りとられてもさしつかえないような高いマージンの幅を確保しているとき、これに対抗して、はじめて発揮されるのである。問題のポイントは強い売手が成立したときに、弱い買手が対抗力に転ずるということであり、その対抗力はチェーン・ストア経営組織を武器として発揮されるのである。

チェーン・ストア経営組織は、大規模小売企業を築きあげることによって、自己の販売力がメーカーのミニマム・ロットをこえたときには、中小メーカーを組織して、みずからが中心となって、商品のデザイン・品質・価格および生産計画を決定するひとつの生産＝流通のシステムをつくりあげることができる。そして、それによって低コストの商品を調達し、持続的に低価格販売と大量販売を可能ならしめるもっとも基礎的な方法を築きあげるのである。またそれによって、他方の大規模な寡占メーカーが中心となって製品のデザイン・品質・価格および生産計画を決定するいまひとつの生産＝流通のシステムに対抗し、システムとしての対抗力を発揮して、すでに述べたようなパラレルな流通システムをつくりあげることができるのである。

小売商業におけるバイヤーの重要性

ガルブレイスも、その間の事情にふれ、チェーン・ストア経営組織を中心とする大規模小売企業が対抗力を発揮している興味深いひとつの具体的な例として、シアーズのケースをあげ、こういっている。

「大規模小売企業が、対抗力を展開させることをいかに重要視しているかは、かれらがそのバイヤーを高く評価していることからも明らかである。バイヤーは、近代的な大規模小売企業組織のなかで文字通りカギであり、かれらは高い給与を支払われ、そのビジネスにおけるもっとも知識のある人的資源である。日常の仕事の上で、その力量や才能において、かれらはその相手であるメーカーのセールスマンよりも、一般的にいっそうすぐれている。」

チェーン・ストア経営組織を中心とする大規模小売企業の最大の資源のひとつは、いうまでもなく、このバイヤーという人材である。そして、大規模小売企業として成功している企業は、その発達の初期から、バイヤーの重要性を認識して、バイヤーにたいして、たんに小売商業段階で必要とされるいわゆる商品知識や仕入方法の知識だけではなく、生産段階の知識、わけてもその商品の生産方法と生産コストの知識を完全に身につけるようにしているのである。そしてたえず生産コストの引下げの可能性を限界まで追求させることによって、低コストの商品をみずから開発し、これを仕入れて販売するという革新的な商品調達(＝仕入)の方法を実現したのである。

そして、このような商品調達方法の革新は、これまで低価格販売と大量販売を実現するには、低マージン・高回転を徹底的に追究する以外には方法のなかった小売商業活動を、はじめて高マージン・高回転で、しかも低価格販売と大量販売を持続的に追究することを可能ならしめたのである。そこに存在する低マージンと高マージンのちがいの秘密は、まさに、この商品コストのちがいにある。つまり、これまでの小売商業の営業活動は高コストの商品調達の方法であったのにたいし、革新的な近代小売産業の営業活動は低コストの商品調達の方法に基礎をおくことができるようになったのである。

シアーズによる流通産業の確立

シアーズ・ローバックが、近代小売商業界の〈アカデミー〉といわれ、また〈教科書〉といわれるのも、それはたんにその販売の規模が巨大であるというだけではない。商品の選択、仕入、販売からアフター・サービスまで、およそ小売商業の本来の機能をすべて完全に果たした上で、さらに一歩をすすめて、生産段階にまでふみこみ、メーカーに商品計画と生産計画をあたえることによって、消費財の生産と流通の分野でひとつの中心的な勢力となり、完全な商品試験室の検査をへたよりよい品質の商品を、低コストでみずから調達し、低価格販売と大量販売を持続的におこなえるだけの低コスト経営の基礎的条件をそなえたところにあるのである。

現在、シアーズが直接株式支配をしているメーカーは六〇社ある。そのなかには、テレビ・セット・メーカーで、製品の大部分をシアーズに納品しているワーウィック・エレクトロニクス、電気洗濯機その他のメーカーであるワールプール、自動車バッテリーのメーカーであるグローブ・ユニオン、ガス調理器メーカーであるユニバーサル・ランダル等々がある。

そして、シアーズはこうした直接的方法でメーカーを支配しているだけでなく、間接的方法で二万におよぶメーカーを組織しているのである。

いずれにせよシアーズは、こうして近代的地域事業部制の確立によって実現された大量販売力をバックに、垂直的統合を推進し、直接的な方法によって全取扱商品の三〇%が調達され、間接的な方法までふくめれば全取扱商品の八〇%までが調達され、シアーズのプライベート・ブランドで販売されている。この意味でシアーズは、もはや大規模な小売企業というより、はるかに大規模なメーカーなのである。

前章で述べたように、食料品の分野において、食料品スーパーマーケットというかたちで近代小売産業＝流通産業を確立した近代小売商業は、いまひとつ、食料品を除く総合商品の分野において、一九三〇年代から四〇年代にかけて、シアーズを中軸として、近代小売産業＝流通産業を確立させたのである。

つまり、チェーン・ストアは、近代的で合理的な、経営的で産業的な大規模小売企業を築きあげることによって、およそ一般的に、小売商業を近代小売産業＝流通産業たらしめる基礎的条件を整えることを可能としたのであったが、それは、こうした条件を基礎として、ひとつは食料品スーパーマーケットというかたちで、いまひとつはハード・グッズを中心とする総合商品の分野において、シアーズ・ローバックを中軸として、それぞれ具体的に、近代小売産業＝流通産業を確立させたのである。換言すれば、近代小売商業は、チェーン・ストア経営を基礎として、ひとつには仕入と販売の分離と統一を実現し、それを近代的地域事業部制の確立にまで高め、いまひとつには商品部門別管理から品目別管理を実現し、それを垂直的統合にまで高めるという小売商業におけるすぐれて革新的な方法を創造することによって、生産力と購買力の恒常的不一致が顕在化した資本主義経済のこの段階にみごとに対応して、みずからを具体的に近代小売産業＝流通産業として確立したといってよいだろう。

◇流通システムの理解の仕方

▼わが国におけるいわゆる〈流通革命論〉が、店舗の大型化を近代化と考え、また流通経路の短縮を合理化と考えたことは、すでに述べた通りであるが、それにはそれなりの理由があった。

すなわち、〈流通革命論〉は、一方で技術革新によって大量生産がおこなわれるようになり、他方で所得革命によって大衆による大量消費が実現されるにいたったので、この大量生産と大量消費の両極を結ぶ大量流通＝大量販売が必要であると考え、この大量生産と大量消費に適応した生産＝流通のシステムを築きあげることこそが、流通機構の近代化・合理化の道であると考えたからである。

▼この考えはもちろんまちがいではない。それだからこそ、このものの考え方は、いまさらあらためて指摘する必要もないほど、ひとつの抜きがたい社会的通念とさえなったのである。これまでの〈流

通革命論〉は、すべてこの通念・常識を基礎として、展開されてきたといってもよい。

▼しかし、この考えはまちがってはいないが、もし大量生産―大量流通―大量消費という関連を図式的に理解して、大量生産と大量消費に適応した生産＝流通のシステムがただひとつだけ成立すると想定して、一元的な生産＝流通のシステムの実現を流通機構の近代化・合理化にほかならないと、単純に考えてしまうと、それは一面的な理解にとどまり、まちがった結論を導きだす危険がある。そして、わが国における〈流通革命論〉は、まさに、この一面的な理解におちいり、そこから「店舗の大型化」と「流通経路の短縮」こそが流通革命の中心であるという単純なまちがった答を導きだしてしまったのである。

つまり、多元的な生産＝流通のシステムという考え方を正しく理解しないで、ただひとつの生産＝流通のシステムをきわめて一面的に想定して、大量生産をおこなう大規模メーカーと大量販売をおこなう大規模小売企業の直結あるいは相互依存の関係の上に成立するただひとつの生産＝流通のシステムを構想してしまっているのである。

▼しかし、大規模メーカーと大規模小売企業の正しい関係は、双方寡占の成立、その相互依存の関係ではなく、ガルブレイスが鋭く指摘したように、基本的には、対抗関係として把握されるべきであり、生産＝流通のシステムは、一元的なシステムとしてではなく、まさに、パラレルな多元的なシステムとして把握されなければならない。そうでなければ、いわゆる〈流通革命論〉は、意識するとしないとにかかわらず、大規模メーカーの市場支配力の強化を援護することにはなっても、真の流通革命を知らない論議となってしまうのである。

▼わが国の流通問題をめぐる論議のなかに、生産中心、メーカー中心のものの考え方が、たえず底流として強く流れているのは、いうまでもなく、わが国経済全体を一貫してつらぬいてきた生産第一主義の反映であるが、それと同時に、大量生産―大量流通―大量消費の関連を、きわめて抽象的、図式的、一元的に理解するものの考え方にも由来することを、銘記しなければならない。

第7章

あたらしい需要の創造

▨ マーケティングとマーチャンダイジング

一九二九年の世界大恐慌、ひきつづく三〇年代の慢性的不況期を転換期とする市場の内包的開拓の段階に登場してきた販路拡大の方法は、基本的に、ふたつの販売方法しかなかった。ひとつは、いうまでもなく、価格の劇的な引下げ、つまり低価格販売をいっそう徹底して市場の開拓をはかる方法であり、その方法が小売商業に革新的なかたちで適用されたのが、食料品スーパーマーケットであった。そして、この低価格政策による販売方法とならんで、いまひとつ発達したのが、賦払い信用、つまりクレジット政策による販売方法であった。

しかし、生産にたいして需要が追いつきかねるという資本主義経済に固有の困難は、低価格販売＝値下げによって大量に販売するという方法や、また現在の生産を現在の所得で購買させることができないため、将来の所得を現在に繰りあげて購買にあてさせるという方法だけでは、根本的に克服できるものではない。

そこで、問題解決のために、別のあたらしい方法が必要となった。こうして、あたらしい〈需要の創造〉の方法として登場してきたのが、じつに、現代マーケティングの諸手法にほかならない。

低価格販売とクレジット販売の限界

一九二九年の世界大恐慌を転換期とする市場の内包的開拓の段階において、食料品スーパーマーケットの劇的低価格政策による販売方法が、販路拡大の革新的な方法として登場し、それはやがてアメリカの産業構造と生活構造のなかに完全に同化され、制度化されていった。

しかし、生産力と購買力の恒常的な不一致傾向、つまり「生産力」の急ピッチな発展にたいして、

「販路」がこれに追いつきかねるという資本主義経済に固有の困難は、低価格販売＝値下げによって大量に販売するという方法だけでは、根本的に克服できるものではない。そこで、いまひとつの方法として展開されたのが賦払い信用によるクレジット販売であった。

すなわち、資本主義経済のこの発展段階においては、現在の生産を現在の所得で買わせることができないために、あらたに登場した賦払い信用によるクレジット販売は、将来の所得を現在に繰りあげさせて使わせる方法をあたらしい販売方法として発展させた。そして資本主義経済は、その固有の矛盾の解決を暴力的にではなく、なしくずし的に中和させる機能を果たすこのあたらしい販売方法を、食料品スーパーマーケットの場合と同じように、たんに一時的な販売方法に終わらせずに、これを恒久的な制度と化していったのである。

クレジット販売の発達は、可処分所得に対する消費者信用残高の比率をもってはかることができるが、それによるとアメリカの場合、一九四〇年の五・二％から、一九五〇年には八・五％、そして一九六〇年には一三・五％へ、つまり可処分所得の約一四％＝七分の一弱を占めるまでに急速に発達した。このことは、平均的アメリカ人は一週七日のうち一日は、過去に購買してすでに消費してしまった商品の支払いにあてる所得を稼ぎだすためにはたらいているということを意味し、それはまた、クレジット販売なしには、アメリカのビジネスはなりたたなくなってきていることを意味している。このようにして、クレジット販売という方法も、いわゆる〈アメリカ的生活様式〉と〈アメリカ的ビジネス様式〉そのもののなかに、完全に同化され、制度化されてしまったといってもよいのである。

しかし、賦払い信用によるクレジット販売の発達は、「生産力」の急ピッチな発達にたいして、「販路」がこれに追いつきかねるという資本主義経済に固有の困難を、根本的に解決する方法でありうるだろうか。いうまでもなく、そうではない。

それは要するに、現在の生産を現在の所得で買わせることができないため、将来の所得を現在に繰りあげて買わせるだけのことである。したがって、賦払い信用によるクレジット販売が発達すればするだけ、むしろ、資本主義経済における生産力と販路との乖離はいっそう激化する。

そこで、問題解決のために、あたらしい別の方法が登場せざるをえなくなった。こうして、あたらしい需要の創造（demand creation）の方法として登場してきたのが、現代マーケティングの諸手法にほかならない。

では、マーケティングとは何か。それは現代小売商業にいかなる関連をもつのであろうか。

従来のマーケティング論

マーケティングの本質は何かという問題になると、現代マーケティング論の多くは、製品計画、市場調査、販売促進、広告宣伝、販売経路等々、案外個々ばらばらな現象を追うにとどまって、その統一的な説明がなされるにいたっていない。それは企業経営のあらゆる分野、あらゆる機能が、マーケティングの観点から、つまり、市場ないし販路を見出すことができるかどうかという観点から、要するに、売れるか売れないかという立場から見直されなければならないという程度の論議にとどまっている。わが国がそうであるだけでなく、マーケティングの〈祖国〉ともいうべきアメリカでも、事態はそう変わっていない。

マーケティングに関する従来の研究は、一方では、技術の進歩によって大量生産がおこなわれるようになり、他方では、所得革命によって大衆による大量消費が実現されるにいたったので、その両者をつなぐ大量流通＝大量販売が必要になるという程度の図式的な理解にとどまっている（わが国のいわゆる〈流通革命論〉も、まさに、このようなものの考え方の上に組み立てられているといってよい）。

また一部の研究では、マーケティングを国家独占資本主義の段階におけるビッグ・ビジネス（独占または寡占企業）の市場拡大の努力として説明している。すなわち、独占の発達によって価格が独占的に決められるようになり、価格のメカニズムが期待された機能を発揮しなくなる。そこで、企業は商品の販路を、その価格の引下げによってではなく、市場の直接的拡大をはかることによって拡大せざるをえなくなる。しかも、この段階における資本主義経済は、国家あるいは政府の介入によって、ある程度計画化されるようになったため、そのなかにある企業自身も、ある程度計画的に、市場拡大の努力を効果的に遂行することができる。マーケティングとは、このような国家独占資本主義のもとにおけるビッグ・ビジネスがおこなうようになった経営全体の計画的な市場拡大の努力であるというのである。この説明も、きわめて公式的な説明にとどまっている。

1 有効需要の理論

生産力と購買力の不一致はなぜおこるか

そこで、現代マーケティングとは何か、それは現代小売商業の問題にいかにかかわるのか。現代における流通問題を考える場合に避けて通ることのできないこの重要な問題に答える前に、そのための準備として、これまでわれわれが簡単に資本主義経済に固有の矛盾を、生産に対して需要が追いつきかねる、あるいは生産力の購買力にたいする恒常的な不一致傾向といってきたことを、いっそう掘り下げて、一体なぜ、いかなる生産について、いかなる需要が追いつくことができないのかということを考えてみなければならない。

つまり、資本主義経済が発展すると、なぜ、生産にたいして需要が追いつくことができないようになるのか。なぜ、生産力の販路にたいする超過傾向が恒常的となり、いなむしろ、その超過傾向がますます拡大再生産され、矛盾が激化し、終わりなき悪循環が運命づけられるのか。それは資本主義経済のいかなる局面に集中的にあらわれるのか。

この問題にたいして、代表的な解答をだした現代の経済学者は、いうまでもなくケインズ (John Maynard Keynes) である。つまり、一九二九年にはじまった世界大恐慌は、生産力の購買力にたいする超過傾向が破局的性質を帯び、従来までの恐慌とちがって、好景気への自動的な転換の能力をまったく欠くにいたった。その結果、大恐慌の克服は経済の自動的運動によっては不可能となり、ここに国家の大規模な介入の必要が生じた。このような大恐慌を緩和し、さらにはこれを克服するために、かれは、国家あるいは政府が果たすべきあたらしい役割について、最初に明確な理論化をおこなったのである。

ケインズは、その『繁栄への道』(一九三三年)から『雇用・利子および貨幣の一般理論』(一九三六年)にいたる一連の著作によって、旧来の自由放任主義、つまり政府の経済への不介入による資本主義の運営と、それを理論的に基礎づけた古典派経済学を根本的に批判し、慢性的不況と構造的失業を克服するためには、政府による人為的な有効需要の喚起と創造の政策が、必要であると主張したのである(いわゆる「ケインズ革命」)。

ケインズによれば、伝統的な経済学の根本的な欠陥は、失業を摩擦的・一時的なものか、あるいは自発的なもの(つまり労働者自身がその賃金水準に不満で就労を自発的に拒否するもの)以外には考えない点にあった。すなわち、摩擦的・一時的でない失業が存在するとすれば、それは労働者が賃銀の切下げに応じないためであると、古典派経済学は理解したのである。しかし現実には、世界大恐慌につづく三〇年代の慢性的不況期の資本主義経済においては、どのような賃銀ででも就労したいと願っているきわめて多数(三人に一人)の労働者が、失業を余儀なくされていた。このような現実を直視したケインズは、雇用量を決定するのは生産規模＝産出高であり、その産出高は、結局、有効需要の水

J. M. ケインズ

準に依存するとし、有効需要が不足している状況においては完全雇用は実現されないと考えた。したがって完全雇用を実現するためには、政府による人為的な有効需要の創造が必要であると考えたのである。

そこで、われわれは、このケインズの「有効需要の理論」をひとつの手がかりとして、資本主義経済が発展すると、なぜ、生産力の購買力に対する不一致傾向が恒常的になるのか、なぜ、生産力にたいして販路が追いつきかねるという事態がおこるのか。そのような事態が展開される真の原因と局面を探ってみよう。

セイの販路理論の批判と再批判

ケインズの有効需要の理論は、いうまでもなく、古典派のセイ (Jean Baptiste Say) の『販路の法則』(一八〇三年) を批判することからはじめられる。

古典派経済学によれば、生産は、一方においては、生産されただけの生産物をつくりだし、他方においては、生産に従事したものに生産しただけの所得を貨幣形態で与える。したがって、この所得は、生産物の全部を買いとるのにちょうど十分であって、多すぎもしなければ、少なすぎもしない。そこでは一時的な不一致がおこったとしても、結局は、必ず均衡が自動的に回復する。

この「セイの販路理論」にたいする批判は、つぎのようにおこなわれた。生産物を買いとるのは、けっして所得の全部ではない。その一部分にすぎない。所得は、消費にあてられる部分と貯蓄にあてられる部分とのふたつにわかれる。生産物を需要し、これを買いとるのは、この消費にあてられる部分にすぎない。ところが、消費にあてられる所得部分は、経済が発達して所得水準が高くなればなるほど、絶対量としてはもちろん増大するが、相対的にはしだいに小さくなっていく。しかも、この傾向は持続的である。その結果、生産物を買いとるための購買力は、恒常的に不足せざるをえない。生産力と販路の不一致は、このようにして生じるというのであった。

この批判は、消費需要の恒常的不足の原因をあきらかにした点において、それなりに鋭いものをもっている。

しかし所得のうち、消費にあてられる部分が買いとるのは、生産物の全部ではなく、その一部分にしかすぎない。生産物そのものも、ちょうど所得がふたつにわかれるように、消費財と生産財（生産された生産手段）のふたつにわかれる。ところで、消費にあてられる所得部分は、これらふたつの生産物のうちの消費財を需要し、消費財を買いとるにすぎない。したがって、消費にあてられる所得部分が、相対的に小さくなっていっても、消費財の生産も、相対的に小さくなっていくならば、そのかぎりにおいては、不一致は生じないはずである。そして事実、経済の発展は必ず迂回生産の発展となるから、消費財の生産よりは生産財の生産の方が、より急ピッチに発展し、消費財の生産は相対的に小さくなっていく傾向をもっているのである。

他方、所得のなかで貯蓄にあてられる部分は、ただ貨幣形態のまま貯めておかれるのではない。それは、もとより複雑な過程をへるわけだが、究極において投資される。そして、この投資を通じて、生産財を需要し、生産財を買いとる。したがって、迂回生産の発展によって、生産財の生産が急ピッチに発展しても、貯蓄にあてられる所得部分が、相対的に大きくなるから、そこでも不一致は生じないことになる。

相対的に小さくなる消費と相対的に小さくなる消費財生産が均衡し、相対的に大きくなる貯蓄と相対的に大きくなる生産財の生産とが均衡して、経済は全体として、一時的な不一致がおこったとしても、結局は必ず均衡を自動的に回復しつつ発展していくことができる。

ケインズ革命の意義

しかしながら、ケインズが鋭い分析のメスをいれたのは、ほかならぬ、この貯蓄と投資の関係であった。

貯蓄は所得が大きくなれば大きくなるだけ、より急ピッチで大きくなる。しかしながら、投資は資本主義が発展すればするだけ、不振におちいる傾向をもっている。つまり、一方においては、所得が大きくなればなるほど、「消費性向」が低下し、逆に「貯蓄性向」が増大する。他方においては、資本蓄積がすすめばすすむほど、投資誘因が低下し、増大する貯蓄を十分に吸収しうるだけの投資がおこなわれなくなる。なぜなら、投資は、資本を手にいれるために支払われる利子率よりも、その資本によってえられる期待利潤（資本の限界効率）の方が、大きいと予想されるかぎりにおいてなされるのだが、利子率は資本の所有者が投資にともなう危険をおそれて貨幣形態のまま資産保有を選択する度合、つまり「流動性選好」によって決定されるので、政策的手段によって、貨幣の数量が変えられないかぎり、ほぼ一定の高さをとるのにたいして、資本の限界効率は、資本の蓄積がすすみ、資本の過剰蓄積がすすめばすすむほど低下せざるをえないからである。

こうして、ケインズによれば、資本主義経済が発達すればするだけ、一方では、消費にあてられる部分が相対的に小さくなり、したがって消費需要が減退し、他方では、貯蓄にあてられる部分は相対的に大きくなっても投資誘因が低下し、したがって投資需要もまた減退せざるをえない。消費需要と投資需要をあわせた有効需要の総量は、こうして結局、消費財と生産財との両方を買いとるには恒常的に不足し、生産力の購買力にたいする超過傾向は持続するというのである。

以上のようなケインズの理論は、一九三〇年代の慢性的不況を説明するには、現実の実態によく合致した理論であった。この分析からケインズがひきだした実践的な結論は、失業を解消するためには、長期的には分配面の不平等を是正し、短期的には投資を人為的に増加させることであった。そして投資を促進するためには、中央銀行の金融政策により利子率を低下させ、私的企業の投資が沈滞しているときには、国家が公共投資をおこなうことが必要である。そして、消費の不足を短期的にも補う必要があるときには、国家自身が、その消費をふやすことも必要であるということであった。

しかし、中央銀行が十分な貨幣を供給して利子率を引き下げるためには、中央銀行による通貨の供給量がその保有する金の量によって制約される旧来の金本位制度を廃止して、「管理通貨」制度に移行しなければならない。また、国家が必要な投資や消費をおこなえるようにするためには、赤字予算を組んで、租税などにもとづく通常収入で不足する部分を、公債によってまかなう必要があると主張した。

要するに、ケインズ主義あるいはケインズ革命の本質は、クライン（Lawrence R. Klein）がいったように「完全雇用を維持できるよう資本主義を修正することにほかならなかった」のである。

現代資本主義とケインズ主義

ケインズの恩師マーシャル（Alfred Marshall）は『経済学原理』（初版一八九〇年、八版一九二〇年）において、窮極のところ、資本家階級と労働者階級の利害は、長期的には調和し、価格のメカニズムの有効性には大きな信頼をかけることができ、産業の計画化や国有化は、混乱を深めることにしかならないと強調していた。

しかし、一九二九年の世界大恐慌、ひきつづく三〇年代の慢性的不況は、こうした資本主義経済のメカニズムへの期待を完全にうちくだいたのである。新古典派の経済学者たちが、資本主義のもとでは非自発的な失業者はありえないと説いているときに、現実には、何百万もの人々が非自発的に失業させられて、その家族とともに街頭に放りだされていた。そして市場経済のメカニズムにたいする経済学者たちの期待や信頼に反して、一方では、売れなくなった小麦やコーヒーや豚が、火に焼かれたり、海に棄てられたり、大地に埋められたりし、他方では、収入のなくなった人々が、その子供たちとともに空腹をかかえ、飢えに泣いていたのである。

ケインズは、新古典派批判の主著を『雇用・利子および貨幣の一般理論』という標題で飾った。かれは、この理論こそが一般理論なのだと主張したのである。なぜなら、新古典派の経済理論が、資本主義経済は、つねに失業のなくなる点、すなわち完全雇用の達成される点まで経済活動を拡大するものと考え、したがって、経済の均衡は、つねに、完全雇用に一致すると考えていたのにたいし、ケインズは、むしろ、そのような一致がおこるのはきわめて特殊なケースであり、そのようなケースしかあつかわない新古典派の理論は特殊理論だと考えたからである。

ケインズは、資本主義経済のもとでは、完全雇用が達成されるはるか前に、すなわち非自発的な失業が存在している状態のままで均衡してしまうというのが、むしろ、一般的であると考え、そのメカニズムをあきらかにした経済理論を「一般理論」とよんだのであった。

こう考えるならば、ケインズの理論があきらかにしたことは、おどろくほど現実の実態を根本から把握したものであることがよく理解できる。資本主義経済をいかにしてつくりかえるかという現実主義的な立場に立っていたことが、ケインズ主義にゆたかな生命力をあたえ、その後のあたらしい経済政策の骨格を築きあげていくのに、あずかって力があったといってよいだろう。

現代のケンブリッジの代表的な経済学者ロビンソン(Joan V. Robinson)は「ケインズの恩師であったマーシャルは資本主義を擁護するためにそれを研究し、マルクスはそれを転覆するために研究し、ケインズはそれが自滅するのを防ぐために研究した」といっているが、まことにその通りで、ケインズは一九三〇年代の慢性的不況期の資本主義経済の現実を直視し、それによる幻滅を知り、その上で、なお資本主義を自滅から防ぐにはどうしたらよいかを明らかにしようとしたのである。

こうして、一九三〇年代に萌芽的なかたちで生まれてきた資本主義経済のあたらしい構造は、戦後一九五〇年代後半以降になって、ようやく、あたらしい経済構造の基本的な体系として確立し、定着していったのである。そして、この戦後に定着した資本主義経済の改良の総体は、ふつうケインズ主義的改良とよばれている。しかし、このようなよび方も、ケインズ主義の果たした大きな役割を考えるならば、けっして不当なものではない。現代資本主義経済を特徴づけている諸要因のなかで、とくにその根幹となっているいくつかの部分は、ケインズ理論のなかに、正当な根拠をもっているものだからである。

2 現代マーケティングの核心
——耐久消費財の計画的陳腐化——

過少需要か過剰生産か

しかしながら、ケインズ理論そのものは、もはや戦後の現代資本主義経済のように、一方では、技術革新の進展によって投資の機会が多くなり、他方では、所得革命の実現によって大衆の所得が大きくふえ、したがって、投資需要も消費需要も旺盛なところでは、生産と需要の間に乖離がおこり、生産力と購買力の間に恒常的な不一致傾向がおこることの説明には、もはや、そのままのかたちでは役に立たない。そもそも、ケインズの理論は、一種の過少消費説、正確には過少需要説である。慢性的不況の原因を、有効需要の慢性的不足によって説明するものである。

しかし果たして、現代資本主義経済には、過少需要のおそれがあるだけであって、過剰生産のおそれはないのであろうか。過少需要と過剰生産とがまったく範疇を異にする経済現象であることは、経済学の常識であるが、成熟した現代資本主義経済を根底からおびやかすものは、有効需要の不足＝過少需要だけであって、過剰生産ではないのだろうか。

さて、このように考えてくると、ケインズの有効需要の理論が、主として、所得あるいは需要の側の分析に鋭いメスをいれたものであるので、逆に、われわれは、生産物の側、つまり生産財と消費財の生産の側の分析をおこなってみなければならない。

生産物は、消費財と生産財（生産された生産手段――ケインズは投資財とよんでいる）とにわかれるが、ひとくちに消費財、生産財といっても、それぞれ、はっきりと性質のちがうふたつの財がある。消費財にあっては、耐久消費財と非耐久消費財のふたつ、生産財にあっては資本財と原料財（普通は生産財といわれる）のふたつである。

耐久消費財と資本財は、ひとしく耐久性・持続性をもつが、非耐久消費財と原料財は、それぞれ消費または生産に用いられるたびに、なくなってしまう。前二者は耐久財、後二者は非耐久財である。

四つの財の生産発展速度のちがい

生産物をこのように把握すると、資本主義経済における生産力の発展は、けっして均等におこなわれるのではなく、それぞれの財の性質によって、発展の速度に一定のちがいがあることに気づく。それは、耐久消費財の発展の速度がいちばん速く、資本財がこれにつづき、原料財はそれよりおくれ、非耐久消費財がもっともおそいというちがいである。

その理由は、まず、非耐久消費財の主要なものは、いうまでもなく食料品であるが、食料品については、周知のようにエンゲルの法則がはたらくので、所得のうち食料品に振りむけられる部分は、質的には向上するとしても、量的にはもっともゆるやかな伸び方になる。したがって、非耐久消費財の発展の速度はいちばんおそくなる。そして所得の残りは、一部はもちろん貯蓄されるが、主として耐久消費財の購買にむけられることになるのであるから、耐久消費財の発展は、いちばんおそい非耐久消費財の発展をカバーして、もっとも速くならなければならない。

他方、資本財の生産は、経済の発展が迂回生産の発展をともなうから、必然的に、消費財一般の発展の速度より速くなる。原料財の生産は、この資本財と消費財の両者の原料を供給するものであるから、必ず、その中間の平均に落ち着くことになる。

このように生産力は、必ず、耐久消費財、資本財、原料財、非耐久消費財という順序で不均等に発達する。生産物は、それぞれの財の性質によって発展の速度にはっきりとしたちがいがあるからである。

二つの耐久財における過剰生産の必然性

このようにみてくると、現代資本主義経済における矛盾と困難は、生産のどの局面に集中的に現われるのかということが、はっきりしてくる。ひとくちに生産力の急ピッチな発展といっても、生産物の間に発展の速度のちがいがあるので、生産と需要との間には基本的にふたつの乖離がおこる。すなわち、ふたつの耐久財、つまり耐久消費財と資本財は、資本主義経済全体の要請によって、非耐久財つまり非耐久消費財と原料財より急ピッチで発展しなければならない。ところが、生産されたふたつの耐久財は耐久性をもっている。どんどんつくられるものが、かえって持続性をもっている。その結果、ふたつの耐久財について、とりわけ過剰生産のおそれがおこるのである。

ふたつの耐久財の過剰生産のおそれのうち、資本財の方については、比較的その矛盾が表面化しないですんでいる。それは、技術革新の進展が非常に速くて、生産のための機械・装置・設備を、まだ減価償却がすまないうちに更新しなければならず、いわゆる急速な陳腐化 (rapid obsolescence) が進行しているからである。

消費のスピードアップ—計画的陳腐化

しかし、耐久消費財についても、急速な陳腐化が必要である。そして、このことが計画的な陳腐化 (planned obsolescence) を進行させることになるのである。事実、技術革新によって、あたらしい耐久消費財がつぎつぎに開発されていくが、これらの新製品は不断に改良、改善が加えられ、消費者は、まだ十分使用に耐えるものを廃棄して、あたらしく改良されたものに、つぎつぎに買いかえねばならなくさせられるのである。現代のマーケティングの核心は、まさにこの耐久消費財の陳腐化の計画的な促進にあるといってよい。

もちろん、技術革新がつくりだした新製品は、耐久消費財にかぎるわけではない。数多くの非耐久消費財がある。食料品についてみても、ビン詰、缶詰、乾燥食品、冷凍食品の発達、ビニール包装などの進展によって、食料品が保存食料品化し、これらが大量生産されるにつれ、それらについてもマーケティングの手法が適用されることになる。したがって、一般的には、技術革新による新製品の出現、しかもその大量生産の進展が、マーケティングを要請するにいたったということができる。しかし、マーケティングの核心は、いかにして消費者に耐久消費財の買いかえのスピードアップをなさしめるかにあるといわなければならない。五年や一〇年、使用に十分に耐え、またそのつもりで買わせた自動車やテレビを、いかにして一年か二年で新品に買いかえさせるかということが、マーケティングの中心課題なのである。

つまり、需要が生産に追いつきかねるという資本主義経済に固有の困難は、現代においては、耐久財に集中的に現われている。そして、資本財の方は技術革新の進展が陳腐化を促進することによって、当面、矛盾が表面化せずにすんでいるが、しかし、いまひとつの耐久消費財の方は、これも技術革新の進展によってある程度は表面化が抑えられているとはいえ、ますます陳腐化が計画的に促進されなければならなくなってきている。

こうして、資本主義経済における販路拡大の努力は、耐久消費財をいかにして速く更新させるかという問題を中心として展開されることになり、マーケティングは、まさにこの問題を解決するためのもっとも有力な手法として登場してきたのである。

いうまでもなく、経済は、生産にはじまって消費に終わるが、現代資本主義経済は、そのダイナミックな生産力を支えるためには、できるだけ急ピッチで消費を促進せざるをえない。とりわけ、耐久消費財について、いっそうその必要がある。どんどんつくられねばならない耐久消費財が、かえって耐久性、持続性をもっているからである。また、それだからこそ、耐久消費財の消費をスピードアップすることを目標として、マーケティングの諸手法がつぎつぎに開発されることとなったのである。

消費のスピードアップは、ボールペンのような小さなものから、自動車のような大きなものにまで行きわたらせなければならない。ボールペンは、芯を替えれば何年でももつ。しかし、替え芯を買わせるよりも、全部を更新させる。自動車はボディを毎年新型のものにして、旧型に乗るものに、何となく気はずかしいと思わせるようにして、新車に更新させる。それどころか、あまり丈夫すぎると困るので、故意にこわれやすい商品を、わざと品質をおとしてつくるといったケースさえ生じかねない。このようなケースがある程度、抑えられているのは、わずかに、市場に競争の原理がはたらいているからである。したがって、独占が支配しているところ以外では、このような品質をおとすことによる計画的陳腐化は、ただひとつ、激烈な企業間競争が防いでいるのである。

スタイルとファッションを売る〈流行商品〉

計画的陳腐化の促進なしには、現代資本主義経済は支えられない。戦後のアメリカ経済は、そのダイナミックな生産力を支えるために、どうしても消費を促進せざるをえない。巨大な生産力は、みずからのダイナミズムを維持するために、急ピッチで消費を促進させなければならない。アメリカの場合に典型的にみられる現代資本主義のメカニズムは、このように生産と消費の循環をスピードアップし、社会的な新陳代謝を促進しているところに、なによりも基本的な特質をもっている。そしてマーケティングは、この生産から消費にいたる全循環過程のなかで、ほかならぬ消費のスピードアップをはかることを主要な目的としているのである。

◇マーケティングの導入

▼アメリカにおいて早い時期に、マーケティング中心の経営に踏みきった企業のひとつが、ゼネラル・エレクトリック＝GEであったことも、偶然のことではなかった。GEは一九四六年に早くもそのような方針を決定したが、大きな改革のために慎重に検討し、ようやく一九五二年ごろから本格的な軌道に乗せた。

そして一九五七年にはマーケティング担当ボーチ副社長（E. J. Borch）は、「事業経営の行き方としてのマーケティング理念」という論文を発表し、その冒頭で「わが社ではマーケティングを基本理念とする」とのべている。

▼アメリカ産業界で、GEなどを先頭として、従来までの生産志向からマーケティング志向に転換する企業がふえていく動向を、いち早く洞察して、これを理論化したのはドラッカーである。かれは、その著書『現代の経営』（一九五四年）で、企業は社会を構成するひとつの機関である以上、その目的は企業それ自体にではなく社会に求められるべきであるとして、それを「顧客の創造」に求めている。

企業それ自体の発展にとっての重要性を第一義的に考えて、何を生産するかを決定するのではなく、顧客が価値があると考えるものを生産することを決定の条件とすべきであり、顧客こそが事業の基礎を支えるものでなければならない。

▼このように考えると、企業の基本的な活動は〈マーケティングと革新〉ということになり、〈生産と販売〉と考える従来の考え方から大きく前進することになる。ドラッカーはこの著書で大規模経営のあり方を論じ、事業部制の必要を強調しているが、その根底にはマーケティング第一主義の思想がすえられている。

▼ちなみに、わが国でマーケティングという言葉が現在のような意味で用いられだしたのは、昭和三一年ごろからで、日本生産性本部のアメリカ視察団長として石坂泰三（当時東芝社長）が、昭和三〇年一二月羽田で帰国の記者会見の席上、これからはマーケティングを重視しなければならないと述べたのがはじまりである。

そこで、マーケティングの諸手法は、とりわけ耐久消費財を、いかにして急ピッチで更新させるか、つまり消費者に耐久消費財の買いかえのスピードアップをいかになさしめるか、計画的陳腐化をいかに促進するかという問題を中心として、つぎつぎに開発されていったのである。なぜなら、需要が生産に対して追いつきかねるという現代資本主義に固有の矛盾は、歴史の現段階においては、なによりも耐久消費財の生産と需要の構造のなかに、もっとも集中的に体現されているからである。そして、そうしたメカニズムのなかで、電気芝刈機から電子レンジにいたるまでの生活一切の電化という〈アメリカ的生活様式〉もつくられていったのである。

消費のスピードアップには、もちろん生産のスピードアップが対応しなければならない。生産の側においては、技術革新の進展による新陳代謝の促進、消費の側においては、マーケティングによる新陳代謝の促進、この両輪が現代資本主義の全体としての新陳代謝を促進しているのである。

こうして生産と消費の、したがって資本主義経済全体の新陳代謝をスピードアップするためには、急ピッチで発展する耐久消費財の計画的陳腐化を中心として、あらゆる商品を〈流行商品〉化し、スタイルとファッションで売りまくっていくことが必要となっているのである。現代においては、服飾だけがスタイルとファッションを売るのではない。服飾はいうまでもなく、食料品から家具・雑貨にいたるまで、あらゆる商品は、多かれ少なかれ、スタイルとファッションを売る流行商品となってしまったのである。

現代マーケティング手法のすべて　このように、マーケティングの核心が明らかにされると、現代マーケティングの手法のすべてが統一的に説明できるようになる。

(1)　すでに述べたように、現代資本主義における企業経営の努力は、なぜ製品の価格の引下げによってではなく、直接的な市場の拡大、すなわちマーケティングという方法をとらざるをえなくなったのか。それは、耐久消費財においては、多少価格を下げてみても現に十分に使用に耐えている商品を廃棄して、新品に買いかえさせることが困難だからである。具体的にテレビ、冷蔵庫、洗濯機などのいわゆる〈三種の神器〉、あるいは自動車、クーラー、カラー・テレビなどのいわゆる〈3C〉をとってみれば理由は明白である。これらの製品を買いかえさせるためには、同じ製品の価格を多少引き下げてみたところで、まったく効果はない。どうしても、テレビの整調装置を工夫したり、冷蔵庫をツー・ドアにしたり、洗濯機の脱水装置を自動化したり、要するに、商品の性能を改良したり、デザインを変えたりしなければならない。そうしなければ、消費者をして現に十分に使用に耐えているものを廃棄させ、あたらしく買いかえさせることができないからである。これよりほかに、販路拡大の基本的な方法はなくなっているからである。

(2)　マーケティングはたんなる販売活動（selling）ではなく、生産にはじまって販売に終わる企業の全活動をつらぬくものであるといわれている。その理由は、まずマーケティングは製品計画（product planning）からはじめられるといわれるが、それは生産しようとする製品が、現に消費者が使用しつつあるものを廃棄して、買いかえさせる力をもっているかどうかが、最初からはっきり見定められなければ、生産の決定そのものができないからである。従来の生産部門を中心とした単純な製品計画ではなく、販路拡大の観点から、生産と販売との両部門を、むしろ、販売の側から統合化しなければならないのである。すべての企業は、昨日、新製品として売ったものを、今日は、もう旧いと思わせるような製品を生産しなければならない。性能やデザインの少しでも変わった「○○年型」を工夫しなければ、すでに市場にある型を陳腐化させ、廃棄させることができない。こうして、販路拡大のため、消費者の多様な欲望と欲求を創造し、商品の多様化をはかろうとする製品計画と、生産効率向上のための製品ないし生産の単純化・標準化・専門化の要請とを、適切に調整しなければならないのである。

(3)　市場調査が、従来よりいっそう強調されマーケティングの基礎をなすものとして位置づけられるようになったのも、あたらしい商品の製造・販売を決定するためには、それと競合する同種の商品を陳腐化させるだけの力をもっているかどうかを、あらかじめ徹底的に調査して知っておく必要が、ますます強くなってきているからである。

(4)　広告宣伝は、商品に魅力を感じさせ、購買意欲をかきたてるものでなければならないことはいうまでもないが、それはさらにすすんで、既存の同種の商品をもう旧いと感じさせるものでなければならない。消費者が現に使用している同種の商品を廃棄させる力をもたないならば、その広告は、もはや、現代の広告ではない。

(5)　販売促進は、商品の陳列・展示・実演などによって、消費者の購買意欲をたかめるものであることはいうまでもないが、ただたんに商品のすぐれていることを示すものではない。旧い商品に対比して、どんなによりすぐれているかを巧みに示すものでなければ、それは現代の販売促進とはいえない。

(6)　流通経路の整備、系列化の問題が重要視されるようになったのも、最終消費者がどのような選択をするかが決定的な問題となったため、メーカーは、従来のように、自己の製品を卸商や問屋に販売しただけで、あとは、かれらの販売力にもっぱらゆだねておくというわけには、ますます、いかなくなったからである。むしろ、最終消費者が商品の選択をする流通経路の最終の小売商業段階で、あたらしく売りだされた製品が、最終消費者が従来使っていたものを陳腐化させ、実際に購買されるかどうか、そこまで的確に見定め、小売商の販売まで指導し、組織しなければならなく、ますますなってきているからである。メーカーは、生産と消費の間のすべての流通経路を、みずから支配せざるをえなくなってきているのである。

(7)　購買動機、購買慣習の研究が盛んにおこなわれている。それは、消費者にあたらしいものを買わせるためには、消費者が現に使用し、十分使用に耐え、使用しつづけうるものをあきさせ、あたらしく買いかえさせるという課題を、消費者の深層心理、潜在心理にまで立ち入って、明らかにしなければならないからである。

そして、なによりも〈消費者は王様である〉というスローガンがよく示すように、マーケティングは

〈消費者主権〉でなければならないということが、ことごとに強調されている。なぜ、このことが強調されるのか。これも明らかに、消費者が現に使用しつつあり、また十分に使用しつづけることができるものを、もうこれは旧いと感じて、あたらしいものに買いかえてくれるかどうか、まさに、そのことが現代資本主義のもとでは、市場ないし販路を拡大しうるかどうかを決定するカギとなっているからである。消費者の欲望・需要の創出＝増大をはかることなしには、現代の企業活動は、みずからを維持・発展させることができない。大量生産は、なによりも、大量消費を必要とするのである。

マーケティングの主体はメーカー

このように、マーケティングは企業活動の全分野をつらぬくものである。アメリカ・マーケティング協会（AMA）がマーケティングを定義して、「マーケティングとは、生産者から消費者または使用者に、商品およびサービスの流れを方向づける経営活動の遂行である」としているのは、このためである。この定義は、マーケティングを担う主体が誰であるかについてふれていないが、重要なことは、この活動をする主体が、商業ではなく、メーカーであるということである。ほかならぬ、このメーカーが、その生産活動の第一歩において、すでに最終消費者のことを、とりわけ新製品が消費者の現に使用しているものを陳腐化させうるかどうかを、しかと見定めることなしには、現代資本主義のもとでは、企業活動のそもそもの第一歩が踏みだせなくなってしまっているのである。またそれだからこそ、マーケティングは生産から消費にいたる全過程をつらぬくものとされるのである。つまり、マーケティングとは、すぐれて、メーカーの企業活動なのである。

マーチャンダイジングの二つの意味

さて、このようにマーケティングは製品計画（product planning）からはじめられ、企業活動の全分野をつらぬくものとしてとらえられなければならないが、この製品計画という言葉は、英語では同義語として商品化計画（merchandising）ともいわれる。もともとマーチャンダイズ（merchandise）という言葉は、ひとつは名詞で、商品という意味をもち、いまひとつは動詞で、売買するという意味をもっている。したがって、製品計画の同義語としてつかわれるマーチャンダイジングという言葉は、前者の意味をもち、それはメーカーにおける製品計画＝商品化計画を意味する。

メーカーの経済活動の基本的な機能は、いうまでもなく、⑴製品計画＝商品化計画（product planning）をたて、⑵これを製造し（manufacturing）、⑶販売する（selling）という機能であるが、マーケティング活動は、この製品計画＝商品化計画からはじまって、これを製造し、販売する過程のすべて、それも最終消費者にいたる全過程をつらぬくものとして把握されなければならないのである。

他方、小売商業においてマーチャンダイジングという場合は、売買するという後者の意味で使われる。つまり、小売商業の経済活動の基本的な機能は、⑴最終消費者のために商品の選択＝品揃えをおこない（selection of merchandise）、⑵これを仕入れて（buying）、⑶販売する（selling）ということであるが、この小売商業の営業活動の全過程を総称して、同じくマーチャンダイジングというのである。

このように、メーカーのマーケティング活動におけるマーチャンダイジング（製品計画＝商品化計画）という概念と、小売商業活動そのものを総称するマーチャンダイジング（営業活動）という概念とは厳密に区別されなければならない。

マーチャンダイジングという概念の厳密な区別をおこなわないうちは、われわれは、この概念を使うことをこれまで意識的に避けてきた。しかし、小売商業における営業活動を総称してマーチャンダイジングということを正しく把握したならば、これまで小売商業の営業活動といってきたところをすべて、マーチャンダイジングといいかえてよい。

また、われわれはさきにメーカー主導型と小売商業主導型のふたつのパラレルな生産＝流通のシステムについて論じたことがあったが、現代資本主義のもとにおいて、それはひとつはメーカーが主体となってこのマーケティングの手法を縦横に駆使することによって成立する生産＝流通システムであり、いまひとつが小売商業が主体となって、そのマーチャンダイジングの力を最大限に発揮することによって成立する生産＝流通のシステムであるといいかえることができよう。

それはともかく、このように現代資本主義経済におけるあたらしい需要の創造の方法としてのマーケティングの核心が明らかとなれば、第二次大戦後の現代小売商業の特質も、また、おのずから明らかになるであろう。われわれは、ビッグ・ビジネスの大規模メーカーが、現代マーケティングの諸手法を縦横に駆使して、市場の直接的支配を強化していくのに対応して、現代小売商業が、そのマーチャンダイジングの武器を縦横に発揮して登場してくる姿を、つぎに追究してみよう。

◇小売商業の投資収益率

およそビジネスの経営効率を測定する究極的かつ基本的な尺度、各事業部の業績を評価するもっとも正確な方法は、つぎのような数学的な公式で示すことができる。

ROI＝P×T

（この場合、ROIは投下資本収益率、Pは売上利益率、Tは総資本回転率をあらわす）

この投資収益率というアイディアを独創的に考えだした人は、デュポンのトレジャラーをへて、一九二一年ゼネラル・モーターズの財務担当副社長および取締役となったブラウン（Donaldson Brown）であった。

デールは『経営管理』（一九六五年）のなかで、ブラウンがこの数式を一九一四年夏に右のような要約したかたちで提示したと安易に想像してはならないといっている。この公式のなかには、売上と投資に関する諸要素のすべてが織り込まれ、企業のどこかの部門で投資収益が低いことがあれば、その原因を徹底的にさかのぼって追究することができるよう入念に組み立てられているからである。

そこで、われわれも、このブラウンの公式にならって、小売商業における投資収益率の方程式を示しておこう。

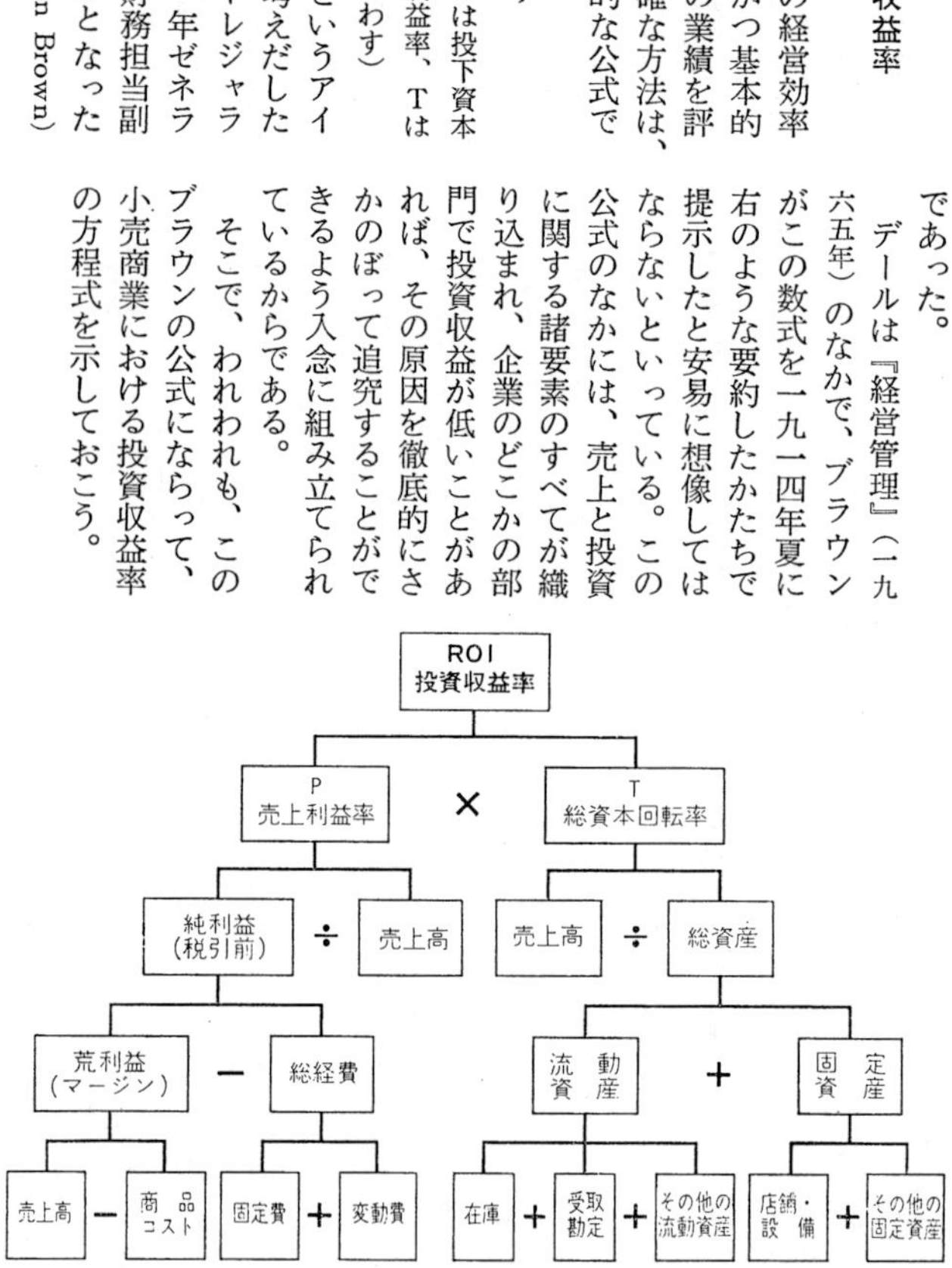

- ROI 投資収益率
  - P 売上利益率
    - 純利益（税引前）
      - 荒利益（マージン）
        - 売上高
        - －
        - 商品コスト
      - －
      - 総経費
        - 固定費
        - ＋
        - 変動費
    - ÷
    - 売上高
  - ×
  - T 総資本回転率
    - 売上高
    - ÷
    - 総資産
      - 流動資産
        - 在庫
        - ＋
        - 受取勘定
        - ＋
        - その他の流動資産
      - ＋
      - 固定資産
        - 店舗・設備
        - ＋
        - その他の固定資産

第8章

ディスカウント・ストア

▩ 大量流通工場としての現代百貨店

マーケティングとは何か、その本質・核心は何かということが明らかになると、第二次大戦後の小売商業界における最大の革新の担い手が、じつに、この耐久消費財を販売することを主要なビジネスとしたディスカウント・ハウスを母胎として登場してきたのも、けっして故ないことではないということを知ることができる。現代資本主義経済における生産力と購買力の間に生じる矛盾と困難は、なによりも、この耐久消費財の生産と需要の構造のなかに集中的にあらわれているからである。

かつて、一九二九年の世界大恐慌、ひきつづく一九三〇年代の慢性的不況期に、小売商業界における最大の革新の担い手は、恐慌と不況の圧力がもっとも集中的にあらわれていた食料品の販売を主要なビジネスとした食料品チェーン・ストアのなかから、食料品スーパーマーケットというかたちで登場してきた。それとまったく同じように、現代の資本主義経済における生産と需要との間に生じる乖離が、もっとも集中的にあらわれる耐久消費財の販売を主要なビジネスとするディスカウント・ハウスから、ディスカウント・ストアは現代小売商業界における最大の革新の担い手として、あらたに登場してくることとなったのである。

1　大衆消費市場とディスカウント・ストア

ゆたかな社会と依存効果

ガルブレイスが、その著書『ゆたかな社会』（一九五八年）で鋭く指摘したように、現代のアメリカの消費者大衆は、商品やサービスに満足するどころか、いくら所得がふえても、そのくらいでは、欲望と欲求のすべてを満足させることは絶対にできなくなっている。それだからこそ、逆に、節約できるところでは徹底的に節約しなければ、現代生活を生きぬいていくことはできなくなっているのである。

ガルブレイスは現代資本主義のメカニズムを分析して、生産の増大がある一点をこえれば、欲望を満足させると同時に、欲望それ自体を育成するようになり、生産のテンポが急速になればなるほど、必要と欲望も急テンポで増加するといい、これを「依存効果」(dependence effect) と名づけた。大規模メーカーが、マーケティングの手法を縦横に駆使して強く市場にはたらきかけるために、消費者は、もはや購買に関する意思決定を自主的におこなうことができず、もっぱらメーカーの動きに依存して行動するようになってしまっている。現代資本主義の巨大なメカニズムを回しつづけるために、依存効果という魔術をかけられた現代の消費者大衆は、一方で、消費革命だ、レジャー・ブームだと〈浪費〉を強制されるが故に、他方では、日常生活の必需商品を手に入れるためには一ドル、一セントでも安くと〈節約〉を余儀なくされているのである。『フォーチュン』は、この間の事情を、いみじくもこういっている。「新車や、ボートや、パリ旅行や、子供の大学教育を欲する現代の消費者は、子供の下着を一割二割安く手に入れるためには、どこへでも喜んで行かなければならないのだ。」

ディスカウント・ストアこそ、現代の消費者大衆のこの要求にこたえた現代小売商業の経営形態であり、それは、現代のいわゆる〈ゆたかな社会〉の社会構造に深く根ざしたものなのである。

そこで、われわれは、戦後の現代小売商業に最大の革新をもたらしたこのディスカウント・ストアについて考えてみよう。

コーベットの創業

さて、戦後の現代小売商業に最大の革新をもたらしたディスカウント・ストアの第一旗手となった小売企業は、E・J・コーベット（E. J. Korvette）であった。ひとりのルーマニア移民の子、ユージン・ファカウフ（Eugene Ferkauf）は、第二次大戦から復員した一九四八年、ニューヨーク・マンハッタン東六

E. ファカウフ
（『タイム』1962年7月6日号）

丁目に、小さな店舗の二階を借りて、旅行鞄をディスカウントして販売するディスカウンターとして、ささやかなビジネスのスタートを切った。最初の投資は四〇〇〇ドルにすぎなかった。そして、その店の名をE・J・コーベットと名づけたのである。Eは自分自身の名のユージンのE、Jはブルックリンで育った少年時代の親友ジョー・ツイレンバーグのJ、コーベットはかれが青春を賭けた第二次大戦中の駆潜艇「コーベット」からとったものである。やがて、E・J・コーベットの最初の店舗は家庭電気器具を主要な取扱商品のなかに加え、これを思いきったディスカウント価格で売りまくる耐久消費財のディスカウント・ハウス（discount house）として成功しだした。つまり、商品ラインとしてはハード・グッズを中心に営業活動をはじめたのである。最初の年の売上高は二五万ドルであった。

もちろん、ふつうのマージンを昔通りにとっている同業者のすべてから猛烈な反対をうけ、ゼネラ

ル・エレクトリックやウェスティング・ハウスなどの大規模メーカーからも、ありとあらゆる圧力をかけられたが、ファカウフは断固として、それに屈しなかった。たんに屈しなかっただけでなく、その間に獲得した利益をすべて、コーベットのチェーン・ストア展開のための投資にふりむけていった。

現代百貨店としてのディスカウント・ストアの出現

ファカウフは、ただたんに再投資に賭けただけでなく、取扱商品の幅をつぎつぎに広げ、きわめて広範囲にわたる各種商品ラインにどんどん手をひろげていった。かれは大戦後のディスカウント・ハウスで成功した(1)現金払い・持帰り制、(2)セルフ・サービス、(3)最低のマージンで最高の回転をあげ、最大の利益を実現するディスカウント価格販売によって、ありとあらゆる種類の商品を大量販売することができるはずだと考えたのである。

こうして一九五四年秋、ファカウフは、はじめて、ニューヨークの人口稠密な郊外ロング・アイランドのウェストバリーに、アメリカで最初の、したがって世界最初の、フル・ラインの百貨店の商品構成をもつディスカウント・ストアを開店したのである。そのとき以来、全米いたるところ、巨大都市はもちろん中小都市にいたるまで、その郊外に、七万から二五万平方フィート（約六五〇〇～約二万三二〇〇平方メートル）のディスカウント・ストアが、つぎつぎと誕生していく大きな潮流がつくられていくこととなったのである。それは、戦後の大衆消費市場に起こりつつあったもっとも大きな変化、すなわち大都市郊外への爆発的な人口移動とモータリゼーションのいっそうの進展を背景として、現代の消費者大衆の生活構造に的確に対応する革新的な現代小売商業の経営形態を誕生させることとなったのである。

ディスカウント・ストアの商品構成は、紳士・婦人・子供服、シーツ、タオル、カーテンなどの衣料品・家庭用品から医薬・化粧品まで、玩具、レコード、家庭金物から家庭電気器具、家具装飾・調度品まで、スポーツ用品・自動車部品から総合食料品にいたるまで、ほとんどフル・ラインの百貨店の商品をとりそろえている。むしろ、アメリカの百貨店が伝統的に食料品を取り扱わなかったことを考えあわせれば、この商品構成は、アメリカにおいてはじめて出現した文字通りの現代百貨店なのであった。

ファカウフは、まず、カネのかさむ無用の装飾的要素をビジネスの世界から徹底的に排除して、ディスカウント価格で消費者をとらえ、なによりも、低マージン・高回転で大量販売を実現する——このいわばもっとも古くして、もっともあたらしい薄利多売の営業活動、低価格販売と大量販売の鉄則を志向し、これを堅持した。そして、かれは、戦後のアメリカ経済社会を覆う過剰生産的状況がようやく露わになりつつあった現実のなかで、いわゆる高圧経済から低圧経済への移行がはじまった一九五〇年代の半ばという転換期にみごとに即応して、ありとあらゆる商品をすべて、いわば食料品スーパーマーケット方式で大量販売するという革新的な販売方法を創造したからこそ、戦後のいわゆる流通革命の主導権を握りえたのである。

伝統的百貨店とディスカウント・ストアの激突

ファカウフは、ディスカウント・ストアのチェーン展開にともなって、有能な人材を必要としたが、これをブルックリンのハイ・スクール時代の学友たち、また第二次大戦中の戦友のなかに求め、気心の知れた連中を引っ張ってきて、日常の業務をつぎつぎにまかせていった。このいわば素人の集団が、時代の波にそい、これに乗って、逞しく事業を推進していく原動力となり、コーベットの初期の発展をささえるなによりものエネルギーとなったのである。しかし、コーベットは、たんに薄利多売という近代小売商業の営業活動の鉄則にのっとって、素人の集団のエネルギーだけで、事業を推進したのではなかった。

コーベットの最初の危機は、一九五八年から五九年にかけて、伝統的百貨店とディスカウント・ストアとの間で、一ドル一セントをめぐって、血で血を洗うような激烈な〈価格戦争〉が展開される真只中で訪れてきた。なるほど一九五〇年代の初期には、時流に乗って、素人の集団をひきいてでも、すでに食料品スーパーマーケットによって確立されていたセルフ・サービス方式の利点を最大限に活用して、経費を徹底的に節減し、さらにディスカウント・ハウスで体得した最低のマージンで最高の回転をあげ、最大の利益を実現するディスカウント価格販売を縦横に駆使すれば、伝統的百貨店の経費ばかりかさみ質はますます低下するサービスに対抗して、かれらのとうてい太刀うちできぬほどの強味を発揮することもできた。

しかし、一九五〇年代の後半以降になって、戦争直後の爆発的消費需要が一巡すると、メーカーは生産設備の過剰投資をかかえこみ、ドラスティックな生産制限におちこまないためには、公正取引法によって保護されたいわゆる公正価格をあえてみずから廃棄してまでも、ディスカウンターによる大量販売の流通経路を重視せざるをえなくなった。

そこで、はじめて伝統を誇る百貨店も、ディスカウンターをただ下賤な商売と蔑視するだけではすまされないことをさとり、これと四つに組んで、真正面から闘う姿勢をかためだしたのである。一九五八年から五九年にかけて展開された伝統的百貨店の特売政策の激烈さは、当時、ディスカウント販売を促進しているのは、一体どちらなのかという叫びをさえ、ディスカウンターに発せしめるほどだったのである。

ファカウフの大胆な危機打開策

こうした逼迫した情勢の展開は、ファカウフをして、最初の危機に立ち向かわせることになった。伝統的百貨店の巻き返しが、コーベットを食いはじめたのである。かれは、この百貨店の攻勢にたいし、さらに巻き返しをはかるため、敵のもっとも強い分野で敵に挑戦し、敵の土俵で勝負を決するという大胆な政策を採用した。

百貨店の強い分野とは、いうまでもなくサービスであり、スタイルであり、ファッションであり、ソフト・グッズである。小売商業において、ソフト・グッズとは、ハード・グッズ（これがディスカウント・ストアが主力とする商品分野であることはいうまでもない）に対比して、商品のライフ・サイクルの短い商品範疇の総称であるが、主として衣料品・装身具・洋品雑貨などである。ソフト・グッズはハード・グッズにくらべて、売場面積がはるかに少なくてすむ。同時に回転も早く、マージンも一般に高い。

しかし、このソフト・グッズの世界こそ、〈ピンクのベールにつつまれたジャングル〉といわれるくらい競争の激烈な世界であり、その営業活動を成功させるか否かは、長期にわたる経験と熟練した判断を必要とし、とうていズブの素人の立ち向かえる世界ではないのである。

ファカウフは、本格的にソフト・グッズを主要な取扱商品とし、文字通りフル・ラインの百貨店の商品構成を扱うディスカウント・ストアを実現すべく、従来からの手持ちの安物の衣料品・洋品・雑貨を切り捨てる決意をし、事実、その年のうちに原価を切って処分してしまった。そして経験の豊かなソフト・グッズのバイヤーを必死で探したのである。

そして、一九六一年、かれはようやくJ・シュワドロンを見つけだし、商品部長にすえた。シュワドロンはニューヨークのアレクサンダー百貨店の創始者の孫であり、ソフト・グッズの営業活動の経験と、さらに取引先との必要にして十分なコンタクトをもっていた。

コーベットをおそった最初の危機をのりこえ、つぎの飛躍と発展にそなえるためには、ファカウフはどうしても、素人と専門家の正しい結合をはからねばならなかったのである。大規模小売企業への成長と発展は、たんに素人の集団のエネルギーだけで実現できるようなものでは本来ないのである。こうした準備をへて、ファカウフはアメリカ小売商業界の檜舞台への登場を、ディスカウンターとしてはじめてやってのけたのである。

コーベットの五番街進出

一九六二年春、ニューヨーク・マンハッタン、その繁華街の中心、五番街に、ファカウフは、E・J・コーベットを進出させた。この衝撃的なデビューとともに、それまで小売商業界でも必ずしも知られていなかったファカウフの名は、アメリカ全土に知れわたるにいたったのである。『ビジネス・ウィーク』、『タイム』の表紙に、このブルックリン育ちのルーマニア移民の子の顔が大きくクローズ・アップされ、『フォーチュン』が連続特集を組み、ハーバード大学の商業経営論の権威マクネア（Malcolm P. McNair）教授さえが、アメリカ近代小売商業史上の六人の偉大な商人のひとりにまで、かれの名を数えたのである。

マクネア教授が、アメリカ近代小売商業一〇〇年の歴史のなかでも、とくにすぐれた商人のひとりにかれの名をあげたのは、もちろん、コーベットの五番街進出に幻惑されたからでもなければ、まして、その売上高や蓄積した富によるものではない。教授は、一九五〇年代の後半以降のいわゆる流通革命の主導権を握るディスカウント・ストアの〈発明者〉としてのファカウフが果たした歴史的役割を、それなりに正しく評価したからであった。

◇六人の偉大な商人

マクネア教授のあげた六人の偉大な商人とは、ファカウフのほか、バラエティ・ストアのF・W・ウールワース、衣料品チェーン・ストアのJ・C・ペニー、シアーズ・ローバックのR・E・ウッド、そして食料品スーパーマーケットの〈発明者〉マイケル・カレンである。

百貨店のJ・ワナメーカー、

ファカウフは、かれがそのビジネスをはじめた根源のディスカウント・ハウスから、もっとも遠くまで、もっとも飛躍して、もっともあたらしい現代小売商業の経営形態＝ディスカウント・ストアへの道を、勇敢に切り開いていった革新者であった。

それだからこそ、ニューヨークの繁華街から地方都市のメイン・ストリートにいたるまで、アメリカ全土のありとあらゆる形態の小売商業界のすべてを恐怖と興奮のルツボに投げこみ、たんに小売商業界のみでなく、全経済機構を震撼させ、さらには海をこえて、西ヨーロッパにも嵐のような激動をあたえ、東洋のわが国にも激しい旋風を巻きおこすこととなったのである。わが国にいわゆる〈流通革命論〉が登場するようになったのも、まさに、このときからであった。

そして、一九六二年という時点において、E・J・コーベットを先頭とする全米ディスカウント・ストアはすでに約二〇〇〇店、売上高は四〇億ドル強に達し、全米全百貨店の売上高の約三分の一へとせまっていたのである。ディスカウント・ストアが一九五四年にはじめてファカウフによって歴史の舞台に登場してから、わずか数年間で、全米全百貨店が一〇〇年の歴史をかけて実現した実績の約三分の一に追いせまったということを考えると、これは真に革命的な革新であったといわなければならない。ディスカウント・ストアは、なによりも、その驚異的な成長力によって、戦後の現代小売商業界を震撼させたのである。

コーベット五番街店

2 現代小売商業と販売革新
——コーベットの成功と失敗の教訓——

すでに述べたように、ディスカウント・ストアは徹底的に経費を切り下げ、消費者をひきつけるために思いきったディスカウント価格の魅力をうちだし、低マージン・高回転の薄利多売の原則を徹底的に追求している。ディスカウント・ストアを、たんなる廉売店と理解するならば、それはまちがいというべきであろう。それはなによりも、経営の合理化によって徹底的にコストを切り下げ、その分だけ消費者に低価格で商品を提供するのであって、むしろ、低マージン・高回転による薄利多売の経営方法を志向しているのである。ディスカウントのためのディスカウントではなく、低マージン・高回転による低価格販売と大量販売、これがあたらしいディスカウント・ストアの経営政策である。

低マージン・高回転—ディスカウント・ストア経営の基本

NRA (National Retail Merchants Association 全米小売商業連盟) の調査によると、ふつう専門店が三八・五%、バラエティ・ストアが三七・二%、百貨店が三六・四%のマージンをとっているのにたいして、ディスカウント・ストアのマージンは平均一八〜二五%にすぎない。

こうした低マージン・高回転を可能にする低コスト経営は、つぎのふたつの要因に帰することができる。すなわち、小売商業経営の生産性を左右するもっとも基本的な要因は、売場面積単位当たりの売上と、従業員単位当たりの売上であるが、伝統的百貨店とディスカウント・ストアを対比すると、建設費が一平方フィート当たり前者の一四〜一八ドルにたいし後者は五〜一五ドル、内装費が同じく前者の五〜八ドルにたいし後者は一・五〜三ドルにすぎない。また売上にたいする人件費率は、前者の一八・二五％にたいし後者はわずか六〜七％と低くおさえられている。こうした経営的基礎の上に立って、ディスカウント・ストアは市価より一〜三割も安い低価格を実現しているのである。

とくに食料品は、食料品スーパーマーケットより、さらに低価格の魅力をうちだし、それによって大量の消費者を動員することができたのである。それだけにとどまらず、ディスカウント・ストアは、食料品部門全体を、ロス・リーダー部門として、さらに大量動員をはかるという大胆な営業活動を展開することさえできたのである。低コスト経営、それがこうした営業政策の展開を十分可能としたのである。

急速なチェーン展開とマネジメント能力の不足

ファカウフは、現代の大衆消費市場に適応して創造的な営業活動（マーチャンダイジング）を展開する能力にかけては、まことに、たぐいまれな天才であったといってよいだろう。しかし、その営業活動の運営を正しく管理していく能力、つまり企業経営の計画、組織、調整、統制を有機的・一体的におこなう経営管理（マネジメント）の能力に関しては、致命的な欠陥をもっていた。

なるほど、一九六一年、コーベットのチェーン網がディスカウント・ストア一一店舗、食料品スーパーマーケット二店舗にとどまっていたときには、かれは、みずから陣頭に立って、つねに直接の指揮をとることもできた。しかし、一九六二年にはディスカウント・ストアをあらたに五店舗、六三年にはさらに八店舗、六四年にも同じく八店舗、六五年には七店舗と、文字通り破竹の進撃ぶりで、わずか数年でディスカウント・ストア四二店舗と食料品スーパーマーケット二二店舗を擁するチェーン網を展開すると、その規模では直接の陣頭指揮の到底およぶところではなくなった。

しかも地域的にも、事業草創のアメリカ北東部から、未知の中西部シカゴ、デトロイト、さらに南部のセントルイスへと店舗を展開し、その間に売場面積と売上高を一挙に三倍以上に増加させたのである。こうした拡張につぐ拡張をつづけるためには、なによりも、強力な中央本社と、明確な責任体制が組織される必要があったはずである。さもなければ、広大な地域にわたって分散している各店舗を統一管理することはおろか、ひとつの地域内で、自社の店舗同士の競合を調整することさえむずかしくなる。ますます複雑多岐化する各分野、各部門、各機能を、どう管理するか、総じて経営管理の能力いかんが、事業の成否を決定するもっとも重要なカギとなっていたのである。それにもかかわらず、十分な経営管理体制を築きあげることなしに、あたらしい店舗がつぎつぎに展開されていけば、そのシワよせは、いかに卓抜した営業能力をもちあわせようと、やはり企業経営のもっとも弱い部分にあらわれざるをえなくなるのである。

コーベットの場合、その弱点がまず表面化したのは、食料品スーパーマーケットの分野であった。

なるほど、ディスカウント・ストアが食料品スーパーマーケットを併設するという考えは、かれのマーチャンダイジングの能力がいかに天才的であったかを、有力に物語る以外のなにものでもなかった。時の古今、洋の東西を問わず、顧客動員力の強さで、食料品に匹敵するものは他にないからである。しかし、食料品スーパーマーケットの経営に関して、かれは十分な経験も能力も欠いていたので、かれは当然の結果として、これに失敗したのである。

こうした危機を救うために、ファカウフはニューヨークに四二店舗のチェーン網を展開していたヒルズ・スーパーマーケットに目をつけ、これを吸収合併した。そして食料品スーパーマーケットの経営に経験の豊富なH・コーンを、コーベットの経営陣に加えた。しかし、こうして局面を打開するには、時すでにおそかったのである。

食料品スーパーマーケット部門の失敗につづいて、家具部門にも破綻があらわれてきた。家具部門は、コーベットの名のもとに、実際にはH・L・クリオン社が経営していたのであるが、これが大きな損失をだして倒産してしまった。ファカウフは信用を守るために、融資をはかり、ついで買収という救済策をとらざるをえなくされたのである。

病患は、つねに、まずもっとも体力の弱い部分にあらわれ、やがて中心の心臓部をおかす。やがて、ディスカウント・ストア自体の売上高伸び率が結滞しだした。

このように、経営管理の欠陥が、営業活動面にいろいろ困難な諸問題を累積させていった結果、さしも順風にのってやってきたコーベットの業績も、一九六四年から六五年にかけて急速に悪化しだし、その株価も、六四年五月のピークから六六年初頭には約半分に暴落してしまったのである。

コーベットの決定的な破局

こうして一九六四年夏から、コーベットの経営陣のはげしい交替劇がはじまったのである。一九六四年七月に、ファカウフが会長に就任し、シュワドロンが社長になった。同年の一〇月には、商品部長にシアーズ・ローバック出身のG・シュワーツを採用した。しかし、翌六五年五月に、このシュワーツ商品部長は突如退社することになった。ところが一ヵ月もたたない翌六月に、シュワドロン社長が退陣し、同時にコーンを会長に祭りあげ、ファカウフが社長に就任、そしてシュワーツが返り咲き、副社長に昇格した。

わずか一年の間のめまぐるしい経営陣の交替劇、わけてもその中心となった四人、つまり、ディスカウンター出身のファカウフ、伝統的百貨店出身のシュワドロン、食料品スーパーマーケット出身のコーン、そしてシアーズ・ローバック出身のシュワーツの四人の交替劇は、ファカウフが、日常業務運営の混乱と停滞を打破し、責任体制を明確にし、店舗の拡張テンポをゆるめ、地域統合をはかるべくうちだした経営戦略の転換と、その転換のカジを回しきれぬ深刻な苦悩の集中的表現であった。しかし、時すでにおそく、つづいて決定的な破局がおとずれたのである。

翌一九六六年五月に、コーン会長が退陣、ファカウフが社長のまま、シュワーツが筆頭副社長に就任した。そして七月、コーベット取締役会は、衣料品の製造卸スパータンズ・インダストリーズ（Spartans Industries' Inc.）へのコーベットの吸収合併を決議し、翌八月、ニューヨーク本社で開催された臨時株主総会は、大株主であり同時に社長である当年とって四五歳のファカウフの提案説明をきいて、その吸収合併議案を承認可決した。これによって、E・J・コーベットという戦後アメリカの小売業界に彗星のように登場した企業は地上から消え、その社名はスパータンズ・インダストリーズと変更されることになったのである。もっとも、スパータンズはE・J・コーベットの店名を、そのまま今日も使用しているが、この悲劇の終幕は、コーベットの創業以来、じつに一八年目のことであった。

小売商業の世界ほど成功するのも早ければ、また失敗するのも早い世界はない。小売商業の世界ほど、激烈な競争の展開される世界はないからである。

なるほど、最終消費者のために商品の選択をおこない、これを仕入れて、マージンをかけて販売するという営業活動によって、営利を追求する小売商業経営の原理と方法は、誰にでも容易に理解できる単純明快なビジネスである。小売商業は、たとえば一冊定価八〇円の週刊誌なら週刊誌という商品を、六四円（この場合八掛け）で仕入れて、最終消費者に八〇円で販売する（つまり、八〇円という貨幣と交換する）。この単純きわまりない行動を、何百万回、何千億回とあきることなく無限に繰りかえすという経済活動にすぎない。そして、その一回ごとに、仕入コストを差し引いた一六円というマージン（この場合、二〇％の荒利益）をあげ、そのなかから必要な諸経費を支払って、三円なり二円なりの純益を収めるという経済活動である。これほど単純明快なビジネスはない。しかし、アメリカにおいても、最大多数のビジネスの失敗は、つねに小売商業の世界にみられるのである。そして、その失敗の大部分は、営業活動の能力不足によってというより、むしろ、激烈な競争が展開される業界でビジネスを運営するだけの経営管理の能力不足によって、失敗しているのである。

全米全百貨店を凌駕するディスカウント・ストア

しかし、われわれの主要な関心は、ひとつの個別企業の成功あるいは失敗の物語にあるのではない。むしろ、われわれにとって興味の深いことは、歴史はつねに皮肉なものだが、すでに述べたように一九六二年、全米二〇〇〇店のディスカウント・ストアは全米全百貨店の売上高の約三分の一へと追いせまっていたが、その四年後の一九六六年すなわちコーベットが敗れ去った年、ついに、全米ディスカウント・ストア約三〇〇〇店の売上高は一三〇億ドルをこえ、全米全百貨店の売上高を凌駕するか、あるいは少なくとも優に匹敵するシェアを占拠するにいたっていたという事実である。

ディスカウント・ストアが、一九五四年、歴史にはじめて登場して以来、わずか一〇年余で、ついに一〇〇年の歴史を誇る伝統的百貨店を圧倒し勝利の旗をかかげたそのとき、ディスカウント・ストアの〈発明者〉であり、戦後のいわゆる流通革命の主導権をにぎりつづけてきたファカウフは、そのE・J・コーベットとともに倒れたのである。

われわれが、ファカウフのマーチャンダイジングの能力を天才的と評価しつつも、コーベットの失敗の最大の原因を、そのマネジメントの能力の決定的な弱さに求めたのも、けっして故ないことではなかったのである。なぜなら、戦後のもっとも革新的なディスカウント・ストアという経営形態による営業活動の成果、その勝利の凱歌を聞きながら、企業としてのコーベット、経営者としてのファカウフは、敗残の身をその勝利の旗の下にゆだねなければならなかったからである。コーベットの成功と失敗の物語、それは近代小売商業の世界の法則通りの成功と失敗の物語にほかならなかった。そして、ファカウフの最大の不幸は、かれの天才的な営業能力と経営陣の経営管理の能力とを、どうしても最後まで正しく結合させることができなかったところにあったといえよう。

もちろん、マクネア教授は、アメリカ近代小売商業史上の偉大な商人のリストから、ファカウフの名をはずさなければならなくなったであろうが、それはともかく、かれの成功と失敗の一八年の物語は、近代小売商業の発達過程におけるまことに教訓的な物語といわなければならない。

『ディスカウント・マーチャンダイザー』誌（一九七一年

ディスカウント企業上位10社の店舗数・売上高（1970年）

社　名（カッコ内は親企業名）	店舗数	売上高（百万ドル）
1. K マート (S. S. Kresge)	488	2,017
2. ギブソン・プロダクツ*	560	1,560
3. ゼ　イ　ヤ　ー	178	730
4. E. J. コーベット (Arlen Realty)	48	674
5. ウールコ (F. W. Woolworth)	120	624
6. ツー・ガイズ (Vornado)	60	610
7. トップス，ホワイト・フロント (Interstate)	107	600
8. GEM (Porkview／Gem)	47	410
9. ア ー ラ ン ズ	102	360
10. グレート・イースタン (Daylin)	53	325

（*印は非上場会社。なお，スパータンズは，1970年に，アーレン・プロパティーズに吸収合併され，アーレン・リアルティ＆ディベロップメント〔Arlen Realty & Development Corp.〕となった)。
（資料） *Discount Merchandiser*, July 1971.

六月号）によると、一九七〇年におけるディスカウント・ストアの売上高は五〇五八店で二四三億ドル、それは百貨店の一五九億ドルをひきはなし、いまや食料品スーパーマーケット（売上高六二九億ドル）についで、業種別ではアメリカ全小売商業界で第二位の地位を占めるようになっているのである。そして現段階において、ディスカウント・ストア業界のトップをきっているのは、S・S・クレスギのディスカウント・ストア部門であるKマート（K mart）となっている。そしてここでも、すでにチェーン・ストアによってその経営的基礎を強固に築きあげてきた小売企業が、あたらしい情勢の変化に対応して、正しい時期に正しい戦略転換をとげるならば、主導的地位を奪うことができるということがみごとに実証されているのである。クレスギの戦略転換は、一九六二年に社長のハリー・カニンガム（Harry B. Cunningham）の指導のもとにおこなわれたのだが、それはかつて一九三六年におこなわれたA&Pの戦略転換にも匹敵するみごとな戦略転換であるといえよう。

かつて一九三〇年代の一般的過剰生産時代に、食料品スーパーマーケットが食料品の分野において販売革新を創造したのにたいし、ディスカウント・ストアは、商品構成をフル・ラインの百貨店の品揃えにまで拡大することによって、いわば現代的百貨店を築きあげ、第二次大戦後のいっそう拡大され激化された一般的過剰生産時代にみごとに対応する販売革新を創造することに成功したのである。それは食料品スーパーマーケットの成立以来、商業技術として最大の革新であり、しかも現代における〈アメリカ的生活様式〉と〈アメリカ的ビジネス様式〉に深く根ざしたものであったのである。

◇平均的アメリカ人の生活構造

一九六〇年代初頭のアメリカの大衆消費市場を構成するもっとも典型的な、平均的なアメリカ人の生活構造を整理してみよう。

▼平均的アメリカ人は、いうまでもなく、まず郊外族である。そして毎週金曜日の午後には、平均週給を一〇〇ドルもらう。このクラスが、一九四六年には就業者の三三％、一九五六年には六〇％を越えたといわれている。郊外にある芝生の庭とガレージつきの家は、二万ドル程度で、年賦で買ったものである。

亭主はいまの車のほかに、二台目の車かスポーツ・カーあるいはモーター・ボートがほしくてしようがないところであり、女房はスラックスで週末のバーベキュー料理に得意になっている。子供のためには、犬小舎とブランコが用意されている。プールがほしいことはほしいが、とてもそこまでは手がとどかない。家のなかには、結構上等のじゅうたんが敷かれ、電気芝刈機から、カラーTV、ステレオにいたるまで、家庭の電化は一通り全部行きわたっている。

▼さて、給料をもらったら、まず何をおいても、住宅と自動車、電気製品の毎月の支払分と、レジャーのための費用を、最初に控除しておかなければならない。アーサー・ミラーは戯曲「セールスマンの死」（一九四九年初演）で、その主人公ウィリー・ローマンが家の月賦を払いきったそのときに、その家に住むべき本人自身がこの世の戦いに破れて死んでしまわなければならなかった悲劇を描いているが、現代は、まさに文字通り自分の生命それ自体さえも担保にして、いわゆる〈アメリカ的生活様式〉が買われている時代といってよいだろう。

▼所得が上昇し、生活がいっそう高度化し、〈ゆたかな社会〉がくればくるほど、依存効果でふくれあがる欲望と欲求を満足させるために、あらかじめ控除しておかなければならない部分が多くなるのであるから、残るわずかで一セントでも安く、食料品、衣料品、雑貨、家庭用品、耐久消費財、それにガソリンなどの必需商品を買わなければならなくなるのは、当然すぎるほど当然なのである。

一九六〇年代初頭、いわゆる〈アメリカ的生活様式〉のなかで、平均的アメリカ人の主婦は、平均週一八ドルをスーパーマーケットで食料品を買うのにあてる。スーパーマーケットの顧客のひとり当たりの平均購買額は約五ドルであるから（全米スーパーマーケット協会調査）、アメリカ人は平均週三回は食料品スーパーマーケットに寄ることになる（アメリカ人は、週一回食料品を一度に買いこんで大型の電気冷蔵庫にしまいこんでおくと、わが国ではふつう思われているが、平均としてはアメリカでも、やはり食料品店に寄る必要がもっとも高いのである）。

つぎに平均的アメリカ人の亭主は、車にガソリンを入れに、平均週二回ガソリン・ステーションに寄る必要がある。このふたつが、平均的アメリカ人＝消費者の大量動員をおこなうもっとも重要な吸引力となっている。これこそ、〈アメリカ的生活様式〉をその根底においてささえている購買行動のふたつの強力なマグネット（磁石）となっているものなのである。

したがって、多少の危険をおかして、きわめて図式的にディスカウント・ストアの典型的な基本構造をえがいてみると、つぎのように考えることができる。

大量流通工場＝現代百貨店

現代都市の郊外に立地するディスカウント・ストアは、ハイウェイ沿いに店舗をかまえている。そして、その食料品部門は完全な食料品スーパーマーケットの機能を果たし、この部門全体がいわばロス・リーダーとなって、消費者の大量動員がはかられる。いまひとつガソリン・ステーションが、やはり同じ機能を果たし、思いきったディスカウント価格でガソリンが販売される。広大なパーキング・スペースには、もちろんショッピングの間は無料で車をとめておくことができる。

さて、目当ての食料品の売場には、百貨店のフル・ラインの商品構成をそなえたディスカウント・ストア本来の売場を通ってのみ、行くことができるようにレイアウトされている。そして出口には一括清算のチェック・アウトがそなえられ、全体がサービス・ガールも販売員もいない一階建ての巨大なセルフ・サービス店になっている。こうしてディスカウント・ストアは、七〇〇〇品目におよぶ食料品と一〇万から一八万品目をこす総合商品とを、七万平方フィートから二五万平方フィート（約六五〇〇平方メートルから約二万三二〇〇平方メートル）の売場で、セルフ・サービス、低マージン・高回転で、消費者の衝動的購買を巧みに計算に入れて売りまくるのである。

したがって、極端にいえば、これはもはや従来の観念の小売店舗ではない。第二次世界大戦後のアメリカの小売商業界におこった大きな変化と革新にたいして、ある指導的な役割を果した奇

ディスカウント・ストア　**K**マート（デイトン）

オトリヒリオ(Bernardo Trujillo)は、これを現代におけるオートメーション方式の大量生産工場に対応するセルフ・サービス方式の大量流通工場であるといっている。たしかに、それは現代資本主義経済の巨大な生産力が創出し、たえず拡大再生産する〈アメリカ的ビジネス様式〉と〈アメリカ的生活様式〉、そのなかで生活する平均的アメリカ人が必要とする日常生活必需商品一切のための巨大な流通工場だといってもよいであろう。大量に生産される商品は大量に流通されなければならない。

かつて一〇〇年前、人類は近代都市の都心に、立体高層建築の近代百貨店を築きあげることによって、近代小売商業の革新をスタートさせたが、現代は都市の郊外に、高層でなく平面的な一階建ての流通工場というかたちで、現代百貨店をつくりあげたといってもよいだろう。それは近代小売商業一〇〇年の歯車が、ちょうどワン・サイクル完全に回りきったその旋回軸の上に、まさに近代小売商業一〇〇年のすべての成果を吸収して、革新的な現代小売商業として現代百貨店を実現したものと考えることもできよう。

第9章

ショッピング・センター

▨ 現代都市と商業立地革命

現代小売商業の問題を正しく理解するためには、第二次大戦後のアメリカにおこった社会構造の大きな変化、すなわち大都市郊外への急激な人口の移動とモータリゼーションのいっそうの進展というふたつの要因を、正確に理解しておかなければならない。このふたつの要因は、アメリカの小売商業に大きな影響をあたえた。近代的都市の街路は、元来歩行者と馬車の大きさにあわせてつくられたものであったから、現代の交通地獄と駐車難によって、もはや用をなさなくなり、都心の繁華街におけるショッピングは、急速にその便宜とたのしさを低下させていったのである。そこで、現代の小売商業は、その立地条件の重点を、大都市郊外に移さざるをえなくなった。

こうして、戦後のアメリカの小売商業は、その立地条件を大きく変革しなければならなかったのである。

1　都市問題とショッピング・センター

アメリカの人口は、一九六七年に約二億に達した。アメリカの人口がはじめて一億をこえた第一次大戦中の一九一五年から、五〇年余で、さらに一億が増加したわけである。とくに、第二次大戦後の人口の増加はいちじるしく、戦後のベビー・ブームの影響もあって、一九四七年から六七年までの二〇年間に、三八％という高い増加率を示した。

そして、この二億の人口の分布状況は、『国勢調査』の示すところによれば、大都市に六三〇〇万人、大都市郊外に六七〇〇万人、中小都市郊外に四二〇〇万人、中小都市に一六〇〇万人、農村に一二〇〇万人となっており、過去二〇年間のそれぞれの増加率は四〇%増、九一%増、七五%増、七%増、五四%減となっている。

このうち大都市郊外の増加率がもっとも高く、一九六七年の終わりに、大都市郊外の人口は、アメリカ全人口の三四%、つまりアメリカ人の三人に一人は大都市郊外に生活しているのである。

いまひとつの生活構造の大きな変化は、モータリーゼーションのいっそうの進行である。

アメリカ人の主要な交通手段である乗用車は、一九四七年に保有台数三〇〇〇万台を突破したが、一九六七年には八〇〇〇万台にのぼり、一九四七年から六七年の二〇年間に二・六倍も増加し、乗用車一台当たりの人口は約二・五人となっている。

近代都市の急速な機能低下

このような乗用車の急激な増加にともなって、都市の道路は、放射、環状、高速などの都市内・都市間道路網が高度に整備されていった。しかし、自動車の大量生産と道路網の整備は、逆に、大都市の繁華街に交通地獄をもたらし、駐車場施設の不足とあいまっ

人口分布状況の変化

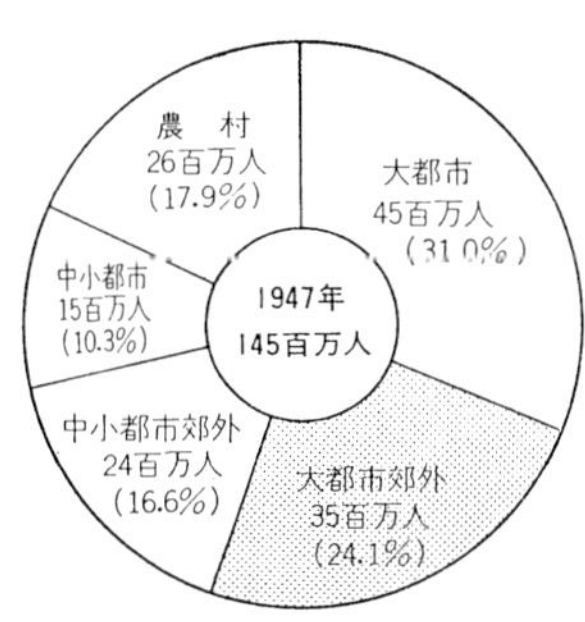

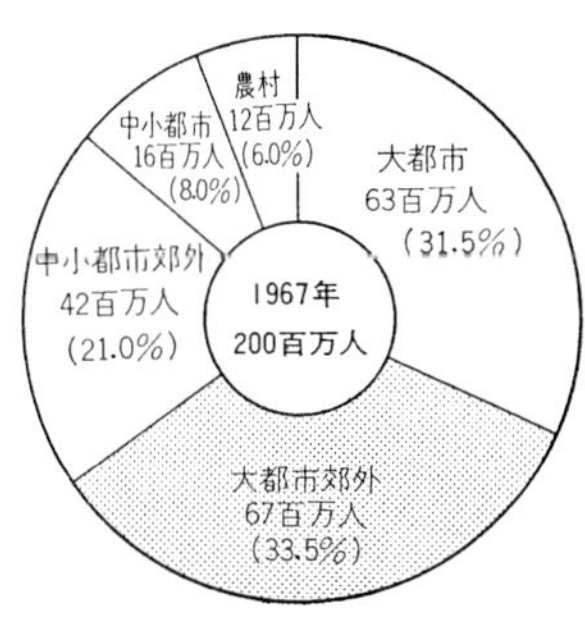

(資料) *Current Population Reports.*

て、従来もっとも魅力にあふれ、活気にみちていた大都市の繁華街から、その便宜とたのしさを奪いとってしまった。都心の繁華街は、急速に都市生活の中心としての機能を低下させはじめ、とりわけショッピングには、きわめて不便な不快な場所となってしまったのである。すなわち、モータリゼーションのいっそう急速な進展は、都市の機能を一般的に低下させ、大都市においては、その繁華街を、地方都市においては、そのメイン・ストリートを、急速に衰退に導いていったのである。

一九世紀の半ば、人口の集中によって誕生した近代的都市は、もともと、街を歩く歩行者と馬車のためにつくられたものであって、自動車やバスや地下鉄のためにつくられたものではなかった。すでに郊外電車や地下鉄の発達は、都市機能に徐々に影響をおよぼしはじめていたのだが、なんといっても自動車の殺到とともに、近代都市は、その様相を急テンポで変貌させてしまったのである。

大都市の都心の繁華街は、たしかに前世紀の末葉以来、大いに発達したが、それは自然発生的に発展したのであり、無計画・無統制に発達したのである。したがって、さまざまな都市改造計画が実施にうつされた都市でさえ、交通問題を根本的に解決することはできなくなってしまっているのである。つま

乗用車保有台数の推移

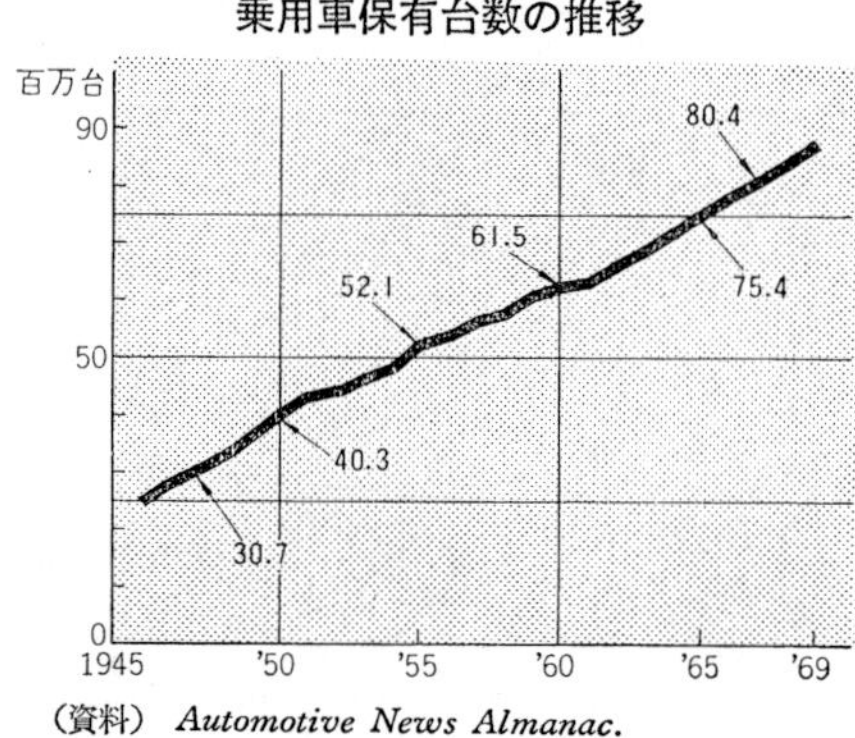

（資料） *Automotive News Almanac.*

り、現代の大都市は、元来、現代の交通地獄に対処できるように構築された都市ではないのである。大都市の繁華街はいっそう成熟し、地価は当然ますます高騰した。そこで、ひとびとは空間をよりよく利用するために、垂直に空にむかって拡張する政策をとった。それをもっともみごとにやりとげたのが、摩天楼の林立するあのニューヨーク・マンハッタンである。しかし、マンハッタンの全盛時代も第二次大戦までで終わった。交通難は緩和されず、ますます混乱をきわめ、垂直拡張政策も、まったくの徒労に終わった。街路の幅そのものが、歩行者と馬の大きさにあわせてつくられたものであったから、人口の増加にともなってふえる自動車の交通と駐車にとっては、どのような対策も、もはや用をなさないのである。こうして現代の都市は、必然的に、人口の大部分を郊外へ移動させることとなった。

いわゆる〈アメリカ的生活様式〉として、アメリカ人に自動車がなくてはならないものになったのも、戦前までの都市の発展が垂直方向であったのに、現代は一転して水平方向に拡散して発展することとなったからである。ここでは、もはや文字通り自動車なしでは、現代の都市で生活するわけには絶対にいかなくなってしまったのである。

商業立地革命とショッピング・センター

さて、人口がますます郊外に拡散し、モータリゼーションがいっそう進展するなかで、都市のショッピングは急速にその便宜とたのしさを低下させていったので、現代の小売商業は、商業活動の立地条件の重点を、人口が急激に移動しつつある郊外の生活の結節点に据えるよう、根底から考え直すことがどうしても必要になった。すなわち、アメリカ小売商業における戦後の大きな変化は、なによりもまず空間に生まれることになったのである。大都市の繁華街は、もはや〈現代〉ではないので、どこか、よその別の空間に〈現代〉を築きあげなければならなくなったといってもよいだろう。

そこで、戦後のもっとも革新的な小売商業形態であるディスカウント・ストアも、当然、その主要な活動の舞台を大都市の郊外に据え、そこにチェーンのネットワークを展開して、あたらしい現代生活に対応していったのであった。そして、そこに現代生活に密着した現代百貨店をつくりあげたのであり、また現代の大量生産機構に対応する大量流通工場ともいうべき現代小売商業のひとつの経営形態を構築していったのである（コーベットの五番街への進出は、そうした背景のもとで展開されたひとつの劇的な演出にしかすぎない。戦後のディスカウント・ストアの主要な舞台は、あくまでも大都市郊外にあったのである）。

そして、この同じ背景が、戦後の大都市郊外に、計画的シ

ストーンタウン・ショッピングセンター（サンフランシスコ）

（Gruen, V. and Smith, L., *Shopping Towns USA*, 1960.）

ョッピング・センター（shopping center）を出現させる原因ともなったのである。
つまり、かつて近代的な百貨店が生まれる土壌となった大都市の都心に自然発生的に形成された繁華街の機能が、急速に低下し変貌していったからこそ、戦後のアメリカは、その大都市郊外に、人工的に、目的意識的に、計画的ショッピング・センターというかたちで繁華街をあらたに築きあげざるをえなかったといってもよいだろう。

一九五〇年代後半以降になると、スーパーマーケット、バラエティ・ストア、百貨店などの小売企業は、それぞれが単独に郊外に進出するというかたちではなく、むしろ集団で進出するかたちで、さらに専門店群、サービス施設群、飲食店群などを加えたいっそう大規模な計画的集団出店というかたちで、革新的な計画的ショッピング・センターを、大都市郊外へ展開するようになった。こうして、戦後の現代小売商業を代表するふたつの革新的な経営形態であるディスカウント・ストアと計画的ショッピング・センターは、相互に共存しながら、大都市郊外に現代を築きあげていったのである。

そして、すでに述べたように、現代における大衆消費社会の生活構造そのものが生みだし、ますます拡大するふたつの要請、つまり、一方では必需商品であるならば一セントでも安く、他方では専門商品であるならばいっそう個性的で多様に、というふたつの要請に対応して、大量流通工場としてのディスカウント・ストアと計画的繁華街としてのショッピング・センターは、現代の〈アメリカ的生活様式〉に完全に同化し、制度化していったのである。

2 現代小売商業の計画的繁華街づくり

ショッピング・センターの経営主体―ディベロッパー　一九五〇年代後半以降から出現した大規模な計画的ショッピング・センターは、二店舗以上の百貨店を核として、つねに同業種二店舗以上の専門店群を一〇〇店舗またはそれ以上、それに食料品スーパーマーケットも加え、さらにサービス施設群、飲食店群はもとより、レジャー施設群から公共施設群までをそなえて、現代の繁華街を大都市郊外に誕生させたのである。しかも、現代のショッピング・センターという名の繁華街は、かつて近代的都市の繁華街が自然発生的に形成されたのに対比して、単一企業としてのディベロッパー（developer 開発企業）が目的意識的に、計画的に、建設することによって、推進されることになったのである。つまり、計画的ショッピング・センターは、百貨店、金融業、保険業、不動産業などの企業が、単独で、あるいはそれぞれが提携して、単一企業としてのディベロッパーとして、建設し、所有し、管理し、運営する革新的な現代小売商業の経営形態として成立する現代の繁華街なのである。

計画的ショッピング・センターの経営主体は、したがって、百貨店でも、スーパーでも、専門店でもない。それぞれの店舗は、いわばひとつの交響楽団のひとりひとりの楽士のように、その構成要素にすぎない。いうまでもなく、ひとりひとりの楽士は、それぞれのパートの演奏に習熟していなければならないが、指揮者ではない。指揮者＝経営主体はディベロッパーである。なるほど、ディベロッパーはみずから直接の営業活動、つまり商品を選択し、これを仕入れ、販売するという直接の営業活動はおこなわない。その名の示す通り、ショッピング・センターの立地条件を選定し、建物、駐車場、広場、遊歩道を建設し、所有し、そこにテナントとして店舗や施設を誘致し、管理し、ショッピング・センター全体の販売力を最大限にするよう運営し、その成果として賃貸借にもとづく収益をはかるのがディベロッパーの機能である。たとえば、ディベロッパーは、スーパーマーケットにたいし、食料品以外の商品の取扱高を、五%以下に抑えるようにさせ、その代わりスーパーマーケットの賃借料を、バラエティ・ストアが払っている売上対比五%より引き下げて、一・五%にする。このように、賃貸借の基準をスーパーマーケットにたいする一%から専門店にたいする七%、さらに飲食店にたいする九%まで、さまざまに幅をもたせ、そうすることによって、ディベロッパーは最大限の演奏効果をあげるよう、ショッピング・センター全体を指揮するという活動をおこなうのである。

ショッピング・センター計画の要点　したがって、このショッピング・センターの各構成要素の組合せを、どのようにはかるかという計画が、ショッピング・センターの盛衰を左右するほどの重要性をもつことになるのである。ショッピング・センター内の店舗の組合せから生まれるあたらしい魅力こそ、それぞれの店舗に最高の売上高を保証するものだからである。ショッピング・センターがさまざまな店舗を適切に組み合わせてできた計画的統一体であるということは、センターと都心がどれだけ離れているかとか、付近のハイウェイがどのように走っているかなどという問題よりはるかに重要なのである。

ショッピング・センターは、なによりも、その計画性に特質をもつ。計画的ショッピング・センターは、いわば近代都市において失われた都心の繁華街の魅力を郊外で計画的に再現し、現代の生活様式に対応させようというものである。したがって、実際のプランニングにあたっては、統一的で、しかも綿密周到な計画性がもっとも必要とされるのである。

計画的ショッピング・センターの計画にとって考慮されなければならない第一の要点は、消費者にたいしてワン・ストップ・ショッピングの便宜とコンパリゾン・ショッピングのたのしさをあたえ、最大の満足をもたらしうるように、すべての業種にわたってテナントを適切に選択し、組み合わせ、配置して、総合的なショッピング機能を果たしうる営業活動が、全体として展開されるに必要にして十分な条件を築きあげることにある。その際、とくに重要なことは、全国的に著名な有力店舗に出店させ、消費者の大量動員の核とすることである。このような核あるいはマグネットになる店舗は、当然、全国的規模でチェーン・ストアのネットワークを展開している大規模小売企業の店舗ということになる。

第二の要点は、ショッピングをよりたのしくさせる環境を整備することである。とくに大規模な計画的ショッピング・センターについていえることだが、近代的都市の繁華街がかつてもっていた雰囲気を現代に再現するために、さまざまな催しもののための条件、遊歩道、噴水、植えこみなど、ショッピングとリクリエーションを有機的に結合する環境づくりが計画化されなければならない。

第三の要点は、モータリゼーションの発達に対応した計画をおこなうことであり、具体的には、十分な駐車場の整備、周辺のハイウェイから出入りする消費者や業者の自動車交通の便宜が計画化されなければならない。

三つの基本的類型　アメリカの計画的ショッピング・センターは、その立地条件、規模、内容によって、当然それぞれちがいがあるが、一般的には、だいたいつぎの三つの基本的類型に類別することができる（この三つの類型は、同時にショッピング・センターの段階的発展の跡でもある）。

(1)　小規模ショッピング・センター (neigborhood shopping center)　スーパーマーケットを核店舗とし、主として日常生活に必要な最寄品の購買を目的としたショッピング・センターである。総賃貸面積は、約三万～一〇万平方フィート（約二八〇〇～九三〇〇平方メートル）。

(2)　中規模ショッピング・センター (community shopping center)　小型百貨店 (junior department store) ないしはバラエティ・ストアを核店舗とし、小規模ショッピング・センターの最寄品中心の商品構成に加えて、買回品の購買をも可能にしたショッピング・センターである。総賃貸面積は、約一〇万～三〇万平方フィート（約九三〇〇～二万八〇〇〇平方メートル）。

(3)　大規模ショッピング・センター (regional shopping center)　有力百貨店を核店舗とし、買回品の購買に重点をおいて、広範な地域にわたる商圏を対象とした大型のショッピング・センターである。総賃貸面積は約三〇万～一〇〇万平方フィート（約二万八〇〇〇～九万三〇〇〇平方メートル）。

ノン・マーチャンダイジング・リテイラー

ディベロッパーの活動は不動産業の活動に似ている。その経営的基礎は、基本的に、不動産収入にあるからである。

しかし、それがたんなる不動産業と異なるのは、すでに述べたように、構成要素であるそれぞれの店舗を正しく組み合わせ、その販売促進をふくめ、ショッピング・センター全体の売上高を最大限にまで高めるよう運営をはかることによって、直接の営業活動（マーチャンダイジング）はおこなわないが、すぐれて高度な次元で、やはり小売商業活動をおこなうところに、ディベロッパーのディベロッパーたるゆえんがあるからである。ディベロッパーが、ノン・マーチャンダイジング・リテイラー（non-merchandising retailer）とよばれる理由も、また、ここにある。

ディベロッパーは、現代において計画的ショッピング・センターという名の繁華街を建設・所有し、管理・運営する革新的な小売商業の経営主体といってもよい。

現代小売商業とショッピング・センター

計画的ショッピング・センターの登場は、近代小売商業一〇〇年の歴史を回してきた歯車が、ついにワン・サイクル完全に回りきったその旋回軸の上に生まれたというだけでなく、近代小売商業を育成してきた近代都市そのものの運命の旋回軸の上に、革新的な現代小売商業を実現したものとして、とらえられなければならないであろう。近代小売商業と近代都市が運命をともにして歩んできたとまったく同じように、現代小売商業も、また、現代都市と運命をともにして歩まなければならないのである。

そして、ここでも、ショッピング・センターとチェーン・ストアは、車の両輪のように相互に依存しあいながら、発達していっているのである。そもそも、ショッピング・センターそのものの発達も、百貨店、スーパーマーケット、バラエティ・ストア、専門店など、それぞれ業種・業態のちがいはあっても、ひとしくチェーン化の強い意思をもって、つぎつぎにショッピング・センター内に出店する強力なテナントの存在を予定しなければ、およそ成立しないからである。したがって、チェーン・ストアの発展なくして、ショッピング・センターの発展はないといっても過言ではない。また、一時大きく衰退の運命をたどった百貨店が、その失地を挽回し、ふたたび発展のエネルギーを回復したのも、ショッピング・センターの核店舗となることによって、おのずからチェーン化を志向するようになったからであったということもできよう。

こうして、計画的ショッピング・センターは、現代社会において、いっそう大規模なワン・ストップ・ショッピングの便宜と、完全に計画化されたコンパリゾン・ショッピングのたのしさを消費者大衆に与え、さらに社会的・文化的・娯楽的な機能をも加え、現代の消費者が家族揃って、ショッピングとレジャーをたのしむことのできる施設となったのである。いまや、アメリカの場合、計画的ショッピング・センターは現代社会にとってなくてはならない郊外生活のシンボルにさえなっている。

アメリカの計画的ショッピング・センターは一九六八年現在、約一万二五〇〇で、全米全小売販売総額（ただし自動車ディーラーおよびガソリン・ステーションを除く）の三六・八％を販売し、七〇年代には確実に五〇%を越すであろうとみられるにいたっているのである。

かつて一〇〇年前、人類は近代的都市の誕生を背景として、〈ひとつ屋根のもとに〉ありとあらゆる商品をあつめ、これを部門別に管理する高層建築の近代的百貨店を都心の繁華街につくりだしたが、いま、歴史の現段階は、現代都市のいっそうの発展と成熟を背景に、一方では、現代の大量生産機構に対応する大量流通工場ともいうべきディスカウント・ストアと、他方では、現代の大都市郊外生活に対応する計画的繁華街ともいうべき計画的ショッピング・センターとを、近代小売商業一〇〇年の歴史をかけて人類が開発してきたすべての商業技術と経営方法の成果を凝集して築きあげる段階にまでいたったといってもよいだろう。その意味で、計画的ショッピング・センターは、近代小売商業の原理と方法をすべて結晶した上で、目的意識的に、計画的繁華街を築きあげ、そのなかに現代小売商業を体現したものといえるのである。

第10章

流通産業革命への道

われわれは、「生産力」の発達に対応して「市場」ないし「販路」拡大の方法が、どのように展開していったかという基礎視角から、小売商業の近代化・合理化＝産業化の過程、すなわち流通産業の成立過程を、世界史的立場に立って、それがもっとも典型的なかたちで発達したと思われるアメリカの場合について、ごく大づかみにではあるが、その展開のあとをたずねてきた。しかしそれは、たんにアメリカにおける近代小売商業の発達過程を、近代小売商業史それ自体として研究するためではなく、あくまでも、わが国の流通機構が直面しつつある現代的課題、その問題の所在と解決の方向を基本的に明らかにするための明確な基準＝座標軸を築きあげるためであった。

そこで、われわれはつぎに、この基準＝座標軸をものさしとして、アメリカとわが国の小売商業の構造的特質を国際比較することによって、問題の核心を探ってみよう。

1　アメリカとわが国の小売商業構造

小売商業構造全体の比較

まず最初に、われわれは、アメリカとわが国の小売商業構造全体の姿を明らかにして、その構造的特質を国際比較してみなければならない。

最新のアメリカ『商業センサス』（一九六七年）によると、アメリカには一七六万三三二四店の小売店舗がある。わが国の場合は、最新の『商業統計』（一九六八年）によると、一八〇万〇九七六店の小売店舗がある。したがって、店舗総数では、わが国はアメリカよりもわずかながら多い（二四〇頁参照）。

両国の人口は、わが国が一九六八年に一億〇一四〇万七〇〇〇人であるのにたいし、アメリカでは一九六七年に一億九七八六万三〇〇〇人であり、わが国の二倍に近い。したがって人口一人当たりでは、わが国の小売店舗はアメリカより非常に多いことになる。すなわち、人口一〇〇〇人当たりの小売店舗数は、わが国の一七・八店にたいし、アメリカでは八・九店であり、わが国の約半分にすぎない。

このように、わが国に比較して、アメリカにおいて小売店舗総数が相対的に少ないということは、逆に、その規模が相対的に大きいことを物語っている。一店舗当たりの従業員数は、わが国が平均三・四人であるのにたいして、アメリカでは五・三人である。また一店舗当たりの月間売上高は、わが国が八二万七八二〇円であるのにたいして、アメリカでは五二七万七九六〇円(一万四六六一ドル)であり、六倍以上のちがいがある。売上高のちがいは、国民所得、消費支出のちがいによって大きく左右され、小売商業だけの問題ではないが、従業員数に大きなちがいがあることは、深い意味をもっている。すなわち、平均で三人ということは、わが国の小売商業の大部分が、いまだに家族労働だけで営業しているいわば生業的段階にとどまっていることを示し、これにたいしアメリカでは、平均して、こうした生業的段階から抜けだしていることを示しているのである。

食料品店と衣料品店の比較

業種別にみると、まず最初に、アメリカの場合、自動車ディーラー(一〇万五五〇〇店)とガソリン・ステーション(二一万六〇五九店)の比重がきわめて高いことが注目される。いうまでもなく、アメリカにおいてモータリゼーションが大いに成熟していることの反映である。

表1　アメリカの小売商業構造（1967年）

	店舗数	売上高（百万ドル）	従業員数
小売業総合計	1,763,324	310,214	9,380,616
食料品店	294,243	70,251	1,444,469
酒店	39,719	6,663	102,079
飲食店	347,890	23,843	2,032,631
総合商品小売業	67,307	43,537	1,646,549
百貨店	5,792	32,344	1,174,351
バラエティ・ストア	21,046	5,407	285,348
その他	40,469	5,786	186,850
衣料・服飾品店	110,164	16,672	658,676
家具，その他	98,826	14,542	406,221
ドラッグ・ストア	53,722	10,930	409,209
その他	429,894	45,436	1,198,981
小計	1,441,765	231,874	7,898,815
自動車小売業	105,500	55,631	906,594
ガソリン・ステーション	216,059	22,709	575,207

（資料） *1967 Census of Business, Retail Trade.*

表2　日本の小売商業構造（1968〔昭和43〕年）

	店舗数	売上高（百万円）	従業員数
小売業総合計	1,800,976	17,890,666	6,077,213
食料品店	711,316	5,339,416	1,807,892
飲食店	371,310	1,678,032	1,465,169
百貨店	644	1,596,211	185,904
衣料品店	198,997	2,248,962	724,358
家具，その他	149,309	1,776,725	506,292
その他	328,956	2,654,051	1,017,379
小計	1,760,532	15,293,397	5,706,994
自動車小売業	13,202	1,509,047	200,438
ガソリン・ステーション	27,242	1,088,222	169,781

（資料）『わが国の商業』1969年。

つぎに注目されるのは、食料品店が非常に少ないことである。わが国の食料品店総数は七一万一三一六店であるが、アメリカでは二九万四二四三店であり、これに酒店三万九七一九店を加えても、三三万三九六二店にすぎず、二分の一以下である。食料品売上高が小売販売総額（ただし自動車ディーラーとガソリン・ステーションを除く）に占める比率をみると、わが国の三四・九％にたいし、アメリカでは三〇・三％であり、それほど大きなちがいはない。したがってアメリカの食料品店は、わが国と比較して、その規模がいっそう大きいことを示している。これはひとつには、アメリカでは食料品スーパーマーケットのような大規模な総合食料品店が大いに発達しているからであり、いまひとつには、わが国ではこの分野にとくに零細な小売店舗が多いからである。換言すれば、アメリカでは、食料品スーパーマーケットを中心に総合食料品店化が進んでいくなかで、零細な食料品店が急速に減少していったことをよく示しているのである。

衣料・服飾品店も、わが国の一九万八九九七店にたいし、アメリカでは一一万〇一六四店にすぎず、非常に少ない。衣料品の売上高が小売販売総額（ただし飲食店を除く）に占める比率をみても、わが国の一三・九％にたいし、アメリカでは五・八％であり、非常に少ない。衣料品のいまひとつの大きな販売経路である百貨店の売上高をみると、わが国の百貨店売上高が小売販売総額に占める比率は九・八％であるのにたいし、アメリカでは一一・三％であり、それほど大きなちがいがない。したがって、これはアメリカとわが国の衣料品の消費構造の特質を反映していると考えられる。

百貨店の比較　百貨店は、わが国が六四四店であるのにたいして、アメリカでは五七九二店であり、九倍近くもある。しかし、すでに述べたように、小売販売総額に占める売上高の比率は九・八%と一一・三%で、それほどのちがいはないから、百貨店の平均規模は、アメリカでは他の小売店舗との相対的比較において、わが国よりはるかに小さいといえる。実際に、アメリカの百貨店の一店舗当たりの月間売上高は一億六七五三万円（四六万五三五五ドル）で、わが国の二億〇六五五万円と比較すれば小さく、わが国では百貨店がきわめて特異な発達をとげていることを知ることができる。

しかし、もっとも大きなちがいは、百貨店売上高の小売販売総額に占める比率が、わが国では戦後一貫して着実にのびているのにたいし、アメリカでは一時大きく低下したことである。つまり一九四八年の八・九%から一九五四年の六・七%へとはげしく低下し、ようやく一九五八年に七・二%に回復し、一九六三年九・一%、一九六七年一一・三%へとのびてきている。このことは、アメリカにおいては百貨店が大都市都心の繁華街の衰退と運命をともにして一時大きく衰退し、やがて郊外の計画的ショッピング・センターに積極的に出店するなどの方法で、ふたたび失地の挽回に成功したことの忠実な反映であり、その反面、平均規模はいっそう小さくなってきている。

飲食店その他の比較　さらに、飲食店については、アメリカの場合、食料品店や衣料品店が比較的少ないのにたいして、いちじるしく多いことが注目される。わが国では三七万一三一〇店であるが、アメリカには三四万七八九〇店ある。アメリカの場合、これは食料品店の二九万四二四三店を上回って、店舗数では業種別の第一位を占めている。一店当たりの月間売上高も二〇五万五九六〇円（五七一一ドル）で、わが国の三七万六六〇〇円よりはるかに大きい。このように飲食店の店舗数が非常に多いということは、国民所得の増加によって外食需要が増加していることを正確に反映しているのであり、しかも飲食店は、本来、小規模で分散的であるため、このように店舗数が増加するのである。

なおアメリカでは、わが国ではあまり聞きなれないバラエティ・ストア（二万、〇四六店）やドラッグ・ストア（五万三七二二店）などがあり、その比重は高い。バラエティ・ストアについては、大づかみにではあるがすでに述べたことがあったが、ドラッグ・ストアについては簡単に説明しておく必要があろう。これは直訳すれば薬屋ということだが、わが国のそれとはかなり業態がちがっている。ドラッグ・ストアの販売する商品は薬品にかぎらず、カメラやフィルムのような商品も扱い、喫茶店やスナックもかねている。それは薬局をそなえたバラエティ・ストアといってもよいだろう。

こうした業種別の検討を細部にわたって述べるとすれば、まだまだ多くの論ずべきことがあろう。たとえば、自転車屋がわが国にはアメリカの二〇倍以上あること、本屋がわが国にはアメリカの一〇倍以上あること、たばこ屋がわが国にはアメリカの五倍以

◇業種別一店当たり月間売上高

アメリカの飲食店の一店当たり月間売上高五七一一ドルは、当然のことながら、他の業種と比較すると相対的に小さい。

参考までに、業種別に一店当たり月間売上高をあげると、食料品店は一万九八九六ドル、衣料品店は一万二六一一ドル、百貨店は四六万五三五五ドル、バラエティ・ストアは二万一四一一ドル、ドラッグ・ストアは一万六九五五ドルである。

上あること、カメラ・写真材料店がわが国にはアメリカの三倍以上あること、逆に、花屋はアメリカにはわが国の二倍以上あること等々……。要するに、アメリカの消費生活の構造を忠実に反映しており、いまひとつには販売方法のちがいを如実に反映しているのである(たとえば零細な小売店舗が食料品スーパーマーケットやドラッグ・ストアの一部門のなかに吸収されてしまっていることなど)。

一般に、アメリカとわが国の小売商業構造は、アメリカでは、全体として、小売店舗の数が少なく、そのひとつひとつの平均規模が大きいということができる。しかも、そのような傾向は、全業種を通じて平均してみられることではなく、業種によって大きなちがいがある。そしてそれは食料品と衣料品の分野においていちじるしい。

◇商業センサスと戦後の商業形態

小売商業構造を業種別にみる場合、戦後に登場してきたディスカウント・ストアとショッピング・センターは、『商業センサス』にはでてこない。これら戦後のあたらしい商業形態に関する統計数学は、日本でもアメリカでも商業統計には、まだとりあげられるにいたっていないからである。

アメリカにおけるチェーン・ストアの力

このように、アメリカとわが国の国際比較を試みると、まず、ひとつひとつの小売店舗の規模がちがうことがはっきりする。しかし、より立ち入って分析のメスをいれると、むしろ、それを経営する小売企業の規模に、いっそう大きなちがいがあるということを知ることができる。

アメリカの場合、『商業センサス』によると、小売店舗総数一七六万三三二四店のうち、本店一店舗だけしかもたないものは一五四万三一九三店で、二〜三店をもつ企業の店舗数は五万八七六四店、四店舗以上をもつ企業の店舗数は一六万一三六七店となっている。そして、この二店舗以上をもつ企業は、小売店舗総数の一二・五%で三九・八%を売り上げ、そのうち四店舗以上をもつ企業は、小売店舗総数の九・二%で三四・〇%を売り上げているのである。

しかも、そのうち一一店舗以上をもつ企業に属する店舗数は一三万一一八九店あり、小売店舗総数のわずか七・五%で小売販売総額の二九・三%を売り上げ、一〇一店舗以上の大規模小売企業に属する店舗数は八万二二〇〇店あり、わずか四・七%で小売販売総額の一八・六%を売り上げているのである。アメリカのチェーン・ストアの力は、このように明らかであるといわなければならない。わが国と比較した場合、アメリカの小売商業のもっとも大きな構造的特質はこのようなチェーン・ストアの発達にあるということができる（チェーン・ストアとは、現在の国際定義では一一店舗以上をもつ小売企業をいう。しかし一九二九年以来アメリカの『商

アメリカの企業規模別の店舗数・売上高（1967年）

企業規模	店舗数	%	売上高（百万ドル）	%
1　店舗	1,543,193	87.5	186,709	60.2
2〜3店舗	58,764	3.3	18,097	5.8
4〜10店舗	30,178	1.7	14,602	4.7
11〜100店舗	48,989	2.8	33,075	10.7
101 店舗以上	82,200	4.7	57,731	18.6
小計	161,367	9.2	105,408	34.0
合計	1,763,324	100.0	310,214	100.0

（資料） *1967 Census of Business, Retail Trade*

業センサス』では四店舗以上をもってチェーンとしているので、以下とくに断わらないかぎり比較上これによる)。

しかも、このチェーン・ストアは一九二九年までにアメリカの小売商業構造のなかできわめて重要な位置を占め、それ以降その位置を実質的に少しも変えていない。むしろ着実に、その地位を高めているのである。小売販売総額に占めるチェーン・ストアのシェアは一九二九年の二二・二%、一九三九年の二四・〇%、一九四八年の二二・八%、一九五四年の二三・七%、一九五八年の二六・七%、一九六三年の三〇・一%、そして一九六七年には三四・〇%と着実に上昇しているのである（次頁表(1)参照）。

とりわけ、食料品や衣料品などの分野でこの傾向はいちじるしく、食料品では一九五八年に四四・〇%、一九六三年に四八・九%、一九六七年には五三・〇%、また衣料品では一九五八年に三二・〇%、一九六三年に三五・八%、一九六七年には三七・九%が、チェーン・ストアによる売上高であったのである（次頁表(2)(3)参照）。

未成熟なわが国のチェーン・ストア

アメリカでは一九二九年以来一貫して、このようなチェーン化の発達のテンポをはかる統計がつくられてきているが、わが国では、このような統計は、現在、どこでもつくられていない。まったくないのである。そこで、わが国の場合には、一九六九（昭和四四）年の『事業所統計』をもとに推論する以外に方法がないのであるが、それによると全体で一七五万六一一四店の小売店舗総数（これはもちろん商業統計の数字とは少しちがっている）のうち、本店一店舗だけしかもたないものは一六四万四八一七店（九三・七%）で、二店舗以上をもつ企業の店舗数は一一万一二九一店

アメリカのチェーン・ストアの発達過程

(1) 全 小 売 業

	店舗数			売上高（百万ドル）		
	全体	チェーン・ストア	%	全体	チェーン・ストア	%
1929	1,476,365	159,638	10.8	48,329	10,740	22.2
1939	1,770,355	132,763	7.5	42,041	10,105	24.0
1948	1,769,540	105,109	5.9	130,520	29,736	22.8
1954	1,721,650	105,139	6.1	169,968	40,297	23.7
1958	1,788,325	114,170	6.3	199,646	53,443	26.7
1963	1,707,931	142,395	8.3	244,201	73,584	30.1
1967	1,763,324	161,367	9.2	310,214	105,408	34.0

(2) 食料品小売業

	店舗数			売上高（百万ドル）		
	全体	チェーン・ストア	%	全体	チェーン・ストア	%
1929	481,891	61,416	12.7	10,837	3,514	32.4
1939	560,549	51,110	9.1	10,165	3,409	33.5
1948	504,439	32,574	6.5	30,966	10,493	33.9
1954	384,616	25,212	6.5	39,762	15,478	38.9
1958	355,508	25,005	7.0	49,022	21,592	44.0
1963	319,433	32,061	10.0	57,079	27,950	48.9
1967	294,243	37,345	12.7	70,251	37,280	53.1

(3) 衣料品小売業

	店舗数			売上高（百万ドル）		
	全体	チェーン・ストア	%	全体	チェーン・ストア	%
1929	114,296	17,218	15.1	4,241	1,197	28.2
1939	106,959	17,591	16.4	3,259	1,001	30.7
1948	115,246	14,515	12.6	9,803	2,729	27.8
1954	119,743	19,881	16.6	11,078	3,197	28.8
1958	118,759	19,414	16.3	12,525	4,004	32.0
1963	116,223	21,764	18.7	14,040	5,031	35.8
1967	110,164	21,366	19.4	16,672	6,313	37.9

（資料）(1)(2)(3) とも，各年度 *Census of Business, Retail Trade.*

（六・三％）にすぎない。そして、それが小売販売総額に占める比率は、アメリカの場合にくらべて、とるにたりないほど小さいのである。全体として、わが国のチェーン・ストアは、アメリカとくらべていちじるしく未成熟な発達段階にあるといわなければならない。

決定的なちがい　すでに繰り返し述べたことがあるように、小売商業はひとつひとつの店舗は小規模で分散的であっても、中央の指導と統制のもとに多数の店舗を組織的に配置して経営するならば、つまりチェーン・ストア経営組織を築きあげるならば、それは大規模小売企業を実現することができる。そして、このようなチェーン・ストア経営によって小売商業におけるビッグ・ビジネスが成立しているかどうかが、アメリカとわが国の小売商業構造におけるもっとも大きなちがいとなっているのである。

(1)　チェーン・ストア経営を中心とする大規模小売企業は、小売商業に固有の特質である小規模分散性を克服して、小売商業をして、資本の運動としての経営規模の拡大＝資本の拡大を可能ならしめる道を用意した。これによって、近代小売商業は、前期的で非合理的な、つまり多かれ少なかれ投機的な（経済学的には不等価交換）商業にたいして、近代的で合理的な、つまり経営的な（経済学的には等価交換）、近代的商品流通への志向と展望をもつ近代小売商業を可能としただけでなく（価値法則の貫徹）、はじめて資本主義経済において、小売商業におけるビッグ・ビジネスの成立を確実に可能としたのである。

(2)　さらに、チェーン・ストア経営を中心とする大規模小売企業は、水平的統合の方法によって一定の絶対的企業規模を実現し、生産のミニマム・ロットを販売するだけの力を築きあげるならば、垂直的統合の方法によって生産段階に介入することができる。そしてこれによって、近代小売商業は、はじめて、小売商業に固有の特質である消極的受動性を克服して、産業構造全体にたいして能動的で積極的な役割を果たすことを可能ならしめる道を用意したのである。これまで、およそ小売商業は、方向決定の主体性を自己のうちに内包せず、その拠って立つ生産と消費の条件によって、つねに、その性格を規定されつつ、産業構造全体にたいし、あるいは阻止的に、あるいは促進的に、媒介するのみであった。そこで、資本主義経済において、小売商業は、要するに、媒介的機能を果たすにすぎず、つねに、自己の内部に主体的な展開の論理をもたないものとされてきたのであった。しかし、チェーン・ストア経営を中心とする大規模小売企業は、この消極的受動性をついに克服して、逆に、能動的積極性をもって、産業構造全体の運動にたいしてはたらきかけることができるようになり、近代的で合理的な、つまり産業的な、近代的商品生産＝流通への志向と展望をもつ近代小売商業を可能としたのである。

こうしたふたつの条件を小売商業がそなえたとき、われわれは、これを従来からの小売商業と区別して、近代小売産業あるいは流通産業の基礎的条件が成立したと考えてよいとしたのだが、アメリカとわが国の小売商業構造におけるもっとも大きなちがいは、まさに、このような意味における近代小売産業＝流通産業が成立し、確立しているかどうかにあるといってもよいだろう。

決定的なちがいは、なによりも、チェーン・ストアの発達の程度と度合にある。そのちがいは、現段

表 1　アメリカの小売企業上位10社店舗数・売上高 (1970年)

順位	企業名	店舗数	売上高 (百万ドル)	億円
1	シアーズ・ローバック	827	9,262	(33,343)
2	A & P	4,427	5,664	(20,390)
3	セーフウェイ	2,303	4,860	(17,496)
4	J.C.ペニー	1,849	4,150	(14,940)
5	クローガー	1,953	3,735	(13,446)
6	マーコー (ワード)	459	2,804	(10,094)
7	S.S.クレスギ	1,073	2,558	(9,208)
8	F.W.ウールワース	3,656	2,527	(9,097)
9	フェデレイテッド百貨店	107	2,091	(7,527)
10	フードフェア	621	1,762	(6,343)
	合計	17,275	39,413	(141,886)
	平均	1,727	3,941	(14,188)

(資料) 各社アニュアル・レポート。

表 2　日本の小売企業上位10社店舗数・売上高 (1970年)

順位	企業名	店舗数	売上高 (億円)
1	三越	11	1,885
2	大丸	4	1,652
3	高島屋	4	1,593
4	ダイエー	58	1,429
5	西友ストア	84	1,200
6	松坂屋	5	1,178
7	西武百貨店	10	1,100
8	ジャスコ	80	959
9	ユニー	113	840
10	伊勢丹	3	800
	ニチイ	122	800
	合計	494	13,436
	平均	44	1,221

(資料) 「日本の小売業100社ランキング」『日経流通新聞』1971年5月19日号。

階におけるアメリカとわが国の小売商業における上位企業の比較をおこなえば、じつに明瞭である。前頁の表が示すように、アメリカの上位の代表的な巨大小売企業は、すべて多数のチェーン店舗網をもっている。その企業規模は日本の上位の代表的な小売企業とはくらべものにならないくらい巨大であるが、その主要な原因は、なによりも、その所有し、建設し、管理し、運営する店舗の数にちがいがあるからであり、チェーン化のちがいなのである。実際に、わが国の場合、一九七〇（昭和四五）年ダイエーをはじめとするスーパー上位一〇社でさえ、やはり、その平均店舗数は六六店舗にすぎず、最大の店舗数をもつ企業でも、わが国では一〇〇店舗をようやく越した程度なのである。

わが国の小売企業がセルフ・サービスやディスカウント販売などの商業技術をアメリカから導入することは、それほどむずかしいとは思われない。しかし、アメリカで典型的に発達したようなチェーン・ストア経営を確立し、近代小売産業＝流通産業を築きあげるまでに成長することは、きわめて困難な道であるといわなければならない。

目に見えるものを学びとることは、それほどむずかしいことではないが、真に学ばなければならないものは、むしろ、目には見えないチェーン・ストア経営の原理と方法であるからである。

なるほど、チェーン組織の有利性、すなわち多数の店舗を分散的に配置し、強力な中央本部の計画と統制のもとに、大量仕入や共同宣伝などによって「規模の利益」を実現することは、誰にでもきわめて容易に理解できる単純明快な原理である。しかし、チェーン・ストア経営の確立は、そのような常識的な理解をそなえさえすれば、すぐにできるというような性質のものではなく、そのためには、組織運営や計数管理のような、わが国の小売企業がもっとも不得手とする原理と方法を確実にマスターしなければならないし、人事管理や商品管理などもけたちがいのむずかしさをともなうのである。そして、なによりも、チェーン化による拡大の過程において、それを主体的に推進する商人が、近代的で合理的な、経営的で産業的な近代小売産業＝流通産業を築きあげるために、言葉のもっとも正しい意味で、小売商業の近代化・合理化＝産業化を実現する強い意思とエネルギーを身につけ、それを持続的に鍛えつづけなければならないのである。

2　流通産業革命の課題

――小売商業の産業化への道――

アメリカとわが国の小売商業を国際比較すると、われわれは、いくつもの構造的な特質を数えることができるが、結局、アメリカとわが国のもっとも大きなちがいは、チェーン化の発展のちがいにあるということを知った。しかし、アメリカとわが国のちがいは、たんにその発展の程度や度合のちがいだけではなく、その発展の順序や方法において、大きなちがいがみられるのである。そして、本質的には、このことの方がはるかに重要である。

近代小売商業発達の典型的な順序と方法

アメリカにおける近代小売商業の発達過程、その順序と方法は、かなり整然としている。アメリカの場合、前世紀の末葉に、都市における百貨店と農村における通信販売というかたちで近代小売商業が生まれてから、今世紀のはじめ、わけても一九一〇年代から二〇年代にかけて、食料品店やバラエティ・ストアや衣料品店を中心としてまずチェーン・ストアが発達し、流通産業の成立を可能ならしめる基礎的条件が築きあげられていった。そして一九二九年の世界大恐慌のあと、一方ではA&P、セーフウェイ、クローガーなどを中心として食料品の分野で、他方ではシアーズ・ローバックを中心として総合商品の分野で、それぞれ流通産業が確立し、そして戦後のディスカウント・ストアやショッピング・センターの展開を迎えるというかたちをとっている。この間の近代小売商業の変化と革新は、まことに劇的な展開をみせたのであるが、しかし、時間的には、じつに一〇〇年もの歴史と歳月をかけており、その発展の順序と方法は、かなり整然と段階的であった。それは、生産力の発達にみごとに対応して、市場ないし販路拡大の方法として、きわめて順序正しく、段階的に展開しているといってよいだろう。

そしてなによりも重要なことは、食料品スーパーマーケットやディスカウント・ストアのような大きな商業技術上の革新に先立って、チェーン化によってアメリカの小売商業は、きわめて早い時期に、大規模小売企業を成立させていたという事実である。アメリカの小売商業が、今世紀のはじめという早い時期に、生産の側における大量生産方式の発達とほぼ並行して、大量販売方式を着実に推進していくしっかりとした経営的・産業的基礎を築きあげていたということが、そののちの商業技術上の変化と革新にたいし順調に適応していく上で、決定的な役割を果たしたのである。

革新のエネルギーはどう蓄積されたか

セルフ・サービスやチェック・アウト方式を主要な武器とする食料品スーパーマーケットの販売革新や、その方法を非食料品部門の総合商品の分野に適用したディスカウント・ストアの販売革新は、要するに商業技術の問題であって、企業経営の本質的な問題ではない。強力な資本力や経営力をそなえた企業にとっては、あたらしい技術を採用することはそれほどむずかしいことではない（同じことは、第二次大戦後の小売商業の立地革命にたいする対応についてもいうことができる）。重要なことは、つねにあたらしい状況の変化に対応して、革新的な営業活動の方法を縦横に駆使することができるだけの経営管理の能力をそなえているかどうか、その経営資源が企業に蓄積されているかどうかなのである。

アメリカでは、このことがきわめて順調におこなわれてきた。そのためアメリカでは、まず第一に、大資本に対抗するために独立自営商の営業活動がきわめて活発に展開されることになった。食料品スーパーマーケットもディスカウント・ストアも、その最初の革新の開発者となったものは、けっして大規模小売企業でなく、マイケル・カレンやユージン・ファカウフのような独立自営商であった。独立自営商は、つねに大資本が支配している分野で大きく成長するためには、旧態依然たる方法を踏襲していたのでは、まったく、その夢を実現する可能性を見出すことができなかったので、かえって、革新的な販売方法を開発することにきわめて真剣だったのである。真の流通革命は、独立自営商を保守と停滞のなかにおきざりにしたままでは、けっして実現することはできない。なによりも、まず、独立自営商の間に、変化と革新をめざすはげしいエネルギーが活発にはたらいていなければならないのである。

第二に、同じく独立自営商の共同化が強力に推進されたことである。大資本によるチェーン・ストアの大規模化によって圧迫をうけた独立自営商は、やがてチェーン・ストアの「規模の利益」を、みずから共同化し、相互に提携することによって獲得しようとした。それがボランタリー・チェーンやコーペラティブ・チェーンの結成であった。このように、独立自営商が独立性を保持しながら、しかもなお共同化することによって、高度なチェーン・ストア経営組織を築きあげていったからこそ、そののちの商業技術上の変化と革新にも、独立自営商はとりのこされることなく、みごとに対応していくことができたのである。真の流通革命は、独立自営商の間に、大規模小売企業と互角に競争して、いっそう効率的な経営をめざす強いエネルギーが活発にはたらいていなければならないのである。

第三に、こうした変化と革新が、企業経営にいたずらな混乱や焦燥をまきおこすことが少なかったということである。既存勢力の企業的基礎は強大であって、新興勢力によって急激に駆逐されたり、その地位をおびやかされることは少なく、それどころか、すぐにその革新をとりいれ、状況の変化に対応して、みずからを変革していくだけの経営的・産業的基礎を早くから築きあげることに成功していたのである。そのため主導的な大規模小売企業は、企業経営として大きな混乱や焦燥をおこさなかったのである。たとえば、A&Pは、けっして食料品スーパーマーケットの開発者ではなかったが、一九三〇年代後半以降の本格的なスーパーマーケット時代を担ったのは、結局、A&Pであった。S・S・クレスギは、やはり、けっしてディスカウント・ストアの開発者であったわけではなかったが、一九六〇年代後半以降の本格的なディスカウント・ストア時代を築きあげたのは、結局、S・S・クレスギであった（なお、一九二九年および一九七〇年のアメリカ小売企業上位八社を注目されたい。九〇頁、二五〇頁参照）。

シアーズ・ローバック発展の基礎

シアーズ・ローバックは、通信販売でスタートし、すでにみたように一九二〇年代の半ばにようやく、人口の都市への集中とモータリゼーションの進行にともなって成立した大衆消費市場に対応して、通信販売とならんで小売店舗のチェーン展開をはかるという大きな戦略転換をとげた。そして、さらに第二次大戦後には、人口の郊外への拡散とモータリゼーションのいっそうの進行にともなって成立した大衆消費市場のいっそうの成熟に対応して、いまいちど大きな戦略転換をとげるというように、二度にわたる大きな戦略転換をみごとにやりとげて、現在の小売商業界の王座を獲得した。それというのも、すでに一九二〇年代後半の戦略転換にひきつづいて、さらに一九三〇年代からは近代的事業部制と垂直的統合の確立への道を早くから創造的に歩みだしていたからこそ、可能であったのである。

シアーズ・ローバックが、現在、アメリカ小売商業界でも一頭地をぬく大規模小売企業を築きあげ、ビッグ・ビジネスのメーカーにも優に匹敵する小売商業のビッグ・ビジネスとして、その存在を誇ることができるのも、まさに、このような経営的・産業的基礎をバックにすることができたからである。

そして、シアーズ・ローバックは、こうしたすぐれた企業的基礎のもとに、第二次大戦後の大衆消費市場――そこではますます、実用よりも高級よりも、スタイルとファッションのほうがあたらしい需要を創造するうえで重要な役割を演ずるようになる――いわゆる「ゆたかな社会」のいっそうの成熟にともなって、消費者大衆が「必需商品」よりも、また「高級商品」よりも、むしろ欲望と欲求に訴える「流行商品」にますます惹かれるようになるという市場の変化に対応して、流行商品の低価格販売と大量販売への道を独自に開拓するあたらしい営業活動を展開していくことができたのである。

こうしたシアーズ・ローバックのすぐれた経営力と営業力が、数十年の長きにわたってアメリカの小売企業の首位を占めつづけてきたA&Pを、一九六四年に、ついに抜いて、シアーズをして文字通りナンバー・ワンの王座に立たせたのである。それも、正しい経営戦略を実現するもっとも確実な経営的・産業的基礎を、きわめて早い時期に正しく築きあげていたからであった。

アメリカ小売商業から学ぶべき教訓

このようにアメリカの場合と比較してみると、わが国の流通機構が直面しつつある問

シアーズとA&Pの売上高比較

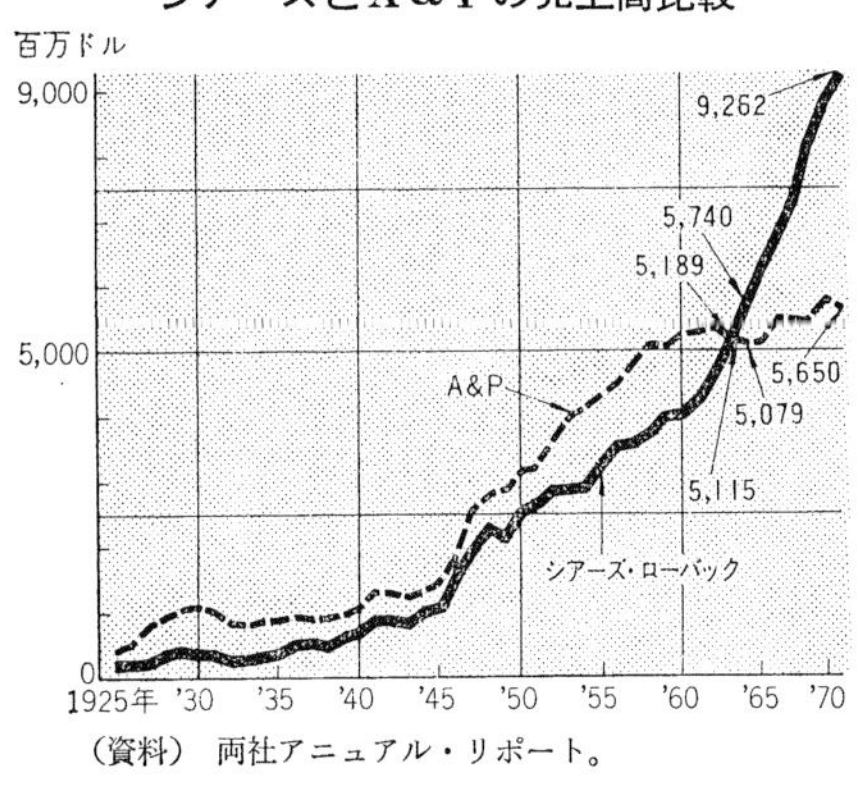

（資料）　両社アニュアル・リポート。

題の所在がどこにあるか、その解決の方向がどこにあるかは、おのずから、はっきりしてくる。

それは要するに、わが国の場合、小売商業界における変化と革新が、なんの順序も段階的な発展もなしに、すべてが一度に、ほとんど同時集中的にやってきたために、いたずらな混乱や焦燥なしには、それに適応することができなくなってしまっているということである。

アメリカの場合とちがって、わが国では生産力の急ピッチな発達にたいし販路拡大の方法が長期にわたって低迷し、とりわけ小売商業界はいちじるしく状況に立ち遅れてしまっており、またそれだけに最近になって、にわかにその近代化・合理化の要請がさしせまったものとして登場してきたのである。

わが国の小売商業の構造的特質は、ほんのひと握りの巨大な百貨店と、膨大な数にのぼる独立自営商との極端な二重構造が明治末葉に成立して以来、この二重構造が長期にわたって一貫して存立しつづけ、昭和三〇年代にはいるまで、百貨店以外に、およそ近代小売商業は存立のかげさえなかったところにある。そういう状況のところに、アメリカでは三〇年以上も前に食料品業界が経験した食料品スーパーマーケット旋風と、わずか一〇年前に総合商品を扱うすべての小売商業界をおそったディスカウント・ストア旋風とが、一度におそってきたのである。しかも、それをうけとめる小売企業の側には、アメリカが六〇年もの歴史と歳月をかけて築きあげてきたチェーン・ストア経営による大資本化や共同化が、まだほとんどできあがっていないのである。

アメリカの小売企業は、世紀のはじめというきわめて早い時期に、その経営的・産業的基礎を強化したのちに、世界大恐慌や第二次大戦以降の商業技術の革新をつぎつぎに消化して、その過程のなかで、小売商業界の変化と革新に着実に適応していくことができた。ところが、わが国の小売商業は、まだ企業経営としての基礎・実力を十分強化していない段階で、商業技術上の革新も、もっとも基礎的な経営方法の革新も、一切の革新をすべて、一気に採用しなければならなくなっているのである。これは、どうしても段階的な発展などという順序だった整然としたものではありえない。当然、それは混乱であり焦燥であり、また、騒動であり革命さわぎともなりかねないのである。そして、このような事態に追いこまれたというのも、いままでがあまりに発展がなく、保守と停滞が長期にわたって支配していたからであった。

したがって、わが国ではそれだけ小売商業の近代化・合理化の要請が強く、また、その速度も早い。だからこそ、じつは、いっそう近代小売商業の発達過程をつらぬいている運動法則が正確につかまれていなければならないのである。

この点に、わが国の小売商業は、もっとも重要な教訓を、アメリカの近代小売商業一〇〇年の歴史から学ぶことができる。

すなわち、小売企業の経営的・産業的基礎の強化が、すべての技術的解決の前提となるということである。アメリカにおいては、まずチェーン・ストアを中心とする経営的・産業的基礎の強化が、小売商業界におけるもっとも古くして、もっとも基礎的な革命であったのであり、小売商業の資本の運動としての規模拡大＝チェーン化なしに、また、このチェーン・ストアを中心として小売商業が主宰する生産＝流通のシステム化なしに――つまり近代的で合理的な、経営的で産業的な近代小売産業あるいは流通産業を築きあげることなしに――真の《流通革命》の達成はありえないのである。言葉のもっとも正しい意味での流通革命は、食料品スーパーマーケットやディスカウント・ストアなどの商業技術の革命というよりは、小売企業の経営的・産業的基礎の革命でなければならないのである。

真の流通機構合理化の道

わが国のいわゆる〈流通革命論〉は、「流通経路の短縮」こそが流通機構の合理化であるという社会的通念をつくりあげた。いわゆる太く短くという考え方である。そのこと自体は、もちろん望ましいことにちがいはないが、しかし、問屋を排除して、メーカーが多数の独立自営商に直接的に商品をおしこみ、いわゆる系列化によって流通経路の整備をおこなうことは、メーカーの市場支配力を強化するためならともかく、流通コストの節減という点では、かえって不経済となろう。

問屋の排除が流通コストの節減になるのは、小売商業が大規模小売企業を実現し、その仕入量がある一定の規模以上に大きくなった場合だけである。流通経路を短縮したから、コストが下がるのではなく、企業の規模拡大＝仕入の大量化・集中化・計画化の結果、コストが下がるのである。

しかし、この場合でも合理化の中心となるのは、よくいわれるような「中間マージンの排除」などというものではない。シアーズ・ローバックの場合にもっとも典型的にみられるように、最大の合理化は、シアーズ・ローバックがみずからのプライベート・ブランドをもち、メーカーを自分の販売計画にあわせて、ひとつのあたらしい生産＝流通のシステムに組織化することから生まれるのである。この段階では、大量仕入がさらにすすんで完全な計画仕入となり、垂直的統合の方法によって生産もまた計画化され、そこに大きなコストの節減が生じるのである。これこそがもっとも重要な流通機構の近代化・合理化なのであって、これにくらべれば中間マージンの排除などは、その副産物にしかすぎないのである。

真の流通機構近代化の道

また、いわゆる〈流通革命論〉は、「店舗の大型化」こそが流通の近代化であるという社会的通念をつくりあげた。いわゆる大きいことはいいことだという考え方である。そのこと自体は、もちろん望ましいことにはちがいないが、しかし、零細で生業的な独立自営商が、これを独力でなしとげることができると考えるとしたら、それは事態を知らないというべきであろう。結局、それをもっとも強力になしとげることのできるものは、大資本のチェーン・ストアか、実力のあるボランタリー・チェーンあるいはコーペラティブ・チェーン傘下の独立自営商であることは、アメリカの近代小売商業一〇〇年の歴史が如実に示している通りである。

さらに、ディスカウント販売のような販売面の合理化でさえ、小売企業が経営的・産業的な基礎を築きあげていなければ、その持続的な遂行はむずかしいといわなければならない。小売企業がみずからの犠牲においてディスカウントするだけでは、到底、経営を持続的に展開することはできない。小売企業が持続的な低価格販売と大量販売をおこなえるだけの低コスト経営の経営的・産業的基礎を築きあげていればこそ、その効果も大きいし、持続もするのである。これこそがもっとも重要な流通機構の近代化・合理化なのであって、これにくらべれば店舗の大型化などは、その副産物にしかすぎないのである。

このようにみてくると、流通機構全体の近代化と合理化を推進していくうえで、小売企業の経営的・産業的成長がいかに重要な意味をもつかはいっそう明らかになってくる。真の流通革命のためには、まず小売企業それ自体が、近代的で合理的な、経営的で産業的な近代小売産業＝流通産業にまで成長することが、なによりも必要なのである。真の流通革命の中心には、《流通産業革命》がなければならない。

流通革命と経営革命

これは、もはや、たんなる技術革命ではありえない。まさに、小売企業の経営革命である。アメリカの最新の流通センターやコンピューター・センターをまねて設置する企てが、最近わが国でも続々とおこなわれているが、こうした設備をしてみても、その効果のほどは知れている。そういう技術を導入することが、まったく無意味であるというのではないが、ほんとうに必要なことは、そういう技術を縦横に駆使することができるだけの経営革命が、まずなによりもの前提でなければならないのである。

この意味での経営革命がおこなわれることによって、はじめて小売商業は、いつまでも小規模で分散的な産業にとどまることなく、その経営規模の拡大＝資本の拡大を順調にはかることができるようになるというだけでなく、また、いつまでもメーカーの生産した商品を選択して、これを仕入れて再販売するという多かれ少なかれ消極的で受動的な機関にとどまることなく、産業構造全体にたいして積極的で能動的な役割を果たすことができるようになり、それによって流通の近代化・合理化はもちろん、生産の近代化・合理化にまで貢献し、経済機構全体のなかで真に革新的な役割をになうことができるようになるのである。

そして、このような意味での小売商業の産業化、つまり近代的で合理的な、経営的で産業的な小売企業を築きあげる経営革命がなしとげられたときに、はじめて流通機構全体の近代化・合理化も、いたずらな混乱や焦燥なしに、順調に推進され、言葉の正しい意味での流通革命も可能となるのである。

いままでわが国では、この重要な教訓が必ずしも正確に学ばれず、それどころか逆に、メーカーによる流通部門への支配力の強化が流通革命の中心である、という議論の方が横行している。これは明らかに流通機構全体のなかでの小売商業の役割を過小評価し、したがって、正しい意味での流通革命を知らない議論である。メーカーが流通部門の主導権を握り、みずからの製品を小売商業段階で消費者に強力に売りつけることが、どうして流通革命でありえよう。それはメーカーの市場支配力の強化ではあっても、流通機構のあり方としてはかえって不合理を生むだけである。

真の流通革命の中心となるべきものは、むしろ、小売商業である。小売商業が、それにふさわしい近代的で合理的な、経営的で産業的な企業としての成長をとげたときに、つまり真の《流通産業革命》をなしとげたときに、流通機構ははじめて近代化・合理化の道を確実に歩むことができるようになるのである。

いうまでもなく、わが国はアメリカではない。同じく流通機構の近代化・合理化という場合でも、アメリカ、西ヨーロッパ、日本では、それぞれまったくちがった内容をもっている。それぞれの国の流通機構の問題は、それぞれの国の経済機構全体の構造的特質によってちがってくるし、歴史的発展段階によっても、当然、ちがってくる。それは、それぞれ固有に個性的である。

しかし、それにもかかわらず、たしかなことは、いずれの国の流通機構の近代化・合理化も、それが目指しているのはみな、近代的で合理的な、経営的で産業的な流通産業の確立であるということであり、しかも、それは近代小売商業そのものの運動法則から必然的に帰結されるものであるということである。たしかに、それぞれの国の流通革命の姿は、もとより、それぞれ固有に個性的であろう。アメリカの歩んだ道を、わが国がそのまま辿ることはありえない。しかし、アメリカで実現された近代的で合理的な、経営的で産業的な流通産業への道と、本質的に無縁な方向を辿ることも、また、ありえないのである。そして、それだからこそ、われわれはアメリカでもっとも典型的なかたちで展開された小売商業の産業化の過程を、歴史的に、同時に理論的に明らかにすることによって、ひとつの基準＝座標軸を構築し、それを基準として国際比較＝分析をおこなってきたのである。

資本自由化がもたらすもの

このように国際比較の方法は、わが国の流通機構が直面しつつある問題の所在と解決の方向を、なによりも、すぐれて本質的＝理論的に、明らかにするためのものであったが、それと同時に、わが国は、きわめて具体的＝実践的な問題としても、国際比較の問題に直面しつつある。それはいうまでもなく、わが国の産業と企業の国際化・自由化の問題である。

資本の自由化によって、わが国の産業と企業の国際競争はいっそう激化し、メーカーにおいては、自己のマーケット・シェアを高めるための市場支配をめぐる闘いが、ますます激烈に展開されていっている。昭和三〇年代のわが国の企業成長の基本的パターンは、海外から技術を導入して、あたらしい製品計画をたて、銀行借入によって生産設備の増強に重点をおいた投資を積極的に推進するというかたちであった。これにたいして、昭和四〇年代には、高度成長をつづけようとするかぎり、やはり生産設備の増強に重点をおいた投資を推進する基調に変わりはないとしても、それだけでは企業成長は保証されなくなり、ひとつには、研究部門への投資に重点をおいて自主的な技術の開発をはかると同時に、いまひとつには、市場支配をめざす流通部門への重点的な投資がますますおこなわれなければならなくなってきている。

他方、小売商業においても、資本の自由化は具体的な日程にのぼりだしてきている。一九六九（昭和四四）年春の第二次自由化は、単独専門小売商業について、はじめて外国企業の資本参加の道を開き、一九七〇（昭和四五）年秋の第三次資本自由化は単独総合小売商業を第一類の対象業種に指定した。これによって単独店舗ならば、百貨店であろうと、ディスカウント・ストアであろうと、外国企業は五〇％までの資本参加を自由に認められることになったのである。

しかし、いうまでもなく、資本の自由化はこれで終わったわけではない。五〇%の外資比率が一〇〇%まで拡大することは必至であり、世界の小売商業の主流がチェーン・ストアであることを考えれば、真の資本自由化は単独店舗ではなく、複数店舗＝チェーン・ストアの自由化でなければならないからである。

わが国の小売商業界にとって、資本の自由化がどのような順序と段階をへて進められていくかは、もはや大きな問題ではない。そう遠くない将来に、全面的な自由化が実現されることを見通して、それに対応できるような体制の整備を急がねばならないだけである。

もともと、わが国の小売商業が生産力の急ピッチな発展に対応せず、長期にわたって保守と停滞をかさねてきたというのも、わが国の商業行政が戦前・戦後一貫してとりつづけてきた保護政策の影響であった。わが国の小売商業界は戦前・戦後の二度にわたる百貨店法にみられるように、つねに、小売商業界に巨大資本の参入をゆるさぬよう、政府の保護政策に強く依存してきたのであった。しかし、小売商業界における資本自由化が具体的な日程にのぼってきた現在、従来のように後向きの保護政策にのみ依存しようとしつづけるならば、わが国の小売商業は、みずからの存在そのものを否定することにもなりかねない。わが国の小売商業界は、資本の自由化によって、はじめて従来からの長期にわたる因襲を脱して、国内競争はもとより、国際競争までふくめて、前向きの対応に全力をかたむけるべきときを迎えたといえよう。

外国企業の真の脅威とはなにか

資本の自由化を迎えて、わが国の小売商業界では、外国企業の巨大な販売力、巨大な資本力が大きな脅威であると、ふつう、うけとられている。なるほど、たとえばシアーズ・ローバックの売上高は、九二億ドル（一九七〇年）を越え、その販売力はわが国の小売企業のベスト一〇〇社が束になってかかってもおよばない。いな、わが国の全百貨店と全スーパーの総売上高にさえ匹敵する巨大な販売力をもっている。また、毎年数十店舗をつぎつぎに新設していることだけをみても、その資本力は巨大であるといわなければならない。

しかし、わが国とアメリカの小売商業の格差が、販売力や資本力にあると考え、その巨大さにおびえきってしまうだけでは、前向きどころか、ますます後向きに拍車がかかるだけであろう。最大の問題は、むしろ、その経営的・産業的基礎にあるとみなければならない。それは相互に密接に関連する四つのポイントを内包する二つの面にあらわれる。

第一は、仕入と販売の分離と統一を実現するチェーン・ストア経営組織を確立し、これを近代的地域事業部制にまで徹底して、真の大規模小売企業を築きあげるマネジメントの面の格差であり、第二は、部門別管理からさらにすすんで品目別管理を確立し、これを垂直的統合にまで徹底して、真に小売商業が主宰するあたらしい生産＝流通のシステムを築きあげるマネジメントの面の格差である。すなわち、(1)仕入と販売の分離と統一を実現するチェーン・ストア経営組織と(2)近代的地域事業部制、(3)品目別管理と(4)垂直的統合、この四つの要素をふくむ二つの面のマネジメントに大きな格差があれば、わが国の小売商業がいかに伝統と歴史をもち、わが国の市場に強く密着してきていたとしても、外資の席捲をゆるすことになりかねない。

たしかに六〇年代、わけてもその後半以降、わが国においてもスーパーのチェーン化が急速に展開した。その成長力は、わが国の小売商業史上かつてみない速さと強さをもち、小売商業界に大きな衝撃をあたえた。しかしそれというのも、保守と停滞が長期にわたって支配してきたわが国の小売商業界だからであって、世界的規模においては、まだまだ、とるにたりない小さな存在にしかすぎない。しかも、その急速な成長そのものが、必ずしも正常な発展を保証せず、わが国のスーパーの経営体質に大きな歪みをさえ残してしまっている。

わが国小売商業の現代的課題

わが国のスーパーがチェーン・ストア経営を志向して登場して以来一〇年余、本格的な展開にはいってからでも五年余を経過したにすぎない。しかし、その急速な成長が、チェーン・ストア経営の経営資源を、真に正しく蓄積したかどうかは、きわめて疑わしい。わが国の小売商業は、いまだに仕入と販売の分離と統一を実現するチェーン・ストア経営組織の原理と方法を完全に身につけるまでにいたっていない。まだまだ、試行錯誤の過程にある。まして、全国チェーンのネットワークを築きあげるためのマネジメントの最高の武器である近代的地域事業部制を確立する課題の前には、七〇年代になって、いまようやく立ったばかりである。

しかもアメリカのチェーン・ストアの真の強さは、このようなチェーン・ストア経営のもとで、強力な商品調達をおこなう経営力をもつところにあった。すなわち、品目別管理を徹底して、売上と利益の大部分をつくる具体的な商品を発見し、各品目ごとに、その巨大な販売力を集中仕入―計画仕入にまで高め、商品調達（＝仕入）において生産段階への垂直的統合を組織化しているのである。つまり、自己の販売力が、メーカーのミニマム・ロットを越えるとき、小売商業は生産段階に介入して、みずからが主宰するあたらしい生産＝流通の統合システムを実現しているのである。しかし、わが国の小売商業はいまだに品目別管理と垂直的統合の原理と方法をみずからの血肉のなかに消化するまでにいたっていない。いな、いまようやくこの課題の前に立って、さまざまなかたちで模索をはじめたばかりである。

資本の自由化による外国企業の日本進出は、まさに、このようなチェーン・ストア経営の経営的基礎をそなえ、しかもこのような商品調達の産業的基礎をもつ大規模小売企業が、わが国の小売商業界の競争場裡に出現することを意味する。

資本の自由化は、わが国経済がもはや避けて通ることのできない道である。わが国の小売商業界は、従来、国際競争はおろか、国内競争さえ回避し、保護を強く求めてきた。しかし、いま、もっとも必要なことは、いかなる競争にも耐えうる経営体質を、正しく、しかも早く築きあげ、わが国においても流通産業の名に値する小売商業を確立することでなければならない。そして、こうした意味での《流通産業革命》をなしとげることこそが、わが国経済の均衡のとれた成長と発展のための真の流通革命への道、流通機構の近代化・合理化へのもっとも確実な道なのである。

さて、われわれは、最後に近代小売商業の発達過程のなかに貫徹しているのっぴきならぬ資本の論理をはっきりと指摘しておかなければならない。

＊　＊　＊

冷厳な資本の論理

それというのは、アメリカでもっとも典型的なかたちで展開された近代小売商業の発達過程は、「生産力」の発展に対応する力を流通界で発揮して、「市場」ないし「販路」を拡大する方法を、つぎつぎにみごとに展開していったのだが、その起動力は、けっして消費者の福祉を向上させようなどということによってではなく、営業活動と経営管理の革新を強力に推進し、低コスト経営によって低価格販売と大量販売をおこない、それによって最大利潤を実現しようとすることによってであったという客観的で冷厳な事実である。

近代小売商業は、資本主義経済のもとにおいては、営利追求の内的衝動を起動力とし、激烈な競争という外的強制にうながされて、冷厳に資本の論理を貫徹しながら、生産力の発達に対応して、販路拡大の方法をつぎつぎに展開していき、その過程のなかで近代化・合理化＝産業化を推進していった。そしてそれは、一九二九年の世界大恐慌を転機として、ひきつづく三〇年代から四〇年代にかけて、生産力と購買力の恒常的不一致傾向というあたらしい市場条件のなかで、流通産業を確立していったのである。

そしてその結果、むしろ、それが必ずしも意図しない思わざる結果として、消費者のためにも福祉と便宜をもたらすような流通機構を築きあげていったのである。

ひるがえって、現代資本主義のメカニズムを考えてみると、その急ピッチな発展の過程は、消費者の自由な選択の範囲を、消費者に不利なかたちで、ますますせばめてきているという問題を生みだしている。

それは「管理価格」になぞらえて、都留重人教授がいうように、「管理消費」といってもよい問題である。つまり、本来「価格」とは、市場で競争を通じて成立し、なんら恣意的な介入をゆるさないはずのものであるのに、独占や寡占が支配する現代資本主義のもとでは、ビッグ・ビジネスにまで成長したメーカーは、みずから市場を直接支配して、価格を管理するようになる。

それと同様に、本来「消費」とは、消費者がみずから判断し、自主的に選択して、自由に購買行動を発動させるはずのものであるのに、現代のビッグ・ビジネスにまで成長したメーカーは、現代マーケティングの手法の神髄を縦横に駆使して、まず販売しようとする製品をいわゆる製品計画によってつくりあげ、製品差別化をおこない、ついで広告宣伝および販売促進を総動員して消費者の潜在心理にはたらきかけ、欲望と欲求をかきたて、また欲求不満の状況を生みださせ、虚栄心や好奇心をかりたてる。さらには流通経路の末端まで支配して、自己の製品にたいする市場の直接的拡大をはかることを当然としている。つまり、現代社会における消費は、ますます管理されようとしており、また事実、管理されているのである。

人間尊重の立場を求めて

資本主義社会の進歩は、マーシャルがいったように、「人間のいちばん崇高な面」(the highest forces of

human nature) ではなく、「人間のいちばん強力な面」(the strongest forces of human nature) によって推進されていっているのだが、たしかに、私利私欲という「人間のいちばん強力な面」を手がかりとして、経済成長が高度に推進されていく過程のなかで、「人間のいちばん崇高な面」は、ますます後方におしやられ、価値観そのものがどんどんくずされていっている。

現代の資本主義経済機構を動かしている客観的なメカニズムのなかに内在する経済成長至上主義の根拠は、まさに、この独占または寡占巨大メーカーがもつ管理消費の貪欲さにある。そして、この経済成長至上主義は、現実に物価の高騰、公害など、いたるところに破綻をもたらしつつある。しかも、このような困難な問題をもたらしている原因のひとつは、生産と消費を結ぶ流通機構に大きな立ちおくれが存在していたからでもあった。

そのためにも、われわれは、わが国の流通機構が直面しつつある問題の所在と解決の方向を、基本的に明らかにするために、小売商業の近代化・合理化＝産業化への道を探ってきたのであった。そして、この流通産業革命への道こそが、たんに流通機構の近代化・合理化の現代的課題を正しく解決する道であるだけでなく、ガルブレイスのいうように、現代資本主義を支配する独占または寡占巨大メーカーにたいする対抗力として、管理価格や管理消費、物価の高騰や各種の公害(たとえば食品公害や保健医薬品公害などをふくめて)にたいしても、ひとつの解毒力の役割を果たすことを可能ならしめる道であり、わが国の経済機構全体の均衡のとれた発展を保証する道でもあるのである。

しかし、人間の生活を自由に選択する主体性に関しては、こうした資本の論理のワクをこえて、いっそう積極的に主体性の回復を主張する立場がなければならないであろう。しかし、それはよくいわれるような〈消費者主権〉や〈消費者は王様〉などという現代資本主義におけるひとつの童話、ひとつの神話ともいうべき立場からのものであるはずはなく、いっそう根源的な人間尊重の立場からのものでなければならないであろう。

われわれは、一九七〇年代に噴出しつつあるコンシューマリズムの大きな波のなかで、わが国の流通機構において、いっそう多元的な生産＝流通のシステムが相互に競争し、角逐し、対抗しつつ共存する関係をつくりあげ、そこに、真に近代的で合理的な商品生産＝流通への志向と展望をもつ流通機構のあたらしい座標軸を求めなければならなくなってきているのである。

あとがき

本書の目的と出版の経緯については、まえがきでふれた通りであるが、多少の余白を与えられたので、あとがきを記すことをゆるしていただきたい。

筆者は、多くの若く美しい友人たちが死んでいったあの大戦のあとの激動するわが国に生きながらえて、一九五〇年代のはじめにビジネスのなかで、たまたまわが国の小売商業界における変化と革新のひとつの黎明（わが国最初のセルフ・サービス方式による食料品スーパーマーケットの誕生）に際会し、それ以来、この「経済の暗黒大陸」といわれる問題領域に強い関心を集中し、その近代化・合理化＝産業化のために、それなりの実践的情熱をかたむけてきた実務家である。

もともと筆者は、理論は深く実践と統一されたものでなければならないとつねづね考えてきたので、実際にわが国の産業と企業のある局面、ある部分において、現実のビジネスにたずさわってきたのであるが、それを機として、この暗黒の大陸にわけいるために、一方では近代商業の歴史を跡づけることによって問題を基本的にとらえる原理と方法を学ぼうとし、他方では商業経営が直面する具体的な事例のなかで問題意識を鍛えようとし、実務のかたわら、これに研究の努力を集中してきたのである。そして、その際たえず、わが国の問題を西ヨーロッパあるいはアメリカの場合と国際比較し、そうすることによって、みずからの実践にたいする批判と反省を深めようとしてきたのであった。

そして現在、筆者はビジネスと研究所と大学という三つの場所で、ビジネスでは実務にたずさわるとともに問題意識を鍛え、研究所ではそれを調査研究し、大学ではそれを統一的に体系化しなければならないという立場に立って仕事をやっている。こうした立場に立つことのよしあしは別として、筆者は、これまでこのようにやってきたし、また将来も、ゆるされるならば、このようにやっていこうとしている。したがって本書は、わが国の流通問題をこのような立場と姿勢で考えようとし、またそのような考えにもとづいて実践してきた筆者の基本的態度の素描にすぎないのである。しかし、ながい間ひとつの問題を遅々としてではあるが追いつづけてきた筆者にとっては、それはいつかいちどは立ちどまらなければならなかったひとつの地点であったとも思われるのである。

筆者は、この機会をかりて、筆者がまだ若き日に経済学と経営学の最初の手ほどきをしていただいたとき以来、たえずきびしくあたたかく見守りつづけていただき、現在、同じ大学で講壇に立つ喜びを与えていただいている　商学博士　上智大学経済学部教授　流通産業研究所理事長　高宮晋先生と、筆者が現実のビジネスにたずさわる重要な機会を与えていただいている　西武百貨店および西友ストア社長　流通産業研究所理事　堤清二氏に、心から感謝の意を表させていただきたい。おふたりの激励をうけなかったならば、とりわけ、堤氏が一九六九年春、深く期するところあって、その設立を提唱され、高宮先生を理事長にいただいて発足することになった流通産業研究所という自由で民主的な研究機関に身をおくことがなかったならば、まことにささやかな本書のようなものでさえ、やはり、けっして生まれることはなかったであろうと思われるからである。

筆者は、本書が跡づけようとした近代小売商業一〇〇年の歩みほど、近代産業の歴史のなかでも生々として美しいものはないであろうとかねがね考えている。それは人間の生活という大地に深く根をおろした小さな芽が、どこまでもすきとおるほどあおく澄みわたる大空をめざして育ち、やがてみどりゆたかな大木にまでおいしげっていく物語である。筆者は、この美しい物語を筆者なりに語る機会を与えられたいま、この物語に登場する人物たち、たとえば、ブーシコー、ローゼンワルド、ウールワース、ペニー、ウッド、カレン――これらすぐれた商人たちが蒔いた種を、わが国の大地に移しかえ、これを育て、花と咲かせ、やがてその果実をついに収穫するものは、果たしてわが国の商人の誰であろうかと思うのである。そしてまた、この物語の詩と真実を、真にそれにふさわしく、みごとに歌いあげるものは、果たして誰であろうかと思うのである。

一九七一年七月二三日

佐藤　肇

索　引

（人名と企業名が同じ場合は，人名を先にした．）

そ

た

ち

近代商業100年略年表

（＊印は日本関係の事項）

	近　代　商　業	政治・経済・社会・文化・風俗
1852	ボン・マルシェ創業	ナポレオン３世即位
1853		*ペリー，浦賀来航
1855		リビングストン，アフリカ探険
1857		フロベール『ボヴァリー夫人』
1858	R.H. メーシー創業	*日米修好条約
1859	A & P 創業	ダーウィン『種の起源』
		ミレー「晩鐘」
1861	ジョン・ワナメーカー創業	南北戦争はじまる
1862		ユーゴー『レ・ミゼラブル』
1863		世界最初の地下鉄開通(ロンドン)
1865		リンカーン暗殺される
1867		マルクス『資本論(第１巻)』
		モニエ，鉄筋コンクリートを発明
		*大政奉還
1868		*明治維新
1869		米国最初の大陸横断鉄道開通
		*版籍奉還
1871		パリ・コミューン成立
		*廃藩置県
1872	モンゴメリー・ワード創業	*最初の鉄道開通(新橋―横浜)
1874		第１回印象派展覧会開催(パリ)
1876		ベル，電話を発明
		ブラームス「交響曲 No. 1.」
1877		トルストイ『アンナ・カレーニナ』
		チャイコフスキー「白鳥の湖」
1879	F. W. ウールワース創業	エジソン，炭素線電球を発明
		リティ，金銭登録機を発明
1880		ゾラ『ナナ』
1881	マーシャル・フィールド創業	
1882	クローガー創業	コッホ，結核菌を発見
1883		モーパッサン『女の一生』
1885		ベンツ，ガソリン自動車を発明
1886	シアーズ・ローバック創業	*最初のコーヒー店(東京銀座)
1887		*東京に電燈つく

	近　代　商　業	政治・経済・社会・文化・風俗
1888		イーストマン，小型フィルム・カメラ(コダック)を完成
		ゴッホ「ひまわり」
1889	S.S. クレスギ創業	パリ万国博開催
		*大日本帝国憲法発布
1890		マーシャル『経済学原理』
1891		エッフェル塔完成(320m)
		エジソン，映写機を完成
1892		米国最初のガソリン自動車完成
		コカ・コーラ創業
		ドビッシー「牧神の午後」
1893	*越後屋，三井呉服店と改称	*商法施行
1894		*日清戦争はじまる
1895	ローゼンワルド，シアーズに参加	レントゲン，X線を発見
1896	S.H. クレス創業	第1回近代オリンピック開催
		米国で世界最初の有料映画登場
1898		米西戦争はじまる
		キューリー，ラジウムを発見
1900		米国野球リーグ組織される
		*「鉄道唱歌」〈汽笛一声…〉流行
1901		第1回ノーベル賞(レントゲン他)
1902	J.C. ペニー創業	レーニン『何をなすべきか』
1903		ライト兄弟，飛行機で初めて飛ぶ
		フォード創業
		パラソル流行，〈O.K.〉流行語
1904	*日本最初の百貨店，(株)三越呉服店設立	サンフランシスコ大地震
		フレミング，2極真空管を発明
		*日露戦争はじまる
		*タバコ官営実施
1905		純正食品・薬事法制定
		*「戦友」〈ここは御国を…〉流行
1907		電気掃除機，電気洗濯機発明される
1908		ゼネラル・モーターズ創業
		*森永チョコレート発売
1910	*(株)いとう屋呉服店(松坂屋)設立	
1911	シアーズ，商品試験室設置	フォード，自動車の大量生産開始
		*東京銀座にカフェ「ライオン」開店
1912	A & P，エコノミー・ストアを展開	豪華船タイタニック号沈没
1913		電気冷蔵庫発明される

	近　代　商　業	政治・経済・社会・文化・風俗
		*森永箱入ミルク・キャラメル発売
1914	クレイトン反トラスト法成立	**第1次世界大戦はじまる**
	セーフウェイ創業	パナマ運河開通
	*三越，新館にエスカレーター設置	
1916		アインシュタイン，一般相対性理論を定式化
1917		ロシア10月革命
1918		*東京浅草オペラ全盛
1919	*(株)白木屋呉服店設立	*「金色夜叉」〈熱海の海岸…〉流行
	*(株)高島屋呉服店設立	
1920	*(株)大丸呉服店設立	国際連盟成立
		米国で世界最初のラジオ放送開始
1921	レッド・アンド・ホワイト創業	ワシントン会議
	*最初の鉄筋コンクリート建百貨店完成(白木屋)	*「枯れすすき」〈俺は河原の…〉流行
		*三越，女店員に事務服制定
1923	A & P, 3億ドル企業を実現	*関東大震災
	C. G. C. 創業	
	*最初の百貨店土足入店(神戸)	
1924	ウッド，シアーズに参加	*アッパッパ流行
1925	シアーズ，小売店舗を展開	チャールストン流行
		*最初のラジオ放送開始
		*治安維持法公布
1926	I. G. A. 創業	*モダン・ガール断髪流行
1927		リンドバーグ大西洋無着陸横断飛行
		世界最初の本格的トーキー映画完成
		*最初の地下鉄開通(上野—浅草)
1928	*(株)三越設立	
1929	A & P, 10億ドル企業を実現	**世界大恐慌**
	フェデレイテッド百貨店創業	ツェッペリン飛行船世界一周
	*最初のターミナル百貨店開店(阪急百貨店)	フレミング，ペニシリンを発見
		*〈エロ・グロ・ナンセンス〉流行語
1930	カレン「キング・カレン」を開店	*東海道線に特急つばめ号登場
1931	*高島屋均一ストア開店	エンパイア・ステート・ビル完成(375m)
		*満州事変はじまる
		*「モロッコ」(ディートリヒ)封切
1932	*白木屋火災	
1933	アルバース，スーパーマーケットを開店	ルーズベルトによるニュー・ディール政策

	近　代　商　業	政治・経済・社会・文化・風俗
	*伊勢丹開店(東京新宿)	ヒットラー内閣成立
		*東京音頭〈踊り踊るなら…〉流行
1934	*東横百貨店開店	キューリー，人工放射能を発見
		*職業野球チーム東京巨人軍誕生
1935		第7回コミンテルン大会(モスクワ)
1936	ロビンソン・パットマン法制定	ケインズ『一般理論』
	A & P, スーパーマーケットに戦略転換	*2・26事件
1937	全米スーパーマーケット協会創立	*日中戦争はじまる
	*百貨店法公布	*「新しき土」(原節子)封切
1938		カロザース，ナイロンを発明
		*チャップリン「モダン・タイムズ」封切
1939		第2次世界大戦はじまる
		スタインベック『怒りのぶどう』
		ミューラー，DDTを発見
1940	*西武百貨店開店	
1941	シアーズ，太平洋岸地域事業部設置	*太平洋戦争はじまる
1942		*衣料品切符制実施
1943		*学徒出陣
1944		ワクスマン，ストマイを発見
1945	シアーズ，10億ドル企業を実現	国際連合成立
		*東京大空襲，広島・長崎に原爆
1946	シアーズ，東部及南部地域事業部設置	*日本国憲法制定
1947	*第1次百貨店法廃止	*六三制公布
1948	E. J. コーベット創業	世界人権宣言
	A & P, 20億ドル企業を実現	トランジスター発明される
	シアーズ，地域事業部制組織を完成	
1949		中華人民共和国成立
		ミラー「セールスマンの死」初演
		*湯川秀樹ノーベル賞受賞
1950		朝鮮戦争はじまる
		*味噌醤油統制解除
1951	*三越スト	サンフランシスコ講和会議
		*ラジオ民間放送開始
1952		*砂糖自由販売
		*最初のボーリング場(東京青山)
		*「リンゴ追分」(美空ひばり)流行

	近　代　商　業	政治・経済・社会・文化・風俗
1953	A & P, 30億ドル企業を実現 *日本最初のセルフ・サービス食料品店，紀ノ国屋開店(東京青山)	エベレスト初登頂 *テレビ放送開始 *日本生産性本部発足 *真知子巻流行
1954	コーベット，最初のディスカウント・ストアを展開	ジュネーブ協定
1956	A & P, 40億ドル企業を実現 *百貨店法公布	*太陽族登場
1957	*日本最初のセルフ・サービス衣料品店，ハト屋(後のニチイ)開店	ソ連，人工衛星第1号打上成功 *家庭電化ブーム
1958	*スーパーの開店あいつぐ，ダイエー(神戸三宮),西友ストア(東京ひばりヶ丘団地)，東光ストア(東京高円寺)など *東横，白木屋を合併	*東京タワー完成(333m) *テレビ100万台突破
1959	*小売商業調整特別措置法公布	ソ連月ロケット，月の撮影に成功 *伊勢湾台風 *皇太子成婚
1960		*新日米安保条約発効 *国民所得倍増計画決定 *カラー・テレビ放送開始 *〈三種の神器〉流行語
1962	S. S. クレスギ，Kマートを展開	*ツイスト流行
1963	A & P, 50億ドル企業を実現 *外国スーパー進出反対大会	ケネディ暗殺される
1964		*東海道新幹線開通 *東京オリンピック開催
1965	シアーズ，60億ドル企業を実現	米国，北ベトナム爆撃開始
1966	コーベット吸収合併される *大丸，1000億円企業を実現	ソ連，無人月探査機月軟着陸 *ミニ・スカート登場
1967	シアーズ，70億ドル企業を実現	*自動車1000万台，カラー・テレビ100万台突破
1968	シアーズ，80億ドル企業を実現	*ゴーゴー流行
1969	*高島屋玉川ショッピング・センター開店 *ダイエー，1000億円企業を実現	人類最初の月面着陸成功 *霞ヶ関ビル完成(147m)
1970	シアーズ，90億ドル企業を実現 *ジャスコ(オカダヤ，フタギ，シロ3社合同合併)設立	*大阪万国博開催 *「夢は夜ひらく」(藤圭子)流行

主要文献リスト

本書は，もとより，先人の業績に負うところが多い．本来ならば，本文のなかで，各章節の終わりにいちいち注を付して，典拠を明らかにすべきであるが，本書のようにかぎられた頁数で近代小売商業100年の歩みをたどる試みをおこなったものでは，それではあまりに煩瑣にすぎ，叙述も分断されてしまうので，巻末に一括して主要な参考文献をかかげることにした．

〔I〕 外国語文献

(1) Adelman, M. A., *A&P: A Study in Price-Cost Behavior and Public-Policy*, 1966.

(2) Allen, F. L., *The Big Change*, 1952〔河村厚訳『アメリカ社会の変貌』光和堂，昭和41年〕.

(3) Appel, J. H., *The Business Biography of John Wanamaker*, 1930.

(4) Bain, J. S., *Industrial Organization*, 2nd ed., 1968〔宮沢健一訳『産業組織論』丸善，昭和45年〕.

(5) Beasley, N., *Main Street Merchant: the Story of the J. C. Penney Company*, 1948.

(6) Bingham, W. H. and Yunich, D. L., "Retail Reorganization", *Harvard Business Review*, July-August, 1965.

(7) Caves, R., *American Industry: Structure, Conduct, Performance*, 1964〔小西唯雄訳『産業組織論』東洋経済新報社，昭和43年〕.

(8) Chandler, A. D. Jr., *Strategy and Structure: Chapters in the History of the Industrial Enterprise*, 1962〔三菱経済研究所訳『経営戦略と組織』実業之日本社，昭和42年〕.

(9) Charvat, F. J., *Supermarketing*, 1961.

(10) Cohn, D. L., *The Good Old Days*, 1940.

(11) Dale, E., *The Great Organizers*, 1960〔岡本康雄訳『大企業を組織した人々』ダイヤモンド社，昭和43年〕.

(12) Dale, E., *Management: Theory and Practice*, 1965〔木川田一隆・高宮晋監訳『経営管理』ダイヤモンド社，昭和42年〕.

(13) Drucker, P. F., *The Practice of Management*, 1954〔現代経営研究会訳『現代の経営』ダイヤモンド社，昭和 40 年〕.

(14) Drucker, P. F., "Dark Continent of Economy", *Fortune*, April,1962〔小林薫訳編『経営の新次元』ダイヤモンド社，昭和 42 年所収〕.

(15) Drucker, P. F., *The Age of Discontinuity*, 1969〔林雄二郎訳『断絶の時代』ダイヤモンド社，昭和 44 年〕.

(16) D'Ydewalle., C., *Au Bon Marché*, 1965.

(17) Emmet, B. and Jeuck, J. E., *Catalogues and Counters, A History of Sears, Roeback and Company*, 1950.

(18) Faulkner, H. U., *American Economic History*, 8th. ed., 1959〔小原敬士訳『アメリカ経済史』至誠堂，昭和 43 年〕.

(19) Fortune ed., *The Distribution Upheaval Series*, 1963〔プレジデント編集部訳『進展する流通革命』ダイヤモンド社，昭和 39 年〕.

(20) Galbraith, J. K., *American Capitalism : the Concept of Countervailing Power*, 1952〔藤瀬五郎訳『アメリカ資本主義』時事通信社，昭和 30 年〕.

(21) Galbraith, J. K., *Affluent Society*, 1958〔鈴木哲太郎訳『ゆたかな社会』岩波書店，昭和 35 年〕.

(22) Gist, R. R., *Retailing : Concepts and Decisions*, 1968.

(23) Gruen, V. and Smith, L., *Shopping Towns U. S. A.: the Planning of Shopping Centers*, 1960〔奥住正道訳『ショッピングセンター計画』商業界，昭和 44 年〕.

(24) Hower, R. M., *History of Macy's of New York 1859-1919*, 1946.

(25) Kaplan, A. D., Dirlam, J. B. and Lanzillotti, R. F., *Pricing in Big Business*, 1958〔武山泰雄訳『ビッグ・ビジネスの価格政策』東洋経済新報社，昭和 35 年〕.

(26) Keynes, J. M., *The General Theory of Employment, Interest and Money*, 1936〔塩野谷九十九訳『雇用・利子および貨幣の一般理論』東洋経済新報社，昭和 16 年〕.

(27) Klein, L. R., *The Keynesian Revolution*, 1947〔篠原三代平・宮沢健一訳『ケインズ革命』有斐閣，昭和 40 年〕.

(28) Lebhar, G. M., *Chain Stores in America 1859-1962*, 3rd. ed., 1963〔倉本初夫訳『チェーンストア――米国百年史』商業界，昭和 39 年〕.

(29) Mahoney, T., *The Great Merchants*, 1949.

(30) Marshall, A., *Principles of Economics*, 8th. ed., 1920〔大塚金之助訳『経済学原理』改造社，昭和 3 年〕.

(31) Marx, K., *Das Kapital*, Bd. III, 1894〔向坂逸郎訳『資本論第3巻』(第3部) 岩波書店，昭和42年〕.

(32) Mazur, P. and Silbert, M., *Principles of Organization Applied to Modern Retailing*, 1927.

(33) Mueller, W. F. and Garoian, L., *Changes in the Market Structure of Grocery Retailing*, 1961.

(34) National Commission on Food Marketing, *Food from farmer to consumer*, 1966.

(35) Nystrom, P. H., *The Economics of Retailing*, 3rd. ed., 1930.

(36) Pasdermadjian, H., *Le Grand Magasin*, 1949〔片岡一郎訳『百貨店論』ダイヤモンド社，昭和32年〕.

(37) Penney, J. C., *Fifty Years with the Golden Rule*, 1950.

(38) Robinson, J. V., *Marx, Marshall and Keynes*, 1955〔都留重人・伊東光晴訳『マルクス主義経済学の再検討』紀伊国屋書店，昭和31年〕.

(39) The New York Society of Security Analyst, *The Retail Revolution*, 1962〔日本勧業銀行調査部訳『販売革命の実態』竹内書店，昭和38年〕.

(40) Twentith Century Fund, *Does Distribution Cost Too Much?*, 1939.

(41) Uhlich, R., *Super-Marchés et Usines de Distribution*, 1962〔川崎進一・小野尊親訳『スーパーマーケットとディスカウント・ストア』文化社，昭和39年〕.

(42) Wanamaker, J. F., *Golden Book of the Wanamaker Store, 1861-1911*, 1913.

(43) Weiss, L. W., *Case Studies in American Industry*, 1967〔江夏健一訳『独占・寡占・競争』好学社，昭和45年〕.

(44) Werner, M. R., *Julius Rosenwald*, 1939.

(45) Winkler, J. K., *Five and Ten: The Fabulous Life of F. W. Woolworth*, 1957

(46) Woolworth Co., F. W., *Woolworth's First 75 Years: the Story of Everybody's Store*, 1954.

(47) Zimmerman, M. M., *The Super Market: A Revolution in Distribution*, 1955〔長戸毅訳『スーパーマーケット』商業界，昭和37年〕.

(48) "Eagle Study", *Super Market Merchandising*, Sept.-Nov., 1961.

(49) "The Annual Report of the Grocery Industry", *Progressive Grocer*.

(50) "The Annual Report of the Discount Industry", *Discount Merchandiser*.

〔II〕 日本語文献

(51) 朝日ジャーナル編『世界企業時代』朝日新聞社，昭和 43 年.
(52) 荒川祐吉『現代配給理論』千倉書房，昭和 35 年.
(53) 荒川祐吉『小売商業構造論』千倉書房，昭和 37 年.
(54) 荒川祐吉『商業構造と流通合理化』千倉書房，昭和 44 年.
(55) 大塚久雄『大塚久雄著作集』第 4 巻・第 5 巻「資本主義社会の形成 I・II」岩波書店，昭和 44 年.
(56) 川崎進一『現代商学の基本問題』同文館，昭和 45 年.
(57) 近代経営編集部『流通革命の焦点』ダイヤモンド社，昭和 38 年.
(58) 久保村隆祐『マーケティング管理』千倉書房，昭和 40 年.
(59) 久保村隆祐『マーケティング』ダイヤモンド社，昭和 43 年.
(60) 杉岡碩夫・北里宇一・中村秀一郎・秋谷重男『流通問題を考える』日本生産性本部，昭和 41 年.
(61) 高宮晋『企業集中論』有斐閣，昭和 17 年.
(62) 高宮晋『経営組織論』ダイヤモンド社，昭和 36 年.
(63) 武山泰雄『アメリカ資本主義の構造』東洋経済新報社，昭和 33 年.
(64) 通産省産業構造審議会答申『流通近代化の展望と課題』昭和 43 年.
(65) 通産省産業構造審議会流通部会(第 9 回中間答申)『70 年代の流通』昭和 46 年.
(66) 林周二『流通革命』中央公論社，昭和 37 年.
(67) 深見義一編『スーパーマーケット』千倉書房，昭和 40 年.
(68) 深見義一他編『マーケティング講座』第 3 巻「流通問題」有斐閣，昭和 41 年.
(69) 深見義一・佐藤肇・田島義博編『流通問題入門』有斐閣，昭和 44 年.
(70) 森下二次也編『商業概論』有斐閣，昭和 42 年.
(71) 森下二次也・荒川祐吉編『体系マーケティング・マネジメント』千倉書房，昭和 41 年.
(72) 森　宏『食品流通の経済分析』東洋経済新報社，昭和 46 年.

以上の参考文献のなかで，とくに本書第 4 章の 1900 年代および 1920 年代の時代背景については文献(2)に，第 5 章 3 は文献(33)に，第 7 章 2 は文献(56)に，それぞれ負うところが多いことを明らかにしておかなければならない．また本書全体を通じてシアーズ・ローバックについては，主として文献(17)に負うところが多い．とくに第 6 章 2 のふたつのパラレルな流通システムという考えは R. ウッドの後をうけて 1954 年にシアーズの会長となった T. ハウザー(Theodore V. Houser)が 1940 年代の商品担当副社長時代に定式化したものに負うことも，明らかにしておく必要がある.

佐藤 肇（さとう はじめ）

1920年生。1943年東京大学経済学部卒業。現在西武百貨店取締役および西友ストア取締役，流通産業研究所所長，上智大学講師。

《主要論文》「販売革命にゆれるアメリカ」(『新ビジネスマン講座』第2巻，筑摩書房)，「ディスカウント・ストアの解剖」(『流通革命の焦点』ダイヤモンド社)，「E．J．コーベット」(『世界の企業』毎日新聞社)，「スーパーマーケットの発展」(『マーケティング講座』第3巻，有斐閣)，「シアーズ・ローバック」「A&P」(『世界企業時代』朝日新聞社)〔以上は北里宇一のペンネームで発表〕，「商業学を学ぶ」(『社会科学を学ぶ』有斐閣)，「百貨店の戦略転換」(『流通問題入門』有斐閣)

流通産業革命　〈有斐閣選書〉

昭和46年9月15日　初版第1刷発行
昭和47年10月30日　初版第2刷発行

著作者　佐藤 肇
発行者　江草（えぐさ） 忠允（ただあつ）
発行所　株式会社 有斐閣
東京都千代田区神田神保町2～17
電話東京（264）1311（大代表）
郵便番号〔101〕 振替口座東京370番
本郷支店〔113〕 文京区東京大学正門前
京都支店〔606〕 左京区田中門前町44

印刷　理想社・製本　明泉堂

『有斐閣選書』の刊行に際して

現代は今や激動と発展の時代であるといわれています。戦後二十数年、私たちをとりまく内外の情勢には、政治・経済・文化の各面で、めざましい変化が起り、時代はまさに重大な転換期にあるといえます。人類が月に足跡を印したということも、この新しい時代の到来をつげるものでありましょう。そしてこのような大きな変化、とりわけ新しい科学と技術の発展にともない、一般大衆の知的欲求は、年ごとに高まり、拡がりつつあります。したがって、学術文化の普及にも新しい創意と工夫を必要とすることを痛感いたします。

わが社は、この時代的要請に応えるため、ここに想を新たにして、この選書を発足させることを決意しました。

テーマは、広く現代の課題を選び、新時代にふさわしい専門知識の普及をはかるとともに、具体的な素材を通じて鋭い現実感覚を養う内容のものとしたいと念願します。そのため、斯界の権威と新鋭にお願いして、その貴重な研究成果を簡明平易に叙述していただき、清新な装いの普及版として、多くの人々に親しみやすいものとなるように期しております。

市民・学生をはじめ、広く現代社会人の知的要求に即応するこの選書誕生の趣旨をくまれ、切に皆様のご支援をお願いしてやみません。

(昭和四十四年十一月)

流通産業革命（オンデマンド版）

2002年4月10日　発行

著　者　　佐藤　肇
発行者　　江草　忠敬
発行所　　株式会社有斐閣
〒101-0051　東京都千代田区神田神保町2-17
TEL03(3264)1315（編集）　03(3265)6811（営業）
URL　http://www.yuhikaku.co.jp/

印刷・製本　株式会社　デジタルパブリッシングサービス
URL　http://www.d-pub.co.jp/

AA883

ISBN4-641-90239-9　　Printed in Japan